Nathalie Hirschsprung
Tony Tricot

Avec la collaboration de
Anne Veillon (Phonétique)
Sara Azevedo Rodrigues (DELF)
Marine Antier, Émilie Mathieu-Benoit et Alice Reboul (S'exercer)

FRANÇAIS LANGUE ÉTRANGÈRE

Couverture : Nicolas Piroux
Conception graphique : Eidos, Anne-Danielle Naname
Adaptation graphique et mise en pages : Barbara Caudrelier
Secrétariat d'édition : Astrid Rogge
Illustrations : Gabriel Rebufello
Enregistrements, montage et mixage : Studio Quali'sons – David Hassici

Tous nos remerciements à Anaïs Dorey-Mater

ISBN : 978-2-01-513560-1

58, rue Jean Bleuzen, 92178 Vanves, France.
http://www.hachettefle.fr

« Notre objectif : rendre les étudiants autonomes dans la gestion du discours social (négociation, coopération, argumentation). »

Avant-propos

Cosmopolite 4 s'adresse à un public de grands adolescents et adultes.
Il correspond au niveau B2 du CECRL et représente 160 heures d'enseignement / apprentissage.
À la fin de ***Cosmopolite 4***, les étudiants peuvent se présenter à l'épreuve du DELF B2.

Cosmopolite 4 est le fruit de notre expérience d'enseignants et de formateurs en France et à l'étranger, ce qui nous a conduits à proposer des univers thématiques proches des objectifs et des préoccupations des étudiants de ce niveau. Nous avons eu à cœur, tout au long de l'ouvrage, de leur donner des clés, des outils et des ressources pour les amener à maîtriser le discours social (négociation, coopération, argumentation).
Ainsi, nous avons sélectionné des supports et proposé des tâches permettant aux étudiants d'acquérir naturel, aisance et efficacité pour échanger à l'écrit comme à l'oral avec des locuteurs natifs.
La culture est abordée de manière transversale dans les leçons, visant à doter les étudiants d'un savoir être interculturel qui leur permettra de prendre une part active et pertinente dans des échanges personnels, professionnels ou universitaires avec des francophones.
Cosmopolite 4 encourage également les étudiants à adopter une attitude proactive et autonome (apprendre à apprendre) afin d'améliorer leurs compétences linguistiques et discursives.

Nous souhaitons à toutes et à tous un bel apprentissage de l'autonomie dans la gestion des relations sociales en français ainsi qu'une expérience gratifiante d'enseignement et d'apprentissage avec ***Cosmopolite***.

Nathalie Hirschsprung et Tony Tricot

Cosmopolite 4 est composé de huit dossiers. Ces huit dossiers comportent :

- **une double page d'ouverture active**
  Cette double page contextualise le dossier et permet aux étudiants d'aborder une thématique nouvelle en remobilisant les connaissances acquises dans les niveaux précédents et en développant des stratégies d'extrapolation. Elle présente également un contrat d'apprentissage, qui illustre la **perspective actionnelle** dans laquelle s'inscrit la méthode. En effet, **deux projets** sont proposés au début du dossier (un projet de classe et un projet ouvert sur le monde). Pour les réaliser, les étudiants vont acquérir et/ou mobiliser des **savoirs**, **savoir-faire**, **savoir agir** ainsi que des **compétences générales**, **langagières** et **culturelles**.
- **six doubles pages leçons : quatre doubles pages « en contexte » et deux doubles pages *Focus Langue***
  Chaque leçon a pour objectif de faire acquérir les compétences nécessaires à la réalisation des projets. Les leçons « en contexte » plongent les utilisateurs dans des univers **authentiques**, en France et un peu partout dans le monde. Une typologie variée de supports et de discours (écrits, audio et vidéo) leur est proposée, accompagnée d'une **démarche inductive** de compréhension des situations et de renforcement des stratégies discursives ainsi que des savoirs, savoir-faire et savoir être. Dans les doubles pages « en contexte » sont intégrés des renvois vers les doubles pages *Focus Langue* (grammaire, mots et expressions, phonétique), elles-mêmes en lien avec le précis et les exercices (*S'exercer*) en fin de manuel.
  L'**expression écrite et orale** des étudiants est sollicitée au moyen d'activités intermédiaires et de tâches finales à réaliser de manière collaborative. Le partage des productions lors de la réalisation de ces tâches finales est une étape essentielle pour l'évaluation et la valorisation du travail accompli. C'est pourquoi nous évoquons très souvent, à cette occasion, la publication des productions sur **le mur de la classe**. Il s'agit dans ce cas d'un mur virtuel collaboratif, espace de partage créé en ligne par la classe, sur lequel peuvent être affichés des textes, des images, des sons, etc.
- **une double page *Stratégies* et *Projets***
  La page consacrée au développement de stratégies propose :
  – un travail sur la structuration de types de discours oraux et écrits pour que l'étudiant se les approprie réellement ;
  – des conseils et des techniques qui fournissent à l'étudiant des critères d'évaluation pour ses propres productions et celles de ses pairs.

  La page *Projets* est consacrée au projet de classe. Elle propose un guidage facilitant. Le projet ouvert sur le monde, mentionné en fin de page, est développé dans le guide pédagogique.
- **une double page de préparation au DELF B2**
  Cette double page propose une évaluation formative et prépare au DELF B2. Elle est complétée par une épreuve complète à la fin de l'ouvrage, un portfolio dans le cahier d'activités et des tests dans le guide pédagogique.

Les démarches que nous suggérons dans ***Cosmopolite 4*** sont structurées et encadrées, y compris dans les modalités de travail. Nous nous sommes attachés à offrir des parcours clairs et rassurants, tant pour l'enseignant que pour l'étudiant.

MODE D'EMPLOI

1 Structure du livre de l'élève

- **8 dossiers** de 9 doubles pages.
- **Des annexes** :
  - des exercices d'entraînement (grammaire, mots et expressions, phonétique)
  - une épreuve complète de DELF B2
  - un précis grammatical
  - des tableaux de phonétique
  - des tableaux de conjugaison
- **Les transcriptions** dans un livret encarté

2 Descriptif d'un dossier (18 pages)

Une ouverture de dossier active

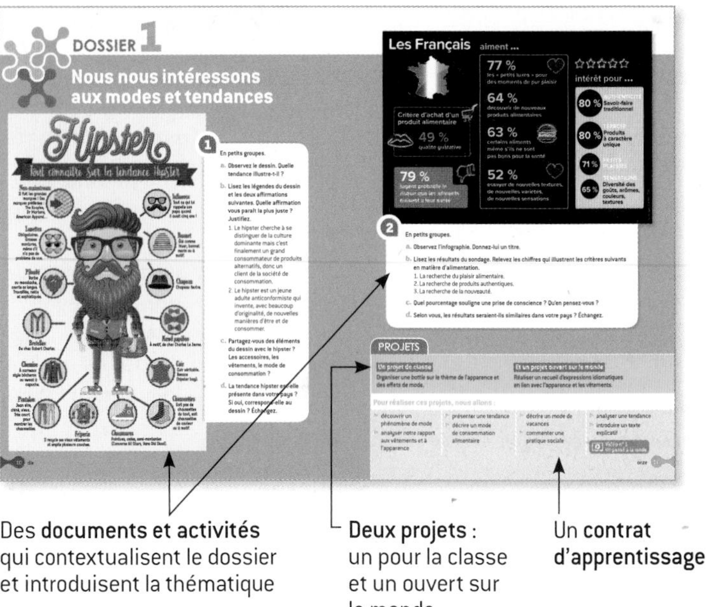

Des **documents et activités** qui contextualisent le dossier et introduisent la thématique

Deux projets : un pour la classe et un ouvert sur le monde

Un **contrat d'apprentissage**

4 leçons en contexte : 1 leçon = 1 double page

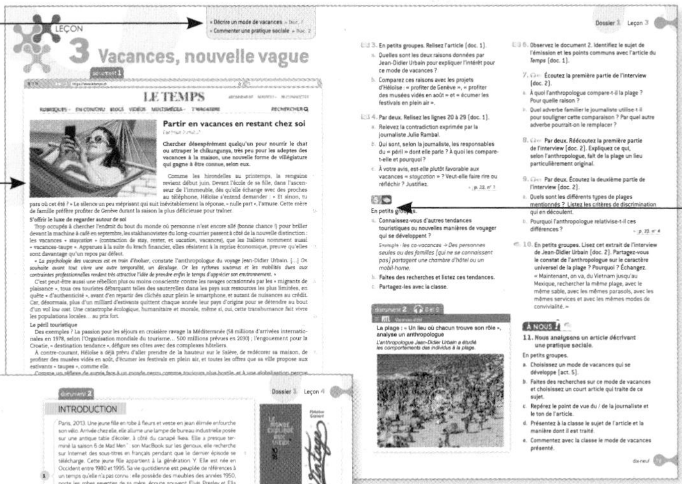

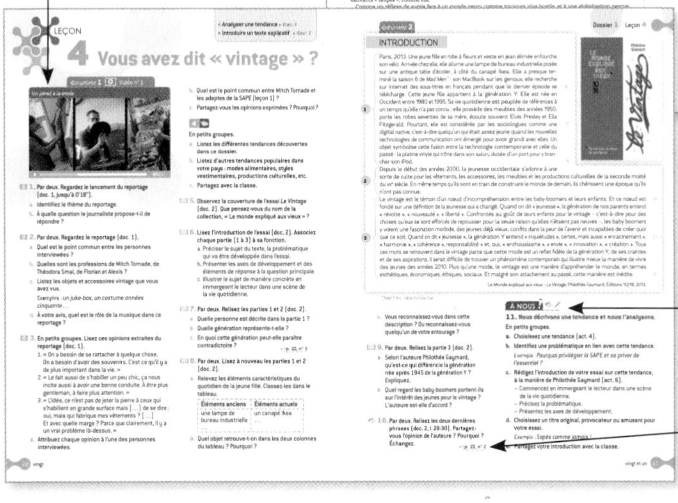

Les **savoir-faire** et les **savoir agir**

Des **documents** visuels, écrits, oraux et vidéo authentiques

Des **activités intermédiaires de production** pour préparer la tâche finale et ponctuer l'apprentissage

Des tâches finales ***À nous !*** pour structurer l'apprentissage

Des **renvois** vers les **pages *Focus Langue***

Deux doubles pages *Focus Langue*

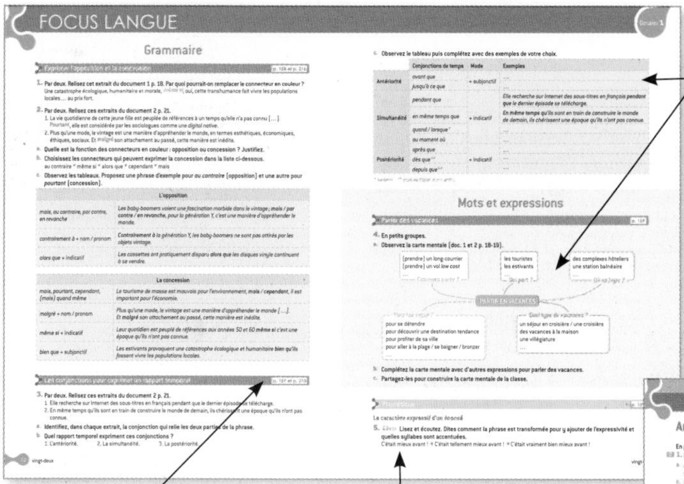

FOCUS LANGUE

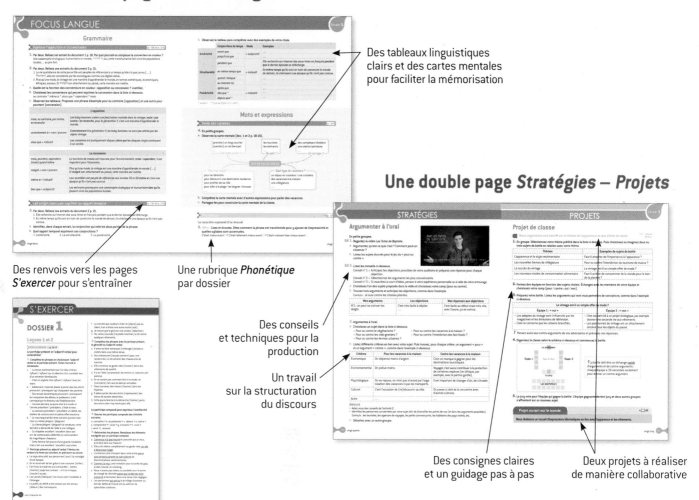

Des tableaux linguistiques clairs et des cartes mentales pour faciliter la mémorisation

Des renvois vers les pages *S'exercer* pour s'entraîner

Une rubrique *Phonétique* par dossier

S'EXERCER

Une double page *Stratégies – Projets*

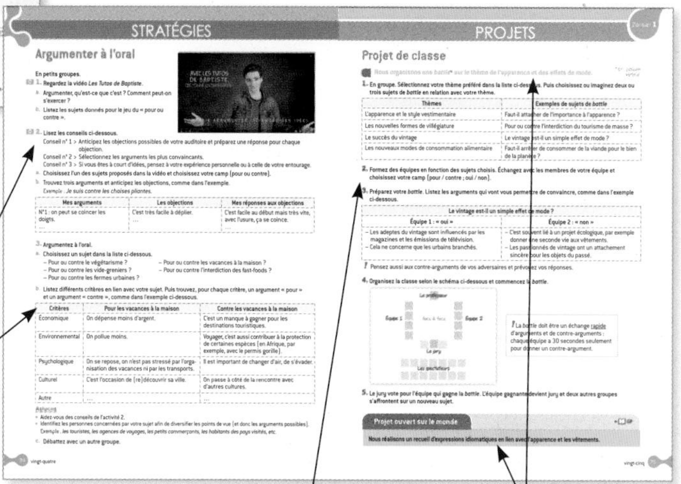

STRATÉGIES | PROJETS

Des conseils et techniques pour la production

Un travail sur la structuration du discours

Des consignes claires et un guidage pas à pas

Deux projets à réaliser de manière collaborative

Une double page de préparation au DELF B2 – Un bilan du dossier organisé par compétences

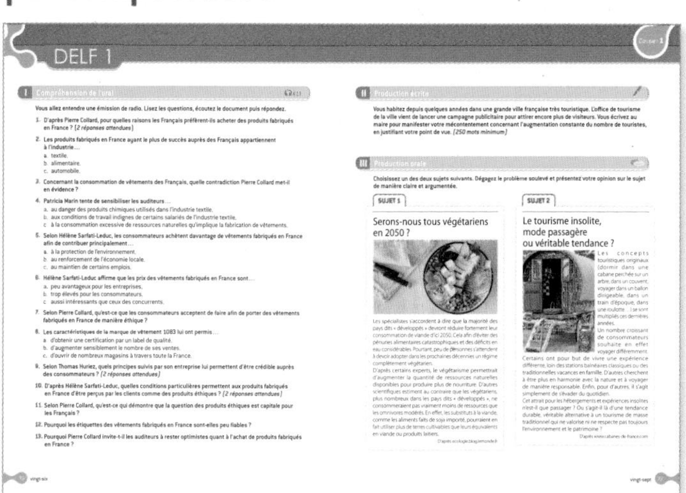

3 Contenus numériques

Audio et vidéos

Les audio et les vidéos sont disponibles sur le site **cosmopolite.hachettefle.fr** ou *via* l'application **MEDIA+** pour smartphone.

***Cosmopolite 4* existe aussi en version numérique sur ehachettefle.com**

Pour l'étudiant :

- le livre de l'élève
- le cahier d'activités

Pour le professeur :

Le manuel numérique classe (livre + cahier + guide pédagogique + ressources complémentaires)

TABLEAU DES CONTENUS

LEÇONS	DOSSIER 1 – Nous nous intéressons aux modes et tendances				
	Types et genres de discours	**Savoir-faire et savoir agir**	**Grammaire**	**Lexique**	**Phonétique**
1 À la mode ? p. 12-13	Article Internet Interview radiophonique	– Découvrir un phénomène de mode – Analyser son rapport aux vêtements et à l'apparence	– Le participe présent et l'adjectif verbal pour caractériser – Le participe composé pour exprimer l'antériorité	– Parler de l'apparence et de la tenue vestimentaire	
2 Consommation alimentaire p. 14-15	Chronique radiophonique Roman (extrait)	– Présenter une tendance – Décrire un mode de consommation alimentaire	– Le futur antérieur pour exprimer l'antériorité dans le futur	– Parler des modes et régimes alimentaires	
3 Vacances, nouvelle vague p. 18-19	Article de presse Interview radiophonique	– Décrire un mode de vacances – Commenter une pratique sociale	– Exprimer l'opposition et la concession	– Parler des vacances	Le caractère expressif d'un énoncé
4 Vous avez dit « vintage » ? p. 20-21	Vidéo (reportage) Essai (extrait)	– Analyser une tendance – Introduire un texte explicatif	– Les conjonctions pour exprimer un rapport temporel		
Stratégies	Argumenter à l'oral				
Projets	**Un projet de classe :** organiser une *battle* sur le thème de l'apparence et des effets de mode. **Un projet ouvert sur le monde :** réaliser un recueil d'expressions idiomatiques en lien avec l'apparence et les vêtements.				

LEÇONS	DOSSIER 2 – Nous parlons d'histoire et de mémoire				
	Types et genres de discours	**Savoir-faire et savoir agir**	**Grammaire**	**Lexique**	**Phonétique**
1 Événements fondateurs p. 30-31	Article de presse (interview) Témoignages	– Parler du passé avec précision	– Les temps du passé pour raconter avec précision – Faire des hypothèses sur le passé		Les caractéristiques du français parlé
2 Autrefois p. 32-33	Photographies Article de presse Commentaire d'article	– Décrire un métier – Présenter une évolution de la société		– Parler des métiers	
3 Souvenirs d'enfance p. 36-37	Roman (extrait) Roman (extrait)	– Évoquer des lieux du passé et des souvenirs d'enfance	– Le passé simple pour comprendre un récit au passé	– Les prépositions de lieu pour situer dans l'espace – Exprimer des sensations	
4 Transmission p. 38-39	Article Internet Vidéo (documentaire)	– Analyser différentes manières de présenter ou de raconter l'histoire		– Parler de la guerre	
Stratégies	Résumer				
Projets	**Un projet de classe :** réaliser un mini-dossier documentaire sur un thème historique ou mémoriel. **Un projet ouvert sur le monde :** raconter l'histoire de personnes ou de lieux et la partager.				

DOSSIER 3 – Nous nous construisons une culture commune

LEÇONS	Types et genres de discours	Savoir-faire et savoir agir	Grammaire	Lexique	Phonétique
1 Tous au Salon du livre ! p. 48-49	Article de presse Critiques radiophoniques	– Comparer et exprimer des préférences – Résumer un livre et dire ce qu'on en pense	– Les comparatifs et les superlatifs pour comparer et établir une hiérarchie	– Qualifier le style ou le contenu d'un livre	Voyelles nasales et dénasalisation
2 À chacun son cinéma p. 50-51	Débat radiophonique Article de presse	– Débattre – Faire le portrait d'un acteur ou d'une actrice	– Les pronoms relatifs pour éviter les répétitions		
3 Patrimoines p. 54-55	Article de presse Émission de radio	– Poser un problème et proposer des solutions – Décrire une spécificité culturelle	– La mise en relief pour souligner une information	– Parler du patrimoine	
4 Histoires de séries p. 56-57	Article Internet Vidéo (reportage)	– Donner son avis sur une tendance – Comprendre un processus de création	– Les pronoms *y* et *en* pour éviter les répétitions	– Les registres de langue standard et familier – Parler des séries et des tournages	
Stratégies	Maîtriser les registres de langue				
Projets	**Un projet de classe :** inventer un roman et son auteur. **Un projet ouvert sur le monde :** rédiger et publier le synopsis de la mini-série de la classe.				

DOSSIER 4 – Nous vivons avec les nouvelles technologies

LEÇONS	Types et genres de discours	Savoir-faire et savoir agir	Grammaire	Lexique	Phonétique
1 Protection des données p. 66-67	Article Internet Interview radiophonique	– Décrire et commenter une actualité technologique – Questionner les avantages et les inconvénients d'une technologie	– Poser des questions : la question par inversion	– Les préfixes négatifs pour former certains adjectifs	
2 Technologies au quotidien p. 68-69	Revue des médias Article de presse	– Commenter une évolution sociétale liée aux technologies	– Exprimer la durée	– Parler des nouvelles technologies et des réseaux sociaux	
3 Mémoire et réseaux p. 72-73	Billet d'opinion Émission de radio	– Développer un point de vue	– Exprimer la cause et la conséquence	– Le préfixe *re-* pour indiquer un retour à un état antérieur ou une répétition – La ponctuation dans un texte d'opinion	Phonie-graphie des voyelles [y] et [u] – [ø] et [œ] – [o] et [ɔ]
4 Besoin d'une détox ? p. 74-75	Affiche Essai (extrait) Vidéo (reportage)	– Développer un raisonnement		– Quelques connecteurs pour développer un raisonnement	
Stratégies	Identifier les caractéristiques d'une revue des médias				
Projets	**Un projet de classe :** réaliser une revue des médias sur l'actualité d'une technologie. **Un projet ouvert sur le monde :** vivre une expérience sans technologies et partager ses impressions.				

TABLEAU DES CONTENUS

LEÇONS	DOSSIER 5 – Nous débattons de questions de société				
	Types et genres de discours	Savoir-faire et savoir agir	Grammaire	Lexique	Phonétique
1 Questions de santé p. 84-85	Site Internet (article, interview) 🎧 Édito radiophonique	– Analyser un enjeu de société	– La voix passive pour mettre en valeur un élément	– Parler de la santé	Phonie-graphie des consonnes [s] et [z]
2 Questions de genre p. 86-87	🎧 Interview radiophonique Site Internet (témoignages)	– Prendre position sur un fait de société	– Différents emplois du subjonctif pour prendre position		
3 Passions françaises p. 90-91	Article de presse 🎧 Interview radiophonique	– Décrire et comparer des faits culturels et politiques		– Parler des institutions et de la politique	
4 Le sport, à quel prix ? p. 92-93	▶ Vidéo (reportage) Article de presse	– Commenter un phénomène de société	– Nuancer une comparaison – Le subjonctif pour exprimer une alternative	– Parler des émotions et des sentiments	
Stratégies	Faire un exposé à l'oral				
Projets	**Un projet de classe :** organiser un *World Café* sur des questions de société. **Un projet ouvert sur le monde :** réagir à des articles sur une question de société.				

LEÇONS	DOSSIER 6 – Nous faisons évoluer la société				
	Types et genres de discours	Savoir-faire et savoir agir	Grammaire	Lexique	Phonétique
1 Coopératifs et solidaires p. 102-103	Site Internet (article) 🎧 Émission de radio	– Dresser un bilan	– Exprimer la condition	– Parler d'économie et de finance	
2 Écologies p. 104-105	Article de presse 🎧 Édito radiophonique	– Provoquer une prise de conscience et faire des recommandations	– Le conditionnel pour atténuer ou exprimer des faits hypothétiques – Le conditionnel passé pour exprimer un reproche ou un regret	– Parler de la biodiversité	
3 Participation citoyenne p. 108-109	🎧 Entretien Site Internet (témoignages)	– Comprendre et proposer une action	– Les adjectifs et les pronoms indéfinis pour préciser une identité ou une quantité		Les liaisons
4 Contre la sur-consommation p. 110-111	Roman (extraits) ▶ Vidéo (post YouTube)	– Dénoncer un problème de société – Proposer des solutions	– L'accord du participe passé avec le COD placé avant le verbe	– Les locutions et verbes prépositionnels pour parler d'une action – Parler de la publicité – Parler de la solidarité	
Stratégies	Argumenter à l'écrit				
Projets	**Un projet de classe :** rédiger le recueil des propositions de la classe pour agir au quotidien. **Un projet ouvert sur le monde :** concevoir un projet original au service de la communauté.				

DOSSIER 7 – Nous agissons au travail

LEÇONS	Types et genres de discours	Savoir-faire et savoir agir	Grammaire	Lexique	Phonétique
1 Cultures professionnelles p. 120-121	Article de presse Conférence	– Comparer des pratiques professionnelles – Présenter des parcours et expliquer des choix de vie	– Le discours indirect pour rapporter des paroles au présent ou au passé	– Le registre soutenu	
2 Savoir-faire, savoir être p. 122-123	Interview radiophonique Billet d'opinion	– Identifier et décrire des compétences professionnelles		– Décrire des compétences professionnelles	
3 Modes de communication p. 126-127	Chronique radiophonique Récit (extrait)	– Communiquer en contexte professionnel	– La double pronominalisation pour ne pas répéter	– Quelques figures de style – Le registre familier (2)	Les homonymes
4 L'avenir du travail p. 128-129	Vidéo (communication d'entreprise) Billet d'opinion	– Comprendre un métier et un environnement professionnel – Exprimer un point de vue argumenté sur une question liée au travail		– Quelques expressions pour nuancer un point de vue	
Stratégies	Prendre des notes				
Projets	**Un projet de classe :** réaliser l'interview d'une personne qui travaille en français dans notre pays. **Un projet ouvert sur le monde :** réaliser une enquête sur les entreprises de notre pays qui valorisent la pratique du français dans le recrutement.				

DOSSIER 8 – Nous échangeons sur des modèles éducatifs

LEÇONS	Types et genres de discours	Savoir-faire et savoir agir	Grammaire	Lexique	Phonétique
1 Modèles éducatifs p. 138-139	Interview radiophonique Article de presse	– Exposer des objectifs à atteindre – Présenter des expériences novatrices	– Les propositions relatives pour exprimer un souhait ou un but – La valeur du subjonctif dans l'expression de l'opinion	– La nominalisation pour synthétiser et mettre en valeur des informations – Parler de scolarité et de pédagogie	
2 Ouverture sur le monde p. 140-141	Article de presse Interview radiophonique	– Donner des explications – Parler de l'apprentissage des langues		– Parler de l'apprentissage des langues	
3 Un diplôme, pour quoi faire ? p. 144-145	Débat radiophonique Essai (extrait)	– Questionner l'utilité des diplômes – Comprendre un fait de société	– Le subjonctif pour exprimer la probabilité	– Parler des études et du système éducatif	Adopter le ton juste
4 Tellement français ! p. 146-147	Vidéo (reportage) Article de presse	– Présenter une initiative éducative – Analyser des différences	– La négation *ne… ni… ni…*		
Stratégies	Faire une synthèse de documents écrits				
Projets	**Un projet de classe :** imaginer un modèle éducatif idéal. **Un projet ouvert sur le monde :** comparer différents modèles éducatifs.				

DOSSIER 1

Nous nous intéressons aux modes et tendances

Hipster
Tout connaître sur la tendance Hipster
Non-mainstream
Il fuit les grandes marques ! Ses marques préférées : The Kooples, Dr Martens, American Apparel…
Influence
Tout ce qui lui rappelle son papa quand il avait cinq ans !
Lunettes
Obligatoires. Grosses montures, même s'il n'a pas de problème de vue.
Bonnet
Été comme hiver, bonnet marin ou à motif.
Pilosité
Barbe ou moustache, courte ou longue. Travaillée, nette et sophistiquée.
Chapeau
Chapeau feutre.
Bretelles
De chez Robert Charles.
Nœud papillon
À motif, de chez Charles Le Jeune.
Chemise
À carreaux style bûcheron ou sweat à capuche.
Cuir
Cuir véritable. Besace (hipster bag).
Pantalon
Jean slim, chiné, vieux. Très court pour montrer les chaussettes.
Chaussettes
Soit pas de chaussettes du tout, soit chaussettes de couleur ou à motif.
Friperie
Il recycle ses vieux vêtements et empile plusieurs couches.
Chaussures
Pointues, usées, semi-montantes (Converse All Stars, Vans Old Skool).

1

En petits groupes.

a. Observez le dessin. Quelle tendance illustre-t-il ?

b. Lisez les légendes du dessin et les deux affirmations suivantes. Quelle affirmation vous paraît la plus juste ? Justifiez.

1. Le hipster cherche à se distinguer de la culture dominante mais c'est finalement un grand consommateur de produits alternatifs, donc un client de la société de consommation.
2. Le hipster est un jeune adulte anticonformiste qui invente, avec beaucoup d'originalité, de nouvelles manières d'être et de consommer.

c. Partagez-vous des éléments du dessin avec le hipster ? Les accessoires, les vêtements, le mode de consommation ?

d. La tendance hipster est-elle présente dans votre pays ? Si oui, correspond-elle au dessin ? Échangez.

Les Français aiment ...

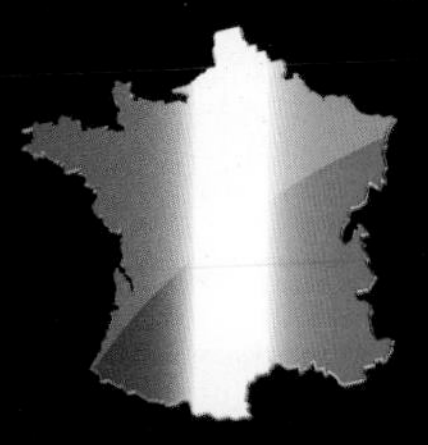

Critère d'achat d'un produit alimentaire

49 % qualité gustative

79 % jugent probable le risque que les aliments nuisent à leur santé

77 % les « petits luxes » pour des moments de pur plaisir

64 % découvrir de nouveaux produits alimentaires

63 % certains aliments même s'ils ne sont pas bons pour la santé

52 % essayer de nouvelles textures, de nouvelles variétés, de nouvelles sensations

intérêt pour ...

80 % AUTHENTICITÉ Savoir-faire traditionnel

80 % TERROIR Produits à caractère unique

71 % PETITS PLAISIRS

65 % SENSATIONS Diversité des goûts, arômes, couleurs, textures

Sondage Kantar TNS.

2

En petits groupes.

a. Observez l'infographie. Donnez-lui un titre.

b. Lisez les résultats du sondage. Relevez les chiffres qui illustrent les critères suivants en matière d'alimentation.
   1. La recherche du plaisir alimentaire.
   2. La recherche de produits authentiques.
   3. La recherche de la nouveauté.

c. Quel pourcentage souligne une prise de conscience ? Qu'en pensez-vous ?

d. Selon vous, les résultats seraient-ils similaires dans votre pays ? Échangez.

PROJETS

Un projet de classe

Organiser une *battle* sur le thème de l'apparence et des effets de mode.

Et un projet ouvert sur le monde

Réaliser un recueil d'expressions idiomatiques en lien avec l'apparence et les vêtements.

Pour réaliser ces projets, nous allons :

- découvrir un phénomène de mode
- analyser notre rapport aux vêtements et à l'apparence
- présenter une tendance
- décrire un mode de consommation alimentaire
- décrire un mode de vacances
- commenter une pratique sociale
- analyser une tendance
- introduire un texte explicatif

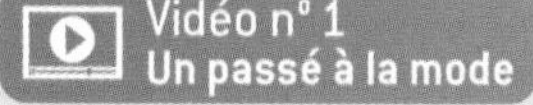

LEÇON 1 À la mode ?

- Découvrir un phénomène de mode ▸ Doc. 1
- Analyser son rapport aux vêtements et à l'apparence ▸ Doc. 2

document **1**

http://www.vivreaucongo.com

vivre au congo

Actualités ▾ Le pays ▾ Y vivre ▾ Activités ▾ Tourisme ▾ Bonnes adresses ▾ Agenda ▾ Petites annonces ▾

LA SAPE

Art de vivre, institution, voire « religion », la SAPE est un incontournable de la culture contemporaine congolaise. Littéralement acronyme de « Société des Ambianceurs et Personnes Élégantes », cette société informelle regroupe divers clubs, bars ou individus qui se passionnent pour l'art de l'élégance vestimentaire. La SAPE a ses codes et son jargon. Vêtements colorés, pas de danse, excentricité, courbettes, le sapeur fait son cinéma, mais... avec élégance ! Plus que la tenue, certes des plus recherchées, c'est l'allure qui compte et l'effet qu'elle produit sur un public ravi de cette distraction.

La SAPE, phénomène masculin, a également ses rois, tel Djo Balard, et ses courants : l'un se réclamant du pur classicisme, l'autre plus déjanté. Mais tous les sapeurs ont les yeux rivés sur Paris, capitale de la mode et haut lieu de la SAPE pour la diaspora qui diffuse les tendances et les marques incontournables.

L'intérêt des peuples congolais (la SAPE est pratiquée des deux côtés du fleuve Congo) pour l'élégance serait très ancien et se serait nourri de la colonisation, le sapeur s'étant approprié le vêtement des colonisateurs. Néanmoins, la SAPE telle qu'on la connaît aujourd'hui est apparue dans les années soixante-dix dans le quartier Bacongo de Brazzaville.

Sous l'audace du sapeur, il y a souvent eu des germes de contestation, comme l'explique l'écrivain Alain Mabanckou : « Puisqu'on nous a refusé le pouvoir économique et le pouvoir politique, nous allons le reprendre par le pouvoir de l'exhibition du corps, le corps devient l'élément fondamental pour opposer une résistance face au pouvoir politique qui ne peut pas prendre le destin des jeunes en main ». Pour le sapeur, l'habit fait le moine puisqu'il est le reflet d'une élégance intérieure. En effet, il existe un code de conduite implicite dans la SAPE : la non-violence, l'hygiène et le savoir-vivre en sont indissociables.

La SAPE a ses détracteurs : les sapophobes. Vivre pour la SAPE et se priver de l'essentiel pour s'offrir une paire de Weston semble déplacé compte tenu des réalités de l'Afrique. De même, pour la sociologue africaine Axelle Arnaut-Kabou : « Cet outil de distinction et de domination sociale est devenu, aujourd'hui, un outil de subversion sociale. C'est-à-dire, des gens dont on ne sait pas comment ils gagnent leur argent soignent leur apparence pour être vus et sortir de la misère, or la société attend d'eux qu'ils prennent par exemple en charge leur famille ». À cela, les sapeurs opposent qu'ils ont le droit de rêver et d'offrir du rêve à leur public !

Le photographe Héctor Mediavilla, auteur d'un très beau livre de photos dédié à la SAPE, estime que celle-ci est justement « une certaine forme de combat contre les circonstances difficiles de la vie. Ça n'a l'air de rien comme ça, mais essayez donc, pour voir, de garder nette une paire de Weston fraîchement cirées dans une ville couverte de poussière ». Parfois sans eau courante, faisant fi des fréquentes coupures de courant, la vie d'un sapeur relève souvent du parcours du combattant.

La SAPE est une vitrine du Congo pour l'international et une partie intégrante de la culture congolaise, ce qui amène certains Congolais à réfléchir à une plus grande valorisation de celle-ci, au risque de lui faire perdre sa spontanéité. À quand un musée de la SAPE à Brazzaville ?

1. Observez la page Internet (doc. 1).

a. De quel type de site s'agit-il ?

b. À votre avis, qu'est-ce que la SAPE ? Faites des hypothèses à partir de la photo.

2. Lisez le premier paragraphe de l'article (doc. 1) et vérifiez vos hypothèses.

3. En petits groupes. Lisez l'article en entier (doc. 1).

a. Donnez un titre à chaque paragraphe.
Exemple : *paragraphe 1 → définition de la SAPE.*

b. Identifiez :
1. ce qui caractérise l'allure du sapeur ;
2. les trois capitales de la SAPE : Kinshasa, … et … ;
3. ce qui distingue les principaux courants.

c. Quel est le lien entre la SAPE et la colonisation du Congo ?

4. Par deux. Relisez les lignes 23 à 42 (doc. 1).

a. Le code de la SAPE est-il en accord avec l'expression « l'habit ne fait pas le moine » ?

b. Qu'est-ce qu'un sapophobe ? Que pense-t-il de la SAPE ?

c. À quoi la vie d'un sapeur est-elle comparée ? Pourquoi ?

▸ p. 16-17, n° 1, 2 et 4

En petits groupes. Échangez.

a. **Que pensez-vous de la SAPE comme « art de vivre, institution, voire religion » ?**

b. **Citez d'autres modes vestimentaires, actuelles ou passées, liées à une contestation sociale.**
Exemple : *le punk.*

document 2 — 2 à 5

https://podcloud.fr/podcast/chiffonlepodcast
Épisode 75 - Sarina Lavagne :
« Le vêtement est une attention portée aux autres. »
Chiffonlepodcast
S'abonner
CHIFFON

6. Observez le bandeau du podcast *Chiffon* (doc. 2). Faites des hypothèses sur le thème de ce podcast.

7. 2 Écoutez le générique du podcast (doc. 2).

a. Vérifiez vos hypothèses.

b. Retrouvez le terme qui correspond à chaque définition.
1. Renouvellement le plus rapide possible des collections de vêtements bon marché.
2. Se dit d'une personne toujours à la pointe de la mode.
3. Synonyme de *vêtements* en français familier.

c. Proposez votre définition de l'élégance.
Exemple : *L'élégance, c'est 50 % dans la tenue, 50 % dans l'attitude.*

8. 3 Par deux. Écoutez la première partie de l'interview (doc. 2).

a. Qu'apprend-on sur Sarina Lavagne ?

b. Dites :
1. pour quelle raison elle aime les vêtements ;
2. comment elle illustre ce point de vue.

9. 4 Par deux. Écoutez la deuxième partie de l'interview puis expliquez la citation du bandeau (doc. 2) : « Le vêtement est une attention portée aux autres. »

10. 5 Par deux. Écoutez la dernière partie de l'interview de Sarina Lavagne (doc. 2).

a. Quel est son rapport au regard des autres ? Quelle contradiction souligne-t-elle ?

b. Quelle expression utilise-t-elle pour marquer cette contradiction ? Quelle autre expression pourriez-vous utiliser ?

▸ p. 17, n° 5

11. Nous analysons notre rapport aux vêtements et à l'apparence.

En petits groupes.

a. **Choisissez une tenue que vous portez régulièrement et que vous appréciez particulièrement. Décrivez-la.**
Exemple : *Un sweat-shirt à capuche noir Gucci, un pantalon en jean déchiré et des baskets.*

b. **Expliquez pourquoi vous l'appréciez et dans quelle(s) circonstance(s) vous la portez habituellement.**
Exemple : *Je la porte très souvent pour aller au travail. Je privilégie des vêtements assez confortables et, en même temps, à la mode !*

c. **Présentez vos tenues à la classe.**

En groupe.

d. **À votre avis, quel message transmet chaque tenue ?**

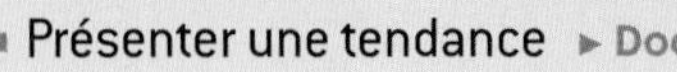
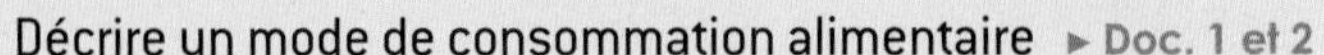

- Présenter une tendance ▸ Doc. 1
- Décrire un mode de consommation alimentaire ▸ Doc. 1 et 2

LEÇON 2 Consommation alimentaire

document 1 🎧 6 et 7

RTL
ACTU SPORT CULTURE REPLAY
En Direct
Accueil › Actu › Tendances › Bio, végétarisme, flexitarisme...
Société
C'est notre Planète
Bio, végétarisme, flexitarisme... Comment les Français mangeront-ils demain ?
Vous commandez vos repas sur Internet ou vous les imprimez en 3D ? Le cabinet AlimAvenir dresse le portrait du mangeur de 2030.

1. Observez la page Internet de cette chronique radiophonique (doc. 1).
   a. Identifiez les éléments qui la composent.
   b. Quel est le lien entre la photo et le thème de la chronique ?

2. 🎧 6 Écoutez le lancement de la chronique (doc. 1). Comment le présentateur suscite-t-il l'intérêt des auditeurs ?

3. 🎧 7 Par deux. Écoutez la chronique de Virginie Garin (doc. 1) puis observez les illustrations 1 à 4.

1

2

3

4

   a. À quelles tendances évoquées par Virginie Garin correspondent ces illustrations ?
   b. Quelles tendances ne sont pas illustrées ?

4. 🎧 7 En petits groupes. Réécoutez la chronique (doc. 1).
   a. Complétez le tableau.

Tendance	Évolution prévue	Explications ou précisions
La consommation d'insectes	Ça devrait rester une niche…	C'est culturel. Ça fait assez peu envie aux Français.
Les achats par Internet	…	…
Le bio	…	
Le local		…
Les fermes urbaines	…	…
Le végétarisme	…	…
Le flexitarisme	C'est un mot très moche, mais qu'on va entendre de plus en plus.	…

   b. Selon la journaliste, quelle est la tendance la plus forte ? La moins forte ? Justifiez.

▸ p. 17, n° 6

En petits groupes.

a. Quels seront les régimes alimentaires à la mode en 2030 ? Imaginez un nouveau mode de consommation susceptible de se développer.

b. Proposez une définition de ce mode de consommation alimentaire et présentez-le à la classe.

document 2

Je suis le genre de fille plutôt arrangeante.

Il faut vraiment, pour que je refuse de rendre un service, qu'une petite voix me prévienne d'un abus. Je dis Oui, davantage pour ne pas bousculer mes habitudes que par conviction. […]

Lorsque je suis dans la file d'attente avec un caddie rempli, je propose à tous ceux qui ont peu d'articles de passer avant moi. Ce que j'espère, c'est un merci accompagné d'un sourire. Mais certaines personnes trouvent légitime que je leur offre ma place dans la mesure où mon caddie est si plein qu'il en devient indécent. Il est arrivé que des clients ouvrent des yeux exagérément ronds en jetant un regard vers mes achats. On dirait qu'ils viennent de croiser le diable. Certes, il y réside des plats cuisinés, des viandes sous cellophane, des yaourts aromatisés, des frites congelées et des salades en sachet. Et du Sopalin[1] en quantité déraisonnable, un peu comme s'il y avait écrit sur mon front : La planète, je m'en fous.

Les trois quarts des gens à qui je propose de gagner du temps me remercient du bout des lèvres, considérant que leurs trois poireaux et leur bouteille de jus de fruit Innocent[2] ont la priorité sur trente barquettes en route vers le cancer. (Juliette, me dis-je, ces gens-là ont en partie raison. Un jour, ne t'inquiète pas, tu feras toi aussi la queue avec trois broutilles[3] bio parce que tu auras pris conscience de la dangerosité de tous les articles qui, aujourd'hui, règnent en maître dans ton caddie. Tu minciras, tu feras du sport et tu ne pourras plus regarder une côte de bœuf sans penser aux souffrances qu'a subies le bœuf pour en arriver là. Tu as été élevée dans l'idée que la viande rouge donnait de l'énergie, mais c'était en 1980. Tu parlais d'orienter ta vie autrement ; c'est peut-être précisément « à cet endroit-là » que ça se passe. Réfléchis-y, aujourd'hui, ça te semble risible – quoique tu commences à rire jaune – mais demain, ah ! demain…) Revenons à aujourd'hui.

Je suis le genre de fille, Nathalie Kuperman, Flammarion, 2018.

1. Sopalin : marque d'essuie-tout.
2. Innocent : marque de boissons.
3. une broutille : objet ou fait qui a peu de valeur, d'importance.

6. Par deux. Lisez l'extrait du roman *Je suis le genre de fille* (doc. 2).

a. Identifiez la situation décrite par la narratrice.

b. Expliquez pourquoi elle offre sa place.

c. Est-il courant, dans votre pays, d'offrir sa place dans une file d'attente ? Si ce n'est pas le cas, quelle pourrait être la réaction des gens ?

7. Par deux. Relisez l'extrait (doc. 2).

a. Quelles sont les différentes réactions des clients du supermarché ? Pourquoi ?

b. Quels produits motivent ces réactions, selon la narratrice ? Pour quelles raisons ?

8. En petits groupes. Relisez les lignes 17 à 25 (doc. 2).

a. Que fait la narratrice dans ce passage ?

b. Quel(s) effet(s) cela provoque-t-il sur le lecteur ?

▶ p. 16, n°3

À NOUS !

9. Nous rédigeons un récit à la première personne sur un mode de consommation alimentaire.

Seul(e) ou en petits groupes.

a. Choisissez un mode de consommation alimentaire.

b. Choisissez un adjectif pour ponctuer la première phrase de votre récit.
Je suis le genre de fille / de garçon plutôt curieux / curieuse, gourmand / gourmande…

c. À la manière de Nathalie Kuperman, rédigez un court récit à la première personne, dans lequel vous :
- racontez une anecdote personnelle (réelle ou inventée) liée à ce mode de consommation alimentaire ;
- proposez une réflexion personnelle à ce sujet ;
- rapportez vos pensées entre parenthèses.

d. Lisez votre récit à la classe. Ne mentionnez pas l'adjectif choisi.

e. La classe devine l'adjectif choisi pour votre récit.

Grammaire

Le participe présent et l'adjectif verbal pour caractériser

p. 156 et p. 208

1. Par deux. Relisez ces extraits du document 1 p. 12.

1. L'un <u>se réclamant</u> du pur classicisme, l'autre plus déjanté.
2. Parfois sans eau <u>courante</u>, faisant fi des fréquentes coupures de courant.

a. Quelle est la nature des éléments soulignés : participe présent ou adjectif verbal ? Lisez la règle ci-dessous.

- **Le participe présent** se forme avec la première personne du pluriel du présent de l'indicatif + *-ant*.
  nous provoquons → provoquant
  Il exprime une action. On peut le remplacer par une proposition relative avec *qui*.
  Une tenue (ne) ***provoquant*** *(pas) /* ***qui*** *(ne)* ***provoque*** *(pas) de réactions.*

- **L'adjectif verbal** se forme à partir de certains participes présents. Il s'accorde avec le nom qu'il qualifie.
  Une tenue ***provocante****.*
  ! Dans certains cas, l'orthographe de l'adjectif verbal diffère de celle du participe présent : *fatiguant* (participe) / *fatigant* (adjectif) ; *provoquant* (participe) / *provocant* (adjectif) ; *précédant* (participe) / *précédent* (adjectif) ; *excellant* (participe) / *excellent* (adjectif).

Rappel **Le gérondif** se forme avec *en* + le participe présent.
En s'habillant *élégamment, le sapeur cherche à produire un effet sur son public.*

b. Trouvez un autre adjectif verbal dans le dernier paragraphe du document 1 p. 12.

Le participe composé pour exprimer l'antériorité

p. 156 et p. 208

2. Par deux. Relisez cet extrait du document 1 p. 12.

L'intérêt des peuples congolais pour l'élégance serait très ancien et se serait nourri de la colonisation, le sapeur **s'étant approprié** le vêtement des colonisateurs.

a. Dans cet extrait, par quoi pourrait-on remplacer *le sapeur s'étant approprié (le vêtement des colonisateurs)* ?

1. parce que le sapeur s'approprie
2. parce que le sapeur s'est approprié
3. pour que le sapeur s'approprie

} le vêtement des colonisateurs

b. Complétez la règle et choisissez la réponse ① ou ②.

Le participe composé se forme avec le participe présent du verbe *avoir* ou … + le … du verbe.
Il peut exprimer ① une cause au passé / ② une conséquence au passé.

Le futur antérieur pour exprimer l'antériorité dans le futur

p. 157 et p. 205

3. Par deux. Relisez cet extrait du document 2 p. 15.

Un jour, ne t'inquiète pas, tu feras toi aussi la queue avec trois broutilles bio parce que tu auras pris conscience de la dangerosité de tous les articles qui, aujourd'hui, règnent en maître dans ton caddie. Tu minciras, tu feras du sport et tu ne pourras plus regarder une côte de bœuf sans penser aux souffrances qu'a subies le bœuf pour en arriver là.

a. Relevez dans cet extrait :

1. le changement évoqué ; 2. l'origine de ce changement ; 3. les conséquences de ce changement.

b. Observez les verbes en couleur dans l'extrait. Quelle est la relation temporelle entre ces deux actions ?

c. Complétez la règle.

Le futur antérieur se forme avec l'auxiliaire … ou *être* au futur + le … du verbe.
Il exprime un fait futur, antérieur à un autre fait futur.

Mots et expressions

Parler de l'apparence et de la tenue vestimentaire

p. 157

4. **Observez la photo ci-contre. Puis choisissez un style vestimentaire dans la liste ci-dessous et décrivez-le.**
gothique • punk • bling-bling
Exemple : *Être gothique, c'est s'habiller tout en noir…*

5. **Par deux. Associez ces éléments pour parler de l'apparence et de la tenue vestimentaire. (Plusieurs réponses sont possibles.)**

être

s'habiller

porter

- apprêté
- une jupe midi
- des talons
- avec des fringues* confortables
- une *fashion victim*
- une minijupe
- fan de mode
- du dernier cri
- de façon plus ou moins formelle
- un costume trois-pièces
- un smoking
- une tenue relax*

* familier

Être un sapeur, c'est...
avoir les yeux rivés sur Paris, capitale de la mode et haut lieu de la SAPE
produire un effet sur son public
diffuser les tendances et les marques incontournables
soigner son apparence pour être vu
être élégant et avoir de l'allure
s'offrir une paire de Weston et les garder parfaitement cirées

Parler des modes et régimes alimentaires

p. 158

6. **En petits groupes. Associez chaque mode de consommation à sa définition.**
Exemple : *le végétarisme → d.*

le sans gluten | le véganisme | le végétarisme | le végétalisme | le local | le flexitarisme | le bio

a. Mode alimentaire visant à consommer moins de viande rouge et de poisson mais sans y renoncer totalement.
b. Mode de vie alliant une alimentation 100 % végétale et le refus de consommer tout produit issu des animaux (cuir, fourrure, cosmétique…).
c. Régime alimentaire qui exclut les aliments à base de gluten (présent dans de nombreuses céréales) en raison d'une intolérance, voire d'une allergie.
d. Type d'alimentation qui exclut la viande, les poissons et les fruits de mer.
e. Régime alimentaire qui exclut tout produit d'origine animale (viande, miel, œufs…).
f. Mode alimentaire privilégiant les aliments issus de l'agriculture biologique, cultivés sans produits chimiques de synthèse.
g. Mode alimentaire privilégiant des produits issus de circuits courts (potager personnel, produits de sa région, etc.).

- Décrire un mode de vacances ▸ Doc. 1
- Commenter une pratique sociale ▸ Doc. 2

LEÇON 3 Vacances, nouvelle vague

document **1**

https://www.letemps.ch

LE TEMPS

ABONNEMENT SERVICES SE CONNECTER

RUBRIQUES EN CONTINU BLOGS VIDÉOS MULTIMÉDIA T MAGAZINE RECHERCHER

Partir en vacances en restant chez soi

Par Julie Rambal

Chercher désespérément quelqu'un pour nourrir le chat ou attraper le chikungunya, très peu pour les adeptes des vacances à la maison, une nouvelle forme de villégiature qui gagne à être connue, selon eux.

Comme les hirondelles au printemps, la rengaine revient début juin. Devant l'école de sa fille, dans l'ascenseur de l'immeuble, dès qu'elle échange avec des proches au téléphone, Héloïse s'entend demander : « Et sinon, tu pars où cet été ? » Le silence un peu méprisant qui suit inévitablement la réponse, « nulle part », l'amuse. Cette mère de famille préfère profiter de Genève durant la saison la plus délicieuse pour traîner.

S'offrir le luxe de regarder autour de soi

Trop occupés à chercher l'endroit du bout du monde où personne n'est encore allé (bonne chance !) pour briller devant la machine à café en septembre, les stakhanovistes du long-courrier passent à côté de la nouvelle distinction : les vacances « *staycation* » (contraction de *stay*, rester, et *vacation*, vacances), que les Italiens nomment aussi « vacances-taupe ». Apparues à la suite du krach financier, elles résistent à la reprise économique, preuve qu'elles sont davantage qu'un repos par défaut.

« *La psychologie des vacances est en train d'évoluer*, constate l'anthropologue du voyage Jean-Didier Urbain. [...] *On souhaite avant tout vivre une autre temporalité, un décalage. Or les rythmes soutenus et les mobilités dues aux contraintes professionnelles rendent très attractive l'idée de prendre enfin le temps d'apprécier son environnement.* »

C'est peut-être aussi une rébellion plus ou moins consciente contre les ravages occasionnés par les « migrants de plaisance », tous ces touristes débarquant telles des sauterelles dans les pays aux ressources les plus limitées, en quête « d'authenticité », avant d'en repartir des clichés azur plein le smartphone, et autant de nuisances au crédit. Car, désormais, plus d'un milliard d'estivants quittent chaque année leur pays d'origine pour se détendre au bout d'un vol *low cost*. Une catastrophe écologique, humanitaire et morale, même si, oui, cette transhumance fait vivre les populations locales… au prix fort.

Le péril touristique

Des exemples ? La passion pour les séjours en croisière ravage la Méditerranée (58 millions d'arrivées internationales en 1978, selon l'Organisation mondiale du tourisme… 500 millions prévues en 2030) ; l'engouement pour la Croatie, « destination tendance », défigure ses côtes avec des complexes hôteliers.

À contre-courant, Héloïse a déjà prévu d'aller prendre de la hauteur sur le Salève, de redécorer sa maison, de profiter des musées vidés en août, d'écumer les festivals en plein air, et toutes les offres que sa ville propose aux estivants « taupes », comme elle.

Comme un réflexe de survie face à un monde perçu comme toujours plus hostile, et à une globalisation perçue comme toujours plus incontrôlable, les vacances chez soi – ou juste à côté – répondent aussi à la nouvelle philosophie des vacances qu'observe Jean-Didier Urbain : « *Bouger pour bouger n'intéresse plus. Même quand son voisin revient de Mongolie. La destination compte moins que la façon de se l'approprier.* »

1. Lisez le titre et le chapeau de l'article (doc. 1).

a. Selon vous…
   1. le titre de l'article est : informatif / accrocheur / provocateur / autre.
   2. le ton du chapeau est : neutre / humoristique / polémique / autre.

b. Justifiez.

2. Par deux. Lisez l'article (doc. 1). Identifiez l'information principale de chaque paragraphe.

3. En petits groupes. Relisez l'article (doc. 1).

a. Quelles sont les deux raisons données par Jean-Didier Urbain pour expliquer l'intérêt pour ce mode de vacances ?

b. Comparez ces raisons avec les projets d'Héloïse : « profiter de Genève », « profiter des musées vidés en août » et « écumer les festivals en plein air ».

4. Par deux. Relisez les lignes 20 à 29 (doc. 1).

a. Relevez la contradiction exprimée par la journaliste Julie Rambal.

b. Qui sont, selon la journaliste, les responsables du « péril » dont elle parle ? À quoi les compare-t-elle et pourquoi ?

c. À votre avis, est-elle plutôt favorable aux vacances « *staycation* » ? Veut-elle faire rire ou réfléchir ? Justifiez.

p. 22, n° 1

En petits groupes.

a. **Connaissez-vous d'autres tendances touristiques ou nouvelles manières de voyager qui se développent ?**

Exemple : *les co-vacances → Des personnes seules ou des familles (qui ne se connaissent pas) partagent une chambre d'hôtel ou un mobil-home.*

b. **Faites des recherches et listez ces tendances.**

c. **Partagez-les avec la classe.**

document **2**  8 et 9

RTL Vacances d'été

La plage : « Un lieu où chacun trouve son rôle », analyse un anthropologue

L'anthropologue Jean-Didier Urbain a étudié les comportements des individus à la plage.

6. Observez le document 2. Identifiez le sujet de l'émission et les points communs avec l'article du *Temps* (doc. 1).

7. 8 Écoutez la première partie de l'interview (doc. 2).

a. À quoi l'anthropologue compare-t-il la plage ? Pour quelle raison ?

b. Quel adverbe familier le journaliste utilise-t-il pour souligner cette comparaison ? Par quel autre adverbe pourrait-on le remplacer ?

8. 8 Par deux. Réécoutez la première partie de l'interview (doc. 2). Expliquez ce qui, selon l'anthropologue, fait de la plage un lieu particulièrement original.

9. 9 Par deux. Écoutez la deuxième partie de l'interview (doc. 2).

a. Quels sont les différents types de plages mentionnés ? Listez les critères de discrimination qui en découlent.

b. Pourquoi l'anthropologue relativise-t-il ces différences ?

p. 23, n° 4

10. En petits groupes. Lisez cet extrait de l'interview de Jean-Didier Urbain (doc. 2). Partagez-vous le constat de l'anthropologue sur le caractère universel de la plage ? Pourquoi ? Échangez.

« Maintenant, on va, du Vietnam jusqu'au Mexique, rechercher la même plage, avec le même sable, avec les mêmes parasols, avec les mêmes services et avec les mêmes modes de convivialité. »

À NOUS !

11. Nous analysons un article décrivant une pratique sociale.

En petits groupes.

a. Choisissez un mode de vacances qui se développe (act. 5).

b. Faites des recherches sur ce mode de vacances et choisissez un court article qui traite de ce sujet.

c. Repérez le point de vue du / de la journaliste et le ton de l'article.

d. Présentez à la classe le sujet de l'article et la manière dont il est traité.

e. Commentez avec la classe le mode de vacances présenté.

LEÇON

- Analyser une tendance ▸ Doc. 1
- Introduire un texte explicatif ▸ Doc. 2

4 Vous avez dit « vintage » ?

document 1 Vidéo n° 1

Un passé à la mode

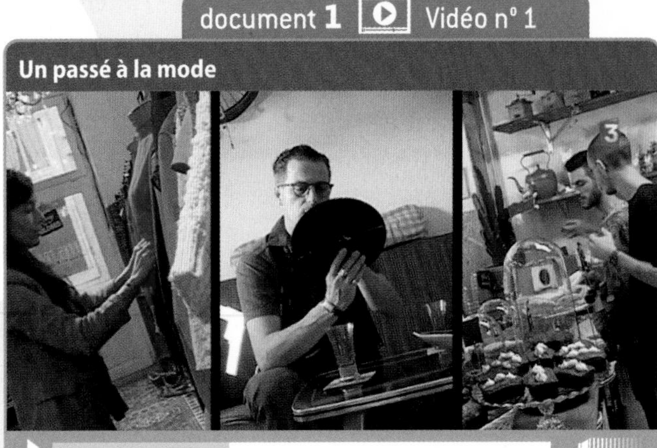

1. Par deux. Regardez le lancement du reportage (doc. 1, jusqu'à 0'18").
   a. Identifiez le thème du reportage.
   b. À quelle question le journaliste propose-t-il de répondre ?

2. Par deux. Regardez le reportage (doc. 1).
   a. Quel est le point commun entre les personnes interviewées ?
   b. Quelles sont les professions de Mitch Tornade, de Théodora Smal, de Florian et Alexis ?
   c. Listez les objets et accessoires vintage que vous avez vus.
   Exemples : *un juke-box, un costume années cinquante…*
   d. À votre avis, quel est le rôle de la musique dans ce reportage ?

3. En petits groupes. Lisez ces opinions extraites du reportage (doc. 1).
   1. « On a besoin de se rattacher à quelque chose. On a besoin d'avoir des souvenirs. C'est ce qu'il y a de plus important dans la vie. »
   2. « Le fait aussi de s'habiller un peu chic, ça nous incite aussi à avoir une bonne conduite. À être plus gentleman, à faire plus attention. »
   3. « L'idée, ce n'est pas de jeter la pierre à ceux qui s'habillent en grande surface mais […] de se dire : oui, mais qui fabrique mes vêtements ? […] Et avec quelle marge ? Parce que clairement, il y a un vrai problème là-dessus. »

   a. Attribuez chaque opinion à l'une des personnes interviewées.
   b. Quel est le point commun entre Mitch Tornade et les adeptes de la SAPE (leçon 1) ?
   c. Partagez-vous les opinions exprimées ? Pourquoi ?

4 

En petits groupes.
   a. Listez les différentes tendances découvertes dans ce dossier.
   b. Listez d'autres tendances populaires dans votre pays : modes alimentaires, styles vestimentaires, productions culturelles, etc.
   c. Partagez avec la classe.

5. Observez la couverture de l'essai *Le Vintage* (doc. 2). Que pensez-vous du nom de la collection, « Le monde expliqué aux vieux » ?

6. Lisez l'introduction de l'essai (doc. 2). Associez chaque partie (1 à 3) à sa fonction.
   a. Préciser le sujet du texte, la problématique qui va être développée dans l'essai.
   b. Présenter les axes de développement et des éléments de réponse à la question principale.
   c. Illustrer le sujet de manière concrète en immergeant le lecteur dans une scène de la vie quotidienne.

7. Par deux. Relisez les parties 1 et 2 (doc. 2).
   a. Quelle personne est décrite dans la partie 1 ?
   b. Quelle génération représente-t-elle ?
   c. En quoi cette génération peut-elle paraître contradictoire ?

▸ p. 22, n° 3

8. Par deux. Lisez à nouveau les parties 1 et 2 (doc. 2).
   a. Relevez les éléments caractéristiques du quotidien de la jeune fille. Classez-les dans le tableau.

Éléments anciens	Éléments actuels
une lampe de bureau industrielle …	un canapé Ikea …

   b. Quel objet retrouve-t-on dans les deux colonnes du tableau ? Pourquoi ?

document 2

INTRODUCTION

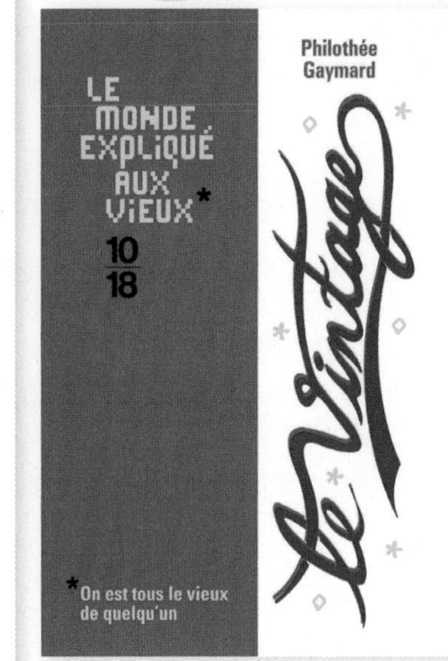

1 Paris, 2013. Une jeune fille en robe à fleurs et veste en jean élimée enfourche son vélo. Arrivée chez elle, elle allume une lampe de bureau industrielle posée sur une antique table d'écolier, à côté du canapé Ikea. Elle a presque terminé la saison 6 de *Mad Men** : son MacBook sur les genoux, elle recherche sur Internet des sous-titres en français pendant que le dernier épisode se télécharge. Cette jeune fille appartient à la génération Y. Elle est née en Occident entre 1980 et 1995. Sa vie quotidienne est peuplée de références à un temps qu'elle n'a pas connu : elle possède des meubles des années 1950, porte les robes seventies de sa mère, écoute souvent Elvis Presley et Ella Fitzgerald. Pourtant, elle est considérée par les sociologues comme une *digital native*, c'est-à-dire quelqu'un qui était assez jeune quand les nouvelles technologies de communication ont émergé pour avoir grandi avec elles. Un objet symbolise cette fusion entre la technologie contemporaine et celle du passé : la platine vinyle qui trône dans son salon, dotée d'un port pour y brancher son iPod.

2 Depuis le début des années 2000, la jeunesse occidentale s'adonne à une sorte de culte pour les vêtements, les accessoires, les meubles et les productions culturelles de la seconde moitié du XXe siècle. En même temps qu'ils sont en train de construire le monde de demain, ils chérissent une époque qu'ils n'ont pas connue.

3 Le vintage est le témoin d'un nœud d'incompréhension entre les baby-boomers et leurs enfants. Et ce nœud est fondé sur une définition de la jeunesse qui a changé. Quand on dit « jeunesse », la génération de nos parents entend « révolte », « nouveauté », « liberté ». Confrontés au goût de leurs enfants pour le vintage – c'est-à-dire pour des choses qu'eux se sont efforcés de repousser pour la seule raison qu'elles n'étaient pas neuves –, les baby boomers y voient une fascination morbide, des jeunes déjà vieux, confits dans la peur de l'avenir et incapables de créer quoi que ce soit. Quand on dit « jeunesse », la génération Y entend « inquiétudes », certes, mais aussi « enracinement », « harmonie », « cohérence », responsabilité » et, oui, « enthousiasme », « envie », « innovation », « création ». Tous ces mots se retrouvent dans le vintage parce que cette mode est un reflet fidèle de la génération Y, de ses craintes et de ses aspirations. Il serait difficile de trouver un phénomène contemporain qui illustre mieux la manière de vivre des jeunes des années 2010. Plus qu'une mode, le vintage est une manière d'appréhender le monde, en termes esthétiques, économiques, éthiques, sociaux. Et malgré son attachement au passé, cette manière est inédite.

Le Monde expliqué aux vieux – Le Vintage, Philothée Gaymard, Éditions 10/18, 2013.

* *Mad Men* : série américaine.

c. Vous reconnaissez-vous dans cette description ? Ou reconnaissez-vous quelqu'un de votre entourage ?

9. Par deux. Relisez la partie 3 (doc. 2).

a. Selon l'auteure Philothée Gaymard, qu'est-ce qui différencie la génération née après 1945 de la génération Y ? Expliquez.

b. Quel regard les baby-boomers portent-ils sur l'intérêt des jeunes pour le vintage ? L'auteure est-elle d'accord ?

10. Par deux. Relisez les deux dernières phrases (doc. 2, l. 29-30). Partagez-vous l'opinion de l'auteure ? Pourquoi ? Échangez.

► p. 22, n° 2

11. Nous décrivons une tendance et nous l'analysons.

En petits groupes.

a. Choisissez une tendance (act. 4).

b. Identifiez une problématique en lien avec cette tendance.

Exemple : *Pourquoi privilégier la SAPE et se priver de l'essentiel ?*

c. Rédigez l'introduction de votre essai sur cette tendance, à la manière de Philothée Gaymard (act. 6).
- Commencez en immergeant le lecteur dans une scène de la vie quotidienne.
- Précisez la problématique.
- Présentez les axes de développement.

d. Choisissez un titre original, provocateur ou amusant pour votre essai.

Exemple : *Sapés comme jamais !*

e. Partagez votre introduction avec la classe.

Grammaire

Exprimer l'opposition et la concession

p. 158 et p. 216

1. Par deux. Relisez cet extrait du document 1 p. 18. Par quoi pourrait-on remplacer le connecteur en couleur ?
Une catastrophe écologique, humanitaire et morale, même si, oui, cette transhumance fait vivre les populations locales… au prix fort.

2. Par deux. Relisez ces extraits du document 2 p. 21.
1. La vie quotidienne de cette jeune fille est peuplée de références à un temps qu'elle n'a pas connu […]. Pourtant, elle est considérée par les sociologues comme une *digital native*.
2. Plus qu'une mode, le vintage est une manière d'appréhender le monde, en termes esthétiques, économiques, éthiques, sociaux. Et malgré son attachement au passé, cette manière est inédite.

a. **Quelle est la fonction des connecteurs en couleur : opposition ou concession ? Justifiez.**

b. **Choisissez les connecteurs qui peuvent exprimer la concession dans la liste ci-dessous.**
au contraire • même si • alors que • cependant • mais

c. **Observez les tableaux. Proposez une phrase d'exemple pour *au contraire* (opposition) et une autre pour *pourtant* (concession).**

L'opposition	
mais, au contraire, par contre, en revanche	*Les baby-boomers voient une fascination morbide dans le vintage ; **mais / par contre / en revanche**, pour la génération Y, c'est une manière d'appréhender le monde.*
contrairement à + nom / pronom	***Contrairement à** la génération Y, les baby-boomers ne sont pas attirés par les objets vintage.*
alors que + indicatif	*Les cassettes ont pratiquement disparu **alors que** les disques vinyle continuent à se vendre.*

La concession	
mais, pourtant, cependant, (mais) quand même	*Le tourisme de masse est mauvais pour l'environnement, **mais / cependant**, il est important pour l'économie.*
malgré + nom / pronom	*Plus qu'une mode, le vintage est une manière d'appréhender le monde […]. Et **malgré** son attachement au passé, cette manière est inédite.*
même si + indicatif	*Leur quotidien est peuplé de références aux années 50 et 60 **même si** c'est une époque qu'ils n'ont pas connue.*
bien que + subjonctif	*Les estivants provoquent une catastrophe écologique et humanitaire **bien qu'**ils fassent vivre les populations locales.*

Les conjonctions pour exprimer un rapport temporel

p. 159 et p. 210

3. Par deux. Relisez ces extraits du document 2 p. 21.
1. Elle recherche sur Internet des sous-titres en français pendant que le dernier épisode se télécharge.
2. En même temps qu'ils sont en train de construire le monde de demain, ils chérissent une époque qu'ils n'ont pas connue.

a. **Identifiez, dans chaque extrait, la conjonction qui relie les deux parties de la phrase.**

b. **Quel rapport temporel expriment ces conjonctions ?**
1. L'antériorité. 2. La simultanéité. 3. La postériorité.

c. **Observez le tableau puis complétez avec des exemples de votre choix.**

	Conjonctions de temps	Mode	Exemples
Antériorité	*avant que*	+ subjonctif	…
	jusqu'à ce que		…
Simultanéité	*pendant que*	+ indicatif	*Elle recherche sur Internet des sous-titres en français* ***pendant que*** *le dernier épisode se télécharge.*
	en même temps que		***En même temps qu'****ils sont en train de construire le monde de demain, ils chérissent une époque qu'ils n'ont pas connue.*
	*quand / lorsque**		…
	au moment où		…
Postériorité	*après que*	+ indicatif	…
	*dès que***		…
	*depuis que***		…

* soutenu ** point de départ d'une action

Mots et expressions

Parler des vacances

p. 159

4. **En petits groupes.**

a. **Observez la carte mentale (doc. 1 et 2 p. 18-19).**

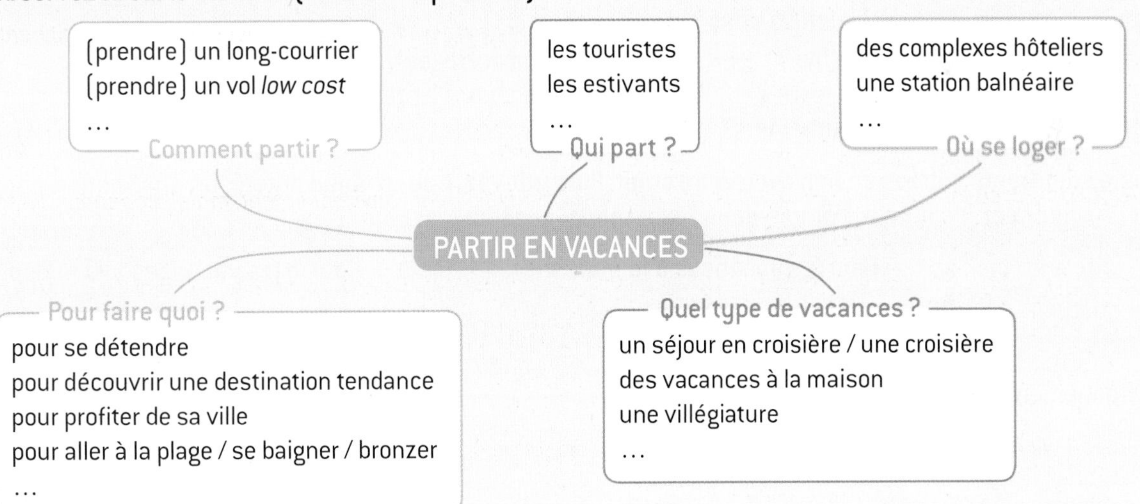

b. **Complétez la carte mentale avec d'autres expressions pour parler des vacances.**

c. **Partagez-les pour construire la carte mentale de la classe.**

Phonétique

p. 159

Le caractère expressif d'un énoncé

5. 10 **Lisez et écoutez. Dites comment la phrase est transformée pour y ajouter de l'expressivité et quelles syllabes sont accentuées.**

C'était mieux avant ! → C'était tellement mieux avant ! → C'était vraiment bien mieux avant !

Argumenter à l'oral

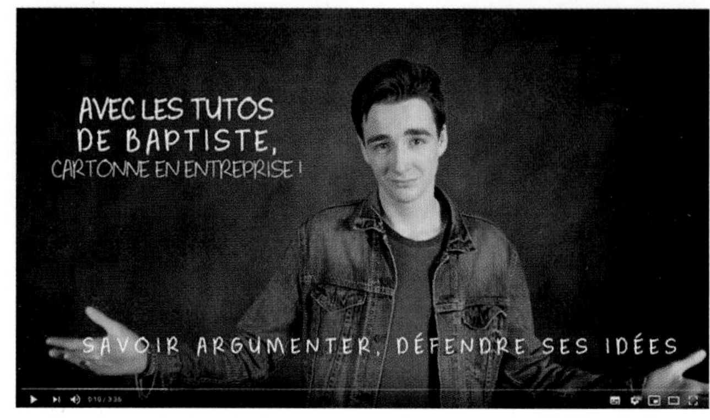

En petits groupes.

1. Regardez la vidéo *Les Tutos de Baptiste*.

a. Argumenter, qu'est-ce que c'est ? Comment peut-on s'exercer ?

b. Listez les sujets donnés pour le jeu du « pour ou contre ».

2. Lisez les conseils ci-dessous.

Conseil n° 1 > Anticipez les objections possibles de votre auditoire et préparez une réponse pour chaque objection.

Conseil n° 2 > Sélectionnez les arguments les plus convaincants.

Conseil n° 3 > Si vous êtes à court d'idées, pensez à votre expérience personnelle ou à celle de votre entourage.

a. Choisissez l'un des sujets proposés dans la vidéo et choisissez votre camp (pour ou contre).

b. Trouvez trois arguments et anticipez les objections, comme dans l'exemple.

Exemple : *Je suis contre les chaises pliantes.*

Mes arguments	Les objections	Mes réponses aux objections
N°1 : on peut se coincer les doigts. ...	C'est très facile à déplier. ...	C'est facile au début mais très vite, avec l'usure, ça se coince. ...

3. Argumentez à l'oral.

a. Choisissez un sujet dans la liste ci-dessous.

– Pour ou contre le végétarisme ?
– Pour ou contre les vide-greniers ?
– Pour ou contre les fermes urbaines ?
– Pour ou contre les vacances à la maison ?
– Pour ou contre l'interdiction des fast-foods ?

b. Listez différents critères en lien avec votre sujet. Puis trouvez, pour chaque critère, un argument « pour » et un argument « contre », comme dans l'exemple ci-dessous.

Critères	Pour les vacances à la maison	Contre les vacances à la maison
Économique	On dépense moins d'argent.	C'est un manque à gagner pour les destinations touristiques.
Environnemental	On pollue moins.	Voyager, c'est aussi contribuer à la protection de certaines espèces (en Afrique, par exemple, avec le permis gorille).
Psychologique	On se repose, on n'est pas stressé par l'organisation des vacances ni par les transports.	Il est important de changer d'air, de s'évader.
Culturel	C'est l'occasion de (re)découvrir sa ville.	On passe à côté de la rencontre avec d'autres cultures.
Autre	...	...

Astuces

- Aidez-vous des conseils de l'activité 2.
- Identifiez les personnes concernées par votre sujet afin de diversifier les points de vue (et donc les arguments possibles).
  Exemple : *les touristes, les agences de voyages, les petits commerçants, les habitants des pays visités, etc.*

c. Débattez avec un autre groupe.

Projet de classe

Nous organisons une *battle sur le thème de l'apparence et des effets de mode.**

* Compétition verbale.

1. En groupe. Sélectionnez votre thème préféré dans la liste ci-dessous. Puis choisissez ou imaginez deux ou trois sujets de *battle* en relation avec votre thème.

Thèmes	Exemples de sujets de *battle*
L'apparence et le style vestimentaire	Faut-il attacher de l'importance à l'apparence ?
Les nouvelles formes de villégiature	Pour ou contre l'interdiction du tourisme de masse ?
Le succès du vintage	Le vintage est-il un simple effet de mode ?
Les nouveaux modes de consommation alimentaire	Faut-il arrêter de consommer de la viande pour le bien de la planète ?

2. Formez des équipes en fonction des sujets choisis. Échangez avec les membres de votre équipe et choisissez votre camp (pour / contre ; oui / non).

3. Préparez votre *battle*. Listez les arguments qui vont vous permettre de convaincre, comme dans l'exemple ci-dessous.

Le vintage est-il un simple effet de mode ?	
Équipe 1 : « oui »	Équipe 2 : « non »
– Les adeptes du vintage sont influencés par les magazines et les émissions de télévision. – Cela ne concerne que les urbains branchés.	– C'est souvent lié à un projet écologique, par exemple donner une seconde vie aux vêtements. – Les passionnés de vintage ont un attachement sincère pour les objets du passé.

! Pensez aussi aux contre-arguments de vos adversaires et prévoyez vos réponses.

4. Organisez la classe selon le schéma ci-dessous et commencez la *battle*.

! La *battle* doit être un échange rapide d'arguments et de contre-arguments : chaque équipe a 30 secondes seulement pour donner un contre-argument.

5. Le jury vote pour l'équipe qui gagne la *battle*. L'équipe gagnante devient jury et deux autres groupes s'affrontent sur un nouveau sujet.

Projet ouvert sur le monde

▶ GP

Nous réalisons un recueil d'expressions idiomatiques en lien avec l'apparence et les vêtements.

DELF 1

I Compréhension de l'oral

Vous allez entendre une émission de radio. Lisez les questions, écoutez le document puis répondez.

1. D'après Pierre Collard, pour quelles raisons les Français préfèrent-ils acheter des produits fabriqués en France ? *(2 réponses attendues)*

2. Les produits fabriqués en France ayant le plus de succès auprès des Français appartiennent à l'industrie…
a. textile.
b. alimentaire.
c. automobile.

3. Concernant la consommation de vêtements des Français, quelle contradiction Pierre Collard met-il en évidence ?

4. Patricia Marin tente de sensibiliser les auditeurs…
a. au danger des produits chimiques utilisés dans l'industrie textile.
b. aux conditions de travail indignes de certains salariés de l'industrie textile.
c. à la consommation excessive de ressources naturelles qu'implique la fabrication de vêtements.

5. Selon Hélène Sarfati-Leduc, les consommateurs achètent davantage de vêtements fabriqués en France afin de contribuer principalement…
a. à la protection de l'environnement.
b. au renforcement de l'économie locale.
c. au maintien de certains emplois.

6. Hélène Sarfati-Leduc affirme que les prix des vêtements fabriqués en France sont…
a. peu avantageux pour les entreprises.
b. trop élevés pour les consommateurs.
c. aussi intéressants que ceux des concurrents.

7. Selon Pierre Collard, qu'est-ce que les consommateurs acceptent de faire afin de porter des vêtements fabriqués en France de manière éthique ?

8. Les caractéristiques de la marque de vêtement 1083 lui ont permis…
a. d'obtenir une certification par un label de qualité.
b. d'augmenter sensiblement le nombre de ses ventes.
c. d'ouvrir de nombreux magasins à travers toute la France.

9. Selon Thomas Huriez, quels principes suivis par son entreprise lui permettent d'être crédible auprès des consommateurs ? *(2 réponses attendues)*

10. D'après Hélène Sarfati-Leduc, quelles conditions particulières permettent aux produits fabriqués en France d'être perçus par les clients comme des produits éthiques ? *(2 réponses attendues)*

11. Selon Pierre Collard, qu'est-ce qui démontre que la question des produits éthiques est capitale pour les Français ?

12. Pourquoi les étiquettes des vêtements fabriqués en France sont-elles peu fiables ?

13. Pourquoi Pierre Collard invite-t-il les auditeurs à rester optimistes quant à l'achat de produits fabriqués en France ?

II Production écrite

Vous habitez depuis quelques années dans une grande ville française très touristique. L'office de tourisme de la ville vient de lancer une campagne publicitaire pour attirer encore plus de visiteurs. Vous écrivez au maire pour manifester votre mécontentement concernant l'augmentation constante du nombre de touristes, en justifiant votre point de vue. ***(250 mots minimum)***

III Production orale

Choisissez un des deux sujets suivants. Dégagez le problème soulevé et présentez votre opinion sur le sujet de manière claire et argumentée.

SUJET 1

Serons-nous tous végétariens en 2050 ?

Les spécialistes s'accordent à dire que la majorité des pays dits « développés » devront réduire fortement leur consommation de viande d'ici 2050. Cela afin d'éviter des pénuries alimentaires catastrophiques et des déficits en eau considérables. Pourtant, peu de personnes s'attendent à devoir adopter dans les prochaines décennies un régime complètement végétarien.

D'après certains experts, le végétarisme permettrait d'augmenter la quantité de ressources naturelles disponibles pour produire plus de nourriture. D'autres scientifiques estiment au contraire que les végétariens, plus nombreux dans les pays dits « développés », ne consommeraient pas vraiment moins de ressources que les omnivores modérés. En effet, les substituts à la viande, comme les aliments faits de soja importé, pourraient en fait utiliser plus de terres cultivables que leurs équivalents en viande ou produits laitiers.

D'après ecologie.blog.lemonde.fr

SUJET 2

Le tourisme insolite, mode passagère ou véritable tendance ?

Les concepts touristiques originaux (dormir dans une cabane perchée sur un arbre, dans un couvent, voyager dans un ballon dirigeable, dans un train d'époque, dans une roulotte...) se sont multipliés ces dernières années.

Un nombre croissant de consommateurs souhaite en effet voyager différemment. Certains ont pour but de vivre une expérience différente, loin des stations balnéaires classiques ou des traditionnelles vacances en famille. D'autres cherchent à être plus en harmonie avec la nature et à voyager de manière responsable. Enfin, pour d'autres, il s'agit simplement de s'évader du quotidien.

Cet attrait pour les hébergements et expériences insolites n'est-il que passager ? Ou s'agit-il là d'une tendance durable, véritable alternative à un tourisme de masse traditionnel qui ne valorise ni ne respecte pas toujours l'environnement et le patrimoine ?

D'après cabanes-de-france.com

DOSSIER 2

Nous parlons d'histoire et de mémoire

1

a. Par deux. Lisez les citations. Quels thèmes évoquent-elles ? En connaissez-vous les auteurs ?

En petits groupes.

b. Quel sens donnez-vous à chaque citation ? Échangez puis comparez vos interprétations avec celles des autres groupes.

c. Choisissez un des thèmes évoqués et rédigez votre propre citation sur ce thème. Partagez avec la classe.

« L'histoire est la mémoire du monde. »

Henri Lacordaire

« Ceux qui ne connaissent pas leur histoire s'exposent à ce qu'elle recommence... »

Elie Wiesel

« L'avenir nous tourmente, le passé nous retient. C'est pour ces raisons que le présent nous échappe. »

Gustave Flaubert

« Les souvenirs d'enfance, c'est du cinéma muet. »

Annie Ernaux

Les jours fériés en France

Il y a onze jours fériés par an en France.
Six sont liés à des fêtes religieuses, quatre sont liés à l'histoire du pays.
Le dernier est le premier jour de l'année du calendrier grégorien.

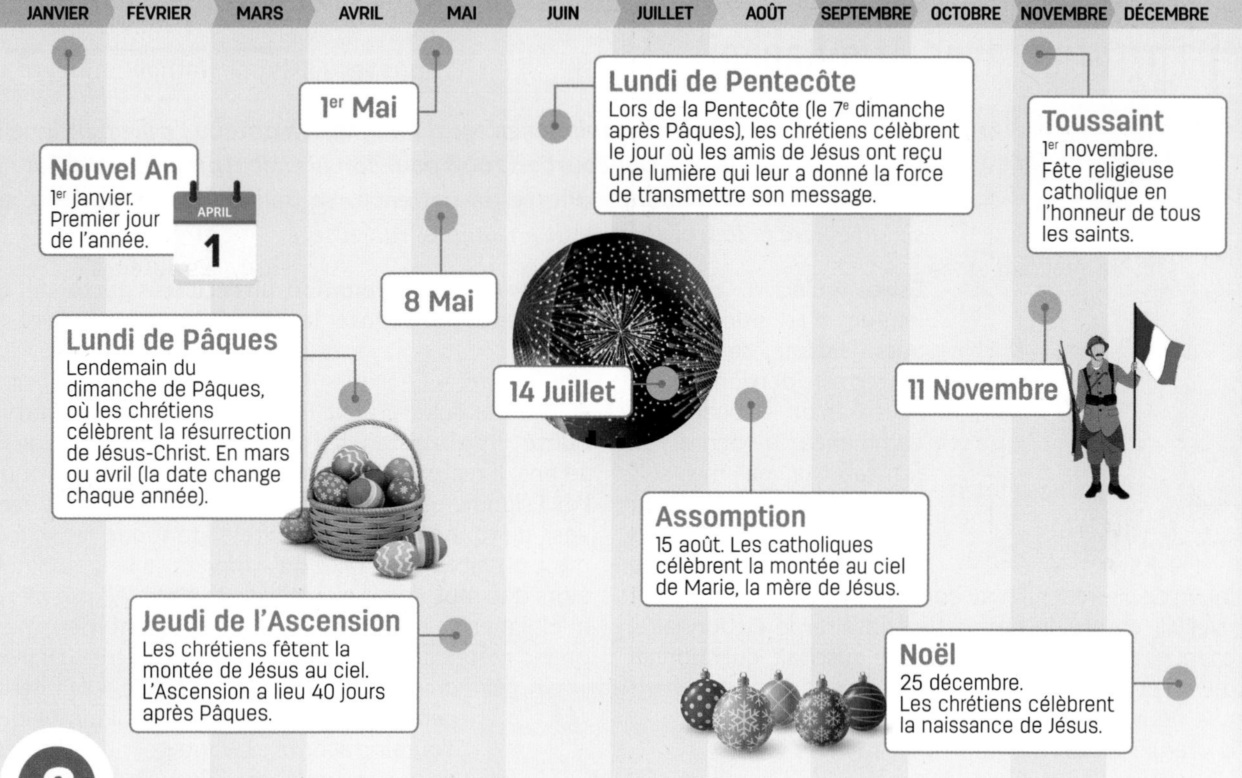

JANVIER
FÉVRIER
MARS
AVRIL
MAI
JUIN
JUILLET
AOÛT
SEPTEMBRE
OCTOBRE
NOVEMBRE
DÉCEMBRE
Nouvel An
1er janvier. Premier jour de l'année.
APRIL
1
1er Mai
8 Mai
Lundi de Pâques
Lendemain du dimanche de Pâques, où les chrétiens célèbrent la résurrection de Jésus-Christ. En mars ou avril (la date change chaque année).
Jeudi de l'Ascension
Les chrétiens fêtent la montée de Jésus au ciel. L'Ascension a lieu 40 jours après Pâques.
Lundi de Pentecôte
Lors de la Pentecôte (le 7e dimanche après Pâques), les chrétiens célèbrent le jour où les amis de Jésus ont reçu une lumière qui leur a donné la force de transmettre son message.
14 Juillet
Assomption
15 août. Les catholiques célèbrent la montée au ciel de Marie, la mère de Jésus.
Toussaint
1er novembre. Fête religieuse catholique en l'honneur de tous les saints.
11 Novembre
Noël
25 décembre. Les chrétiens célèbrent la naissance de Jésus.

2

a. Observez le calendrier. Que présente-t-il ?

b. Relevez le nombre de jours fériés en France et leur origine.

c. Par deux. Identifiez les quatre jours fériés liés à l'histoire de la France. Faites des recherches pour trouver ce qu'ils célèbrent.

d. En petits groupes. Combien y a-t-il de jours fériés dans votre pays et quelle est leur raison d'être ? Échangez. Comparez avec le calendrier français et relevez les similitudes et les différences.

PROJETS

Un projet de classe

Réaliser un mini-dossier documentaire sur un thème historique ou mémoriel.

Et un projet ouvert sur le monde

Raconter l'histoire de personnes ou de lieux et la partager.

Pour réaliser ces projets, nous allons :

- parler du passé avec précision
- décrire un métier
- présenter une évolution de la société
- évoquer des lieux du passé et des souvenirs d'enfance
- analyser différentes manières de présenter ou de raconter l'histoire

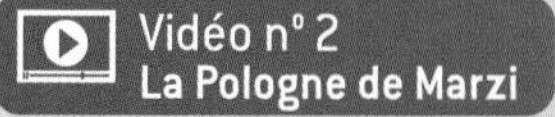

LEÇON 1 Événements fondateurs

document **1**

Entretien avec Atiq Rahimi

Propos recueillis par Nathalie Jungerman

Atiq Rahimi est né en Afghanistan en 1962. En 1985, il a obtenu l'asile politique en France. Il a reçu le prix Goncourt en 2008 pour son premier roman écrit en langue française, **Syngué sabour – Pierre de patience. La Ballade du calame**[1] *est son sixième livre et le troisième écrit en langue française.*

Est-ce qu'écrire dans sa langue d'adoption, c'est aussi laisser sa langue maternelle derrière soi ?

Atiq Rahimi – Quand j'ai commencé à écrire en français, je ne me suis pas lancé un défi pour me prouver que j'en étais capable. C'était plutôt une façon de chercher l'innocence de la langue. Chaque mot éveillait en moi le besoin de consulter le dictionnaire, chaque construction de phrase suscitait questionnements et incertitudes, comme si j'apprenais une nouvelle langue ou que j'écrivais pour la première fois.

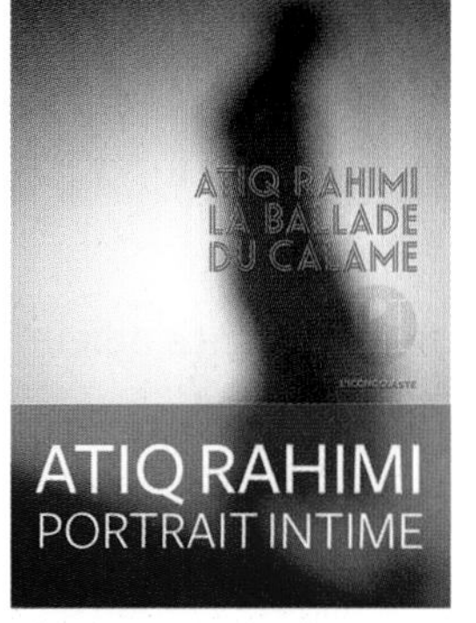

Je suis arrivé ici en 1985. Ce n'est qu'en 2007 que j'ai écrit mon premier roman en français, *Syngué sabour – Pierre de patience*. Cela dit, j'ai fait mes études supérieures à Paris, j'ai donc rédigé mes mémoires de maîtrise, de DEA et ma thèse de doctorat en français. Mais il s'agissait de textes universitaires, d'un autre langage. Quand on touche à des sujets émotionnels, tel l'exil, ou l'amour, on ne peut pas utiliser une écriture universitaire. C'est avec la langue maternelle que l'on va écrire, celle avec laquelle on a pleuré, on a ri, on a commencé à connaître le monde, à appeler ses parents, car cette langue est dans nos cellules, elle est charnelle. Comment réussir à exprimer toutes ces émotions dans une langue étrangère ? C'est assez mystérieux.

En ce qui me concerne, une situation particulière m'a poussé à écrire en français. La période où j'écrivais mes livres en persan correspondait à celle où je n'arrivais pas à revenir en Afghanistan. Écrire dans ma langue natale était le seul moyen de retourner dans mon pays, comme si la langue était un territoire. Lorsque je suis rentré en Afghanistan en 2002, à partir de cette date-là, il m'a été très difficile de continuer à écrire en persan. D'un seul coup, je me suis démuni[2] d'une langue, et j'ai cherché une autre terre linguistique. Le français.

Ce livre est une méditation, un récit très personnel qui commence par exposer la difficulté à écrire un livre sur l'exil.

Atiq Rahimi – Ce livre sur l'exil était en effet difficile à écrire. Ma culture était très ancrée en moi quand j'ai quitté l'Afghanistan puisque j'avais un peu plus de 20 ans. Il reste toujours une grande nostalgie. Évoquer l'exil signifie parler de son pays, des sensations olfactives[3], de tout ce qui vous habite en tant que proscrit[4]. Il n'est possible de le faire qu'à travers sa langue natale, alors que moi, j'écris en français comme si j'essayais de m'éloigner de mes racines. Ce qui pourtant me ramène quand même à mon pays. Mais si j'avais écrit *La Ballade du calame* en persan, le texte serait certainement différent, plus autobiographique. J'aurais raconté davantage de souvenirs, de moments vécus, d'événements factuels. J'ai lu un grand nombre de livres qui décrivent le périple des réfugiés. J'ai quitté comme eux mon pays, à quoi bon raconter un parcours similaire ? Plutôt qu'un récit purement autobiographique, c'est une sorte de méditation, de réflexion sur l'exil qui s'est imposée à moi. Il faut dire aussi que tous les textes consacrés à ce sujet évoquent toujours la souffrance, à juste titre bien sûr, mais cet aspect l'emporte sur la délivrance que nous procure l'exil, malgré tout. Vous partez ailleurs car vous êtes menacé, blâmé[5], interdit, censuré chez vous. C'est votre instinct de survie qui vous pousse à quitter votre pays. Il ne faut pas oublier cet espace de liberté que vous offre l'exil. Je pense par exemple à Victor Hugo, condamné pour ses prises de position, dont les vingt années d'exil ont été très fécondes d'un point de vue littéraire. Je voulais donc réfléchir sur cette possibilité existentielle, culturelle, intellectuelle que nous offre l'exil parce que j'ai déjà pleuré tant de fois sur la perte de mon pays. Au fond, si je suis devenu écrivain, si mes livres sont lus, si j'ai reçu des prix, si j'ai eu accès à la littérature du monde entier, c'est grâce au fait de m'être exilé. Est-ce que j'aurais la même écriture, la même manière de voir le monde, la même identité si j'étais resté en Afghanistan ? J'en doute.

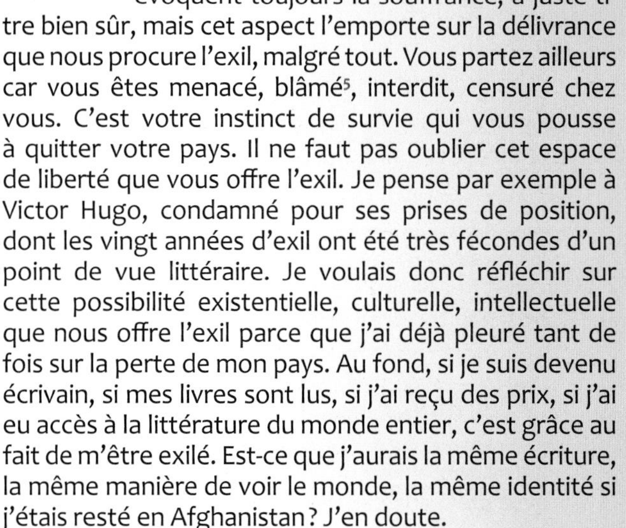

Florilettres, fondation de La Poste, www.fondationlaposte.org

1. un calame : roseau utilisé pour écrire dans l'Antiquité. 2. se démunir : se séparer de quelque chose.
3. olfactif : lié à l'odorat. 4. proscrit : exilé, chassé. 5. blâmé : critiqué, mal jugé.

1. Observez l'article (doc. 1).
a. Qui est la personne en photo ? La connaissez-vous ?
b. Faites des hypothèses sur le thème de l'article.

2. Lisez l'introduction de l'article (doc. 1) et vérifiez vos hypothèses.

3. Par deux. Lisez la première partie de l'interview (doc. 1, l. 5 à 46).
a. Reformulez la question de la journaliste avec vos propres mots.
b. Donnez un titre à chaque paragraphe. Quand c'est possible, précisez la période concernée.
c. Relevez les éléments qui caractérisent la relation de l'écrivain :
1. au français ;
2. à sa langue maternelle.
d. À quoi compare-t-il sa langue maternelle et le français ?

4. Par deux. Lisez la deuxième partie de l'interview (doc. 1, l. 47 à 89).
a. Pourquoi Atiq Rahimi a-t-il eu des difficultés à écrire un livre sur l'exil ?
b. Son récit est-il une autobiographie ? Justifiez.

5. Par deux. Relisez la deuxième partie de l'interview (doc. 1).
a. Selon Atiq Rahimi, quelles sont les deux facettes de l'exil ? Sur laquelle a-t-il choisi d'insister dans son livre ?
b. À quel écrivain français fait-il référence et pourquoi ?
c. Relevez ce que l'exil a changé dans sa vie.

6

En petits groupes. Quelles langues étrangères parlez-vous ? Vous arrive-t-il de rêver dans ces langues ? De raconter des blagues ? D'exprimer des émotions ? Échangez.

document 2 — 12 et 13

http://www.aefe.tv/europe/temoignages-danciens/
aefe.tv
la web télé de l'Agence
pour l'enseignement français à l'étranger

7. Observez le document 2. De quel site s'agit-il ?

8. 12 Écoutez les témoignages (doc. 2).
a. Identifiez :
1. le thème des témoignages ;
2. la profession des personnes interviewées ;
3. le point commun entre ces personnes.
b. Existe-t-il des lycées français dans votre pays ? Si oui, dans quelle(s) ville(s) ? Connaissez-vous des personnes qui y ont suivi leur scolarité ?

9. 12 Par deux. Réécoutez les témoignages (doc. 2). Relevez pour chacun les principaux avantages liés aux études dans un lycée français de l'étranger.

▸ p. 34, n° 1 et 2

10. 13 Par deux. Écoutez ces cinq extraits (doc. 2). Associez chacun d'eux à une caractéristique du français parlé.
a. Répétition.
b. Se laisser du temps pour préciser sa pensée.
c. Contraction.
d. Renforcer le propos et interpeller l'interlocuteur.
e. Marque d'hésitation.

À NOUS !

11. Nous racontons notre scolarité et/ou l'apprentissage d'une ou plusieurs langues étrangères.

a. **Seul(e). Préparez votre témoignage oral sur votre scolarité et/ou votre apprentissage d'une ou plusieurs langues étrangères. Racontez avec précision les différentes étapes de votre histoire dans le passé. Évoquez des hypothèses qui ne se sont pas réalisées.**
Exemple : *Si je n'avais pas fait mes études dans cette école, je n'aurais jamais pu…*
b. En petits groupes. Partagez votre témoignage. Complétez-le à l'aide des questions et des réactions des membres du groupe.
c. Enregistrez les témoignages et déposez-les sur le mur de la classe.
d. En groupe. Écoutez les témoignages et échangez.

- Décrire un métier ▸ Doc. 1 et 2
- Présenter une évolution de la société ▸ Doc. 2 et 3

LEÇON 2 Autrefois

1. Observez les photos (doc. 1). Quels anciens métiers représentent-elles ? Faites des hypothèses.

2. Vérifiez vos hypothèses. Associez les définitions aux photos (doc. 1).

a. Le poinçonneur (ou la poinçonneuse) faisait des trous dans les tickets de métro des passagers pour les valider.

b. Le soir, l'allumeur (ou l'allumeuse) de réverbères allumait avec du feu les lampes qui éclairaient les rues.

3 En petits groupes. Ces anciens métiers existaient-ils dans votre pays ? Connaissez-vous d'autres anciens métiers ? Échangez.

document 1

1 Rue de Paris, à la tombée de la nuit, 1900.

2 Métro parisien, 1966.

document 2

http://www.lefigaro.fr

LE FIGARO·*fr*

Cinq métiers d'antan que tout le monde a oubliés

Ils ont existé... mais ont disparu. Ces métiers manuels, urbains, avaient leur utilité il y a encore quelques décennies. Mais la société et les nouvelles technologies ne leur ont pas fait de cadeau.

Ce sont des métiers qui parleront probablement à certains lecteurs ! Leur point commun ? Ils ont eu leur utilité dans la société, mais ils ont tous disparu, tombés dans l'oubli il y a déjà plusieurs décennies... À l'heure où l'on fantasme beaucoup sur les métiers de rêve, où l'on spécule sur les métiers du futur – liés au Web – que l'on ne connaît pas encore, et où l'on pointe du doigt les métiers inutiles, les « *bullshit jobs* » qui semblent n'avoir été créés que pour « occuper » ceux qui les exercent... pourquoi ne pas faire un petit retour dans le passé, à la découverte de ces métiers qui ont eu leur heure de gloire ?

C'est le site *Mode(s) d'emploi* qui a recensé ces métiers oubliés – souvent manuels – pour nous rafraîchir la mémoire. Deux cas de figure : soit ils ont purement et simplement disparu, n'ayant plus aucune utilité pour la société, soit ils ont été remplacés, le plus souvent automatisés par des machines ou... des robots. Voilà également un sujet qui fait couler beaucoup d'encre. « Votre métier va-t-il être remplacé par un robot ? », « Les robots vont-ils prendre le contrôle du travail ? », peut-on lire depuis plusieurs années. « Aux alentours de l'an 2000 s'est opéré un basculement où les machines ont effectivement pu être en mesure de mieux faire le travail que les hommes... Et depuis, cela va très vite. Les ordinateurs s'imposent peu à peu, sans que nous nous en rendions forcément compte », expliquait le chercheur Paul Jorion au *Figaro.fr*. Révélation : les machines n'ont évidemment pas attendu l'an 2000 pour s'immiscer dans le monde du travail. Ces quelques métiers d'antan que vous n'avez plus aucune chance de retrouver dans les villes françaises vont vous le montrer.

▮ Le poinçonneur. Ce métier évoqué dans une chanson de Serge Gainsbourg a disparu de la circulation dans les années 70, laissant sa place à des machines dédiées qui compostent automatiquement les titres de transport. Il n'existe pas encore de machine pour effectuer le travail des contrôleurs.

▮ Le réveilleur. Vous qui vous réveillez chaque matin avec un outil high-tech qui diffuse une lumière progressive et des bruitages tropicaux, sachez que vos

4. Lisez le titre de l'article et le chapeau (doc. 2).

a. Quel est le lien avec le document 1 ?

b. Remplacez l'adverbe « antan » par un synonyme.

c. Pourquoi ces métiers ont-ils disparu ?

5. Par deux. Lisez le premier paragraphe de l'article (doc. 2, l. 5 à 16). Quels sont les autres types de métiers évoqués par le journaliste ? Donnez un exemple pour chacun.

6. Par deux. Lisez le deuxième paragraphe de l'article (doc. 2, l. 17 à 37).

a. Quelles sont les deux principales raisons de la disparition des anciens métiers ?

b. Qu'est-ce qui préoccupe les gens depuis plusieurs années ? Est-ce justifié ?

7. Par deux. Lisez la suite de l'article (doc. 2). Relevez pour chaque ancien métier la raison de sa disparition.

ancêtres n'avaient pas cette chance... Les réveilleurs et réveilleuses étaient chargés de réveiller leurs clients avant la démocratisation du réveil mécanique. Comment ? Grâce à des cris, coups de sifflets, petits cailloux dans les fenêtres...

▮ L'allumeur de réverbères. Un allumeur de réverbères ou falotier était une personne dont le métier consistait à parcourir les rues dotées de réverbères et à les allumer. Cette profession est apparue avec l'éclairage public, pendant la révolution industrielle, et est devenue obsolète avec l'avènement de l'éclairage électrique.

▮ Le laitier. C'était une autre époque ! Celle où le laitier passait chaque jour livrer le lait aux clients. Une activité indispensable, le lait devant être bu quelques heures après la traite. Les progrès en matière de conservation et de réfrigération ont balayé ce métier.

▮ Le placeur de quilles. Adeptes du bowling, votre terrain de jeu n'a pas toujours été automatisé, et les quilles redressées. Il fut un temps où c'était une activité à part entière, souvent un « petit boulot » exercé par des adolescents.

document 3

146 commentaires

Babeth G.

Il y avait aussi les chaisières dans les parcs, les porteurs de bagages dans les gares et les porteurs d'eau chaude qui montaient la baignoire et de quoi la remplir jusqu'aux appartements parisiens.
Mais il y a aussi beaucoup de « nouveaux » petits boulots : livreurs de courses à domicile, dépanneurs couture, dépanneurs hi-fi, installateurs d'alarmes, de box...
Et d'autres métiers à développer : accompagnateurs de personnes âgées, petits bricolages à domicile, mise en service de robots domestiques...
Chaque progrès supprime des emplois et en génère de nouveaux. Le porteur de charbon a disparu mais le plombier-chauffagiste est apparu, l'allumeur de réverbères a disparu mais l'électricien est apparu...

Le 05/12 à 11:57

8. Par deux. Lisez la réaction à l'article (doc. 3).

a. Quels autres métiers d'antan sont évoqués ?

b. Quelle phrase résume la pensée de Babeth ? Comment arrive-t-elle à cette conclusion ?

c. Échangez en petits groupes. Partagez-vous l'opinion de Babeth ? Justifiez.

► p. 35, n°3

9. Nous présentons un métier d'autrefois.

En petits groupes.

a. Choisissez un métier d'autrefois. Sur le modèle de l'article du *Figaro*, dites en quoi consistait ce métier et expliquez pourquoi il a disparu. Ajoutez éventuellement une anecdote que vous avez lue ou qu'on vous a racontée à propos de ce métier. Dites si vous regrettez ou non la disparition de ce métier et justifiez votre opinion.

b. Illustrez le métier choisi avec une photo ou un dessin.

c. En groupe. Faites le recueil des articles sur le mur de la classe.

d. En petits groupes. Rédigez un commentaire à propos des publications des autres groupes.

Grammaire

Les temps du passé pour raconter avec précision

p. 160 et p. 203

1. Par deux. Lisez ces extraits des documents 1 et 2 p. 30-31.

1. Je suis arrivé ici en 1985. Ce n'est qu'en 2007 que j'ai écrit mon premier roman en français.
2. J'ai fait mes études supérieures à Paris, j'ai donc rédigé mes mémoires de maîtrise, de DEA et ma thèse de doctorat en français. Mais il s'agissait de textes universitaires, d'un autre langage.
3. Ma culture était très ancrée en moi quand j'ai quitté l'Afghanistan puisque j'avais un peu plus de 20 ans.
4. C'est grâce à mes études en français que j'ai pu ensuite, après être passée par la case Oxford, décider d'avoir une vie en France.

a. À quels temps du passé sont les éléments soulignés ? Justifiez leur emploi.

b. Quel autre temps du passé connaissez-vous ?

- **Le passé composé exprime :**
  – une action ponctuelle du passé ;
  Je suis arrivé ici en 1985.
  – un fait qui a une durée limitée dans le passé ;
  J'ai écrit mon premier roman en français.
  – une succession d'actions dans le passé.
  La langue avec laquelle on a pleuré, on a ri, on a commencé à connaître le monde.

- **L'imparfait exprime :**
  – une situation ou une habitude dans le passé ;
  J'écrivais mes livres en persan.
  – les circonstances d'un événement passé ;
  Ma culture était très ancrée en moi quand j'ai quitté l'Afghanistan puisque j'avais un peu plus de 20 ans.
  – une description ou une explication dans le passé.
  Il s'agissait de textes universitaires.

- **Le plus-que-parfait** exprime qu'une action s'est déroulée avant une autre action au passé.
  Avant Syngué sabour, *Atiq Rahimi n'avait jamais écrit de roman en français.*

- **L'infinitif passé** permet de mettre en relation temporelle deux événements passés.
  J'ai pu ensuite, après être passée par la case Oxford, décider d'avoir une vie en France.

Faire des hypothèses sur le passé

p. 161 et p. 211

2. Par deux. Observez ces trois hypothèses extraites du document 1 p. 30.

1. Si j'avais écrit *La Ballade du calame* en persan, le texte serait certainement différent, plus autobiographique.
2. [Si j'avais écrit *La Ballade du calame* en persan], j'aurais raconté davantage de souvenirs, de moments vécus, d'événements factuels.
3. Est-ce que j'aurais la même écriture, la même manière de voir le monde, la même identité si j'étais resté en Afghanistan ?

a. Complétez les règles.

- **Pour faire une hypothèse sur le passé,** on utilise *si* + … .
  La conséquence imaginée est exprimée au … présent ou passé.
  Si j'avais écrit en français, le texte aurait été / serait différent.

- **Pour former le conditionnel passé,** on utilise l'auxiliaire *être* ou *avoir* au … + … du verbe.
  j'aurais raconté – je serais devenu

Rappel Pour faire une hypothèse sur le présent, on utilise *si* + imparfait.
La conséquence imaginée est exprimée au conditionnel présent.
Si tu pouvais t'installer définitivement en France, le ferais-tu ?

b. Reformulez cette phrase du témoignage de Colette Lewiner (doc. 2 p. 31).
En Égypte, je n'aurais jamais pu faire les études que j'ai faites.
→ Si ... en Égypte, je n'aurais jamais pu faire les études que j'ai faites.

Mots et expressions

Parler des métiers

p. 161

3. En petits groupes. Observez la carte mentale (doc. 1, 2 et 3 p. 32-33).

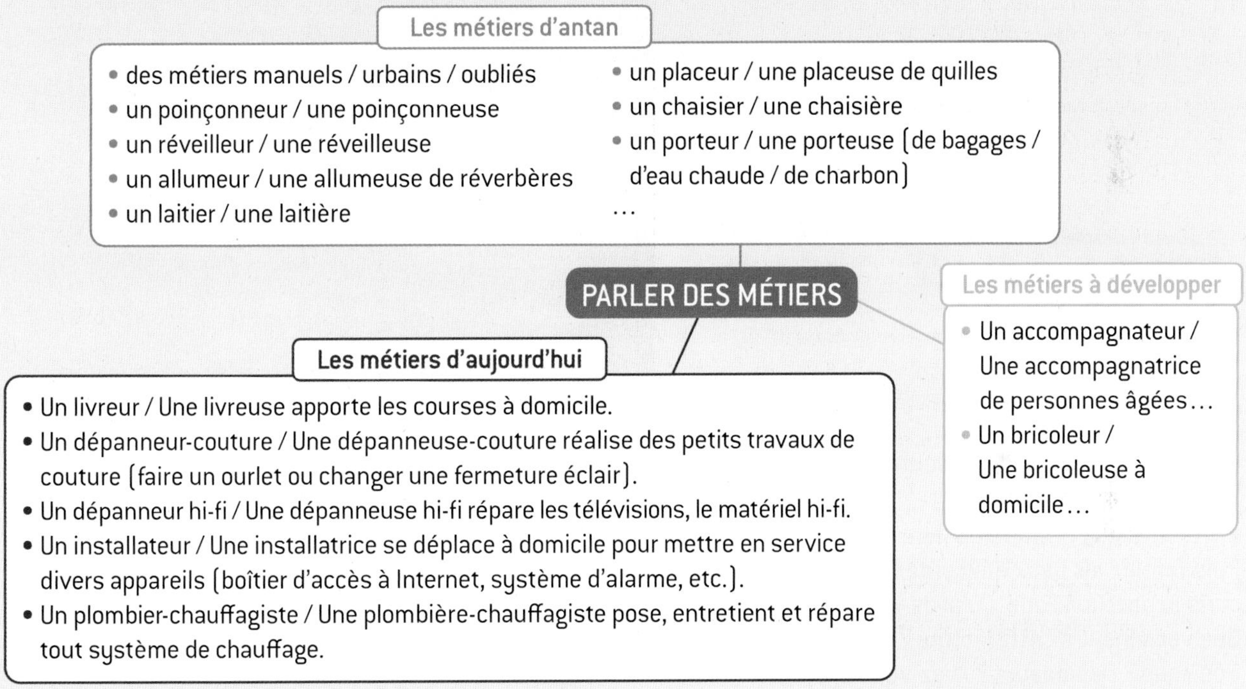

PARLER DES MÉTIERS

Les métiers d'antan

- des métiers manuels / urbains / oubliés
- un poinçonneur / une poinçonneuse
- un réveilleur / une réveilleuse
- un allumeur / une allumeuse de réverbères
- un laitier / une laitière
- un placeur / une placeuse de quilles
- un chaisier / une chaisière
- un porteur / une porteuse (de bagages / d'eau chaude / de charbon)

...

Les métiers d'aujourd'hui

- Un livreur / Une livreuse apporte les courses à domicile.
- Un dépanneur-couture / Une dépanneuse-couture réalise des petits travaux de couture (faire un ourlet ou changer une fermeture éclair).
- Un dépanneur hi-fi / Une dépanneuse hi-fi répare les télévisions, le matériel hi-fi.
- Un installateur / Une installatrice se déplace à domicile pour mettre en service divers appareils (boîtier d'accès à Internet, système d'alarme, etc.).
- Un plombier-chauffagiste / Une plombière-chauffagiste pose, entretient et répare tout système de chauffage.

Les métiers à développer

- Un accompagnateur / Une accompagnatrice de personnes âgées...
- Un bricoleur / Une bricoleuse à domicile...

a. Proposez une définition pour chaque métier d'antan. Complétez avec d'autres anciens métiers (act. 3 p. 32) et donnez-en une brève définition.

b. Complétez les fonctions des métiers à développer.

c. Ajoutez l'ensemble « Les *bullshit jobs* » et quelques exemples (act. 5 p. 33). Proposez une courte définition pour chacun.

Phonétique

p. 162

Les caractéristiques du français parlé

4. 14 **Écoutez. Repérez les différentes caractéristiques propres à l'oral (contractions avec disparition d'éléments, changements de rythme, répétitions, etc.).**

a. Si j'étais née au XVIIIe siècle ? Eh bien, je crois que, je suis même sûre que la vie quotidienne aurait été bien différente...
b. Je suis en France depuis vingt ans et je peux dire que j'ai eu beaucoup de chance...

LEÇON 3 Souvenirs d'enfance

document 1

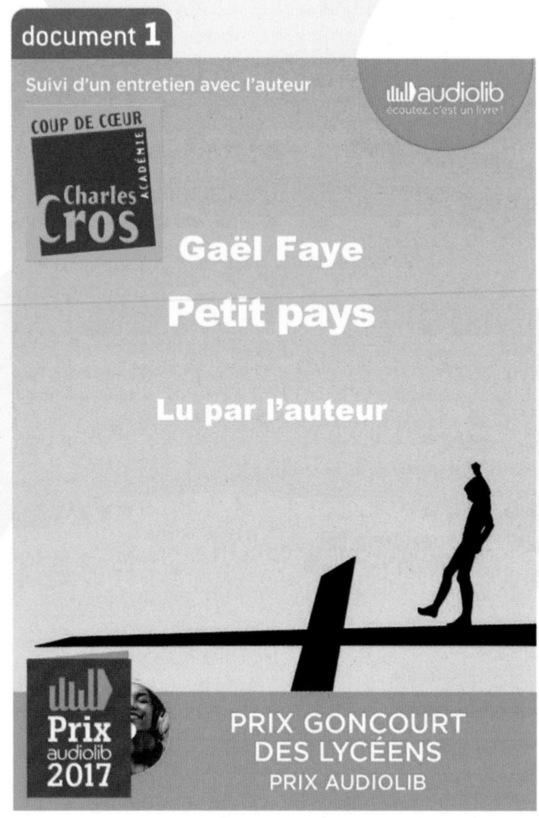

document 2 🎧 15 et 16

Résumé

Gabriel a dû quitter son pays, le Burundi (Afrique centrale), suite à la guerre civile de 1993. Exilé depuis vingt ans en région parisienne, il se souvient…

Village de la forêt tropicale, province de Cibitoke, Burundi.

1. Observez et identifiez le document 1.

2. 🎧 15 Lisez le résumé du livre (doc. 2). Puis fermez les yeux et écoutez l'extrait de *Petit pays* lu par Gaël Faye. Qu'avez-vous ressenti ? Que vous inspire cette lecture ? Des images ? Des sons ? Des odeurs ? Avez-vous apprécié la voix de l'auteur ? Le rythme de la lecture ? Pourquoi ? Échangez en petits groupes.

3. 🎧 15 Par deux. Réécoutez l'extrait (doc. 2).
   a. À quel moment de sa vie Gabriel fait-il référence ?
   b. Quand ces souvenirs lui reviennent-ils ? À votre avis, pourquoi ?
   c. De quelles personnes se souvient-il ? De quels lieux ?
   d. À quoi ses souvenirs sont-ils liés ?

4. 🎧 16 En petits groupes. Écoutez et notez pour chaque passage le(s) sens évoqué(s) : le goût, l'odorat, l'ouïe, le toucher ou la vue. Justifiez.

5. En petits groupes. Lisez l'extrait cité par Gabriel du poème de Jacques Roumain, poète francophone haïtien. Partagez-vous cette vision ?

« Si l'on est d'un pays, [...] on l'a dans les yeux, la peau, les mains, avec la chevelure de ses arbres, la chair de sa terre, les os de ses pierres, le sang de ses rivières, son ciel, sa saveur, ses hommes et ses femmes. »

▸ p. 41, n°3

6. Observez la couverture du livre (doc. 3).
   a. Identifiez le titre et l'auteur. Selon vous, à quelle époque a été écrit le roman ?
   b. Lisez la source du texte et vérifiez vos hypothèses.

7. Par deux. Lisez le texte (doc. 3).
   a. De quel type de roman s'agit-il ? Justifiez.
   b. Quel âge a le narrateur dans cet extrait ?
   c. Où se déroule la scène et à quel moment de la journée ?
   d. Quel souvenir précis est décrit dans cet extrait ?
   e. À quel élément est associé ce souvenir ? Quelles émotions déclenche-t-il chez l'enfant ?

document 3

Comme si c'était d'hier, je me rappelle le soir où, marchant déjà depuis quelque temps, je découvris tout à coup la vraie manière de sauter et de courir, et me grisai[1] jusqu'à tomber de cette chose délicieusement nouvelle.

Ce devait être au commencement de mon second hiver, à l'heure triste où la nuit vient. Dans la salle à manger de ma maison familiale – qui me paraissait alors un lieu immense – j'étais, depuis un moment sans doute, engourdi[2] et tranquille sous influence de l'obscurité envahissante. Pas encore de lampe allumée nulle part. Mais, l'heure du dîner approchant, une bonne vint, qui jeta dans la cheminée, pour ranimer les bûches endormies, une brassée de menu[3] bois.

Alors ce fut un beau feu clair, subitement une belle flambée[4] joyeuse illuminant tout, et un grand rond lumineux se dessina au milieu de l'appartement, par terre, sur le tapis, sur les pieds des chaises, dans ces régions basses qui étaient précisément les miennes. Et ces flammes dansaient, changeaient, s'enlaçaient[5], toujours plus hautes et plus gaies, faisant monter et courir le long des murailles les ombres allongées des choses… Oh ! alors je me levai tout droit, saisi d'admiration… car je me souviens à présent que j'étais assis, aux pieds de ma grand-tante Berthe (déjà très vieille en ce temps-là), qui sommeillait à demi dans sa chaise, près d'une fenêtre par où filtrait[6] la nuit grise ; j'étais assis sur une de ces hautes chaufferettes[7] d'autrefois, à deux étages, si commodes pour les tout petits enfants qui veulent faire les câlins, la tête sur les genoux des grand-mères ou des grand-tantes. Donc, je me levai, en extase, et m'approchai de la flamme ; puis, dans le cercle lumineux qui se dessinait sur le tapis, je me mis à marcher en rond, à tourner, à tourner toujours plus vite et enfin, sentant tout à coup dans mes jambes une élasticité[8] inconnue, quelque chose comme une détente de ressorts[9], j'inventai une manière nouvelle et très amusante de faire : c'était de repousser le sol bien fort, puis de le quitter des deux pieds à la fois pendant une demi-seconde, et de retomber, et de profiter de l'élan pour m'élever encore, et de recommencer toujours, pouf, pouf, en faisant beaucoup de bruit par terre, et en sentant dans ma tête un petit vertige particulier très agréable. De ce moment, je savais sauter, je savais courir !

J'ai la conviction que c'était bien la première fois, tant je me rappelle nettement mon amusement extrême et ma joie étonnée.

– Ah mon Dieu, mais qu'est-ce qu'il a ce petit, ce soir? disait ma grand-tante Berthe un peu inquiète.

Et j'entends encore le son de sa voix brusque.

Le Roman d'un enfant, Pierre Loti, 1890.

Loti
Le Roman d'un enfant
suivi de Prime jeunesse
Édition de Bruno Vercier

folio classique

1. se griser : se mettre dans un état joyeux.
2. engourdi : ensommeillé.
3. menu (menu bois) : fin, petit.
4. une flambée : un feu vif.
5. s'enlacer : se prendre dans les bras.
6. filtrer : passer à travers.
7. une chaufferette : boîte dans laquelle on mettait du bois chaud pour se réchauffer.
8. une élasticité : une souplesse.
9. un ressort : pièce d'un mécanisme qui monte et qui descend.

8. Par deux. Relisez les lignes 10 à 32 (doc. 3).

a. Selon vous, ce passage est-il comique ? Tragique ? Poétique ? Justifiez.

b. Relevez les sensations exprimées par l'auteur.

9. Par deux. Lisez à nouveau le texte (doc. 3).

a. Dessinez la scène décrite. Positionnez correctement dans la pièce les objets, les meubles et les personnes.

b. Relevez les actions principales des personnages.

▶ p. 40, n° 1 et 2

10

En petits groupes. Que pensez-vous de la manière dont l'auteur décrit son souvenir d'enfance ? Avez-vous pris plaisir à découvrir cet extrait ? Pourquoi ? Vous donne-t-il envie de lire le livre ? Échangez.

À NOUS !

11. Nous nous souvenons.

a. 17 Vous allez faire un rêve lié à un souvenir. Fermez les yeux. Détendez-vous. Écoutez et laissez-vous guider.

b. En petits groupes. Racontez vos rêves et échangez.

c. Enregistrez votre rêve et envoyez-le à votre professeur(e).

d. Publiez les rêves sur le mur de la classe.

▪ Analyser différentes manières de présenter ou de raconter l'histoire ▸ Doc. 1, 2 et 3

4 Transmission

document 1

www.clionautes.org

La Cliothèque — AVIS DE PARUTION | HISTOIRE | GÉOGRAPHIE | CLIO-RUBRIQUES

Une série au long cours unanimement appréciée

Un village français est « une série d'une ampleur inédite en France », écrivait *Télérama* en 2009 au moment du lancement de la série de Frédéric Krivine, Emmanuel Daucé et Philippe Triboit sur France 3, tandis que *L'Express* saluait « un projet fou, hors normes ». Depuis huit ans, plus de trois millions de téléspectateurs suivent cette série avec assiduité et la critique en vante les mérites, presque à l'unanimité. Plus remarquable encore, d'éminents historiens ne tarissent pas d'éloges. Il est vrai que l'un des plus reconnus d'entre eux, Jean-Pierre Azéma, est le conseiller historique de la série. « Finesse des dialogues », « souffle romanesque », « justesse de l'interprétation », « réalisme minutieux de la reconstitution historique », « incursion télévisée dans l'histoire de l'Occupation la plus scrupuleuse et la plus juste depuis très longtemps », tels sont les mérites reconnus par la critique, ainsi que par les études de satisfaction des téléspectateurs.

Raconter l'Histoire à hauteur d'hommes et de femmes dans une ville de province

Un village français est la chronique d'une sous-préfecture fictive du Jura, Villeneuve, pendant les années de la Seconde Guerre mondiale, qui nous convie à partager le destin d'une douzaine de personnages principaux pris dans la tourmente de l'Occupation puis de la Libération. Les auteurs n'ont pas voulu donner une leçon d'histoire ; ils ont voulu « raconter la grande Histoire à hauteur d'hommes et de femmes dans une ville de province de 7 000 habitants ». Les sept saisons de la série rendent compte des faits majeurs qui marquèrent les cinq années de guerre, de la débâcle de juin 1940 au retour de la République en 1944-1945, au travers de la perception que ses protagonistes en eurent.

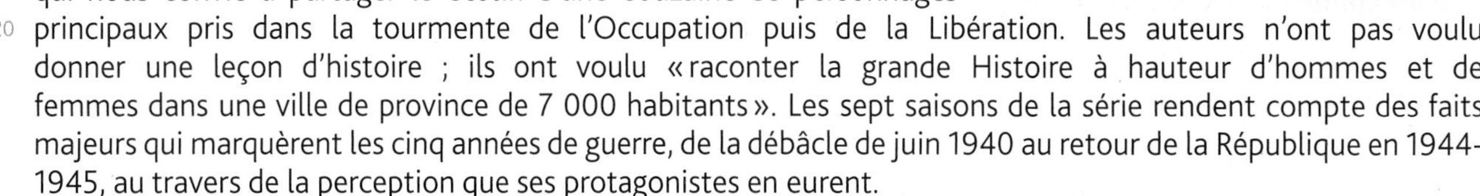

Chaque saison met en avant un temps fort, la formation de la Résistance constituant le fil rouge de toute la série. Les saisons I et II, axées sur les problèmes de ravitaillement et de marché noir, décrivent la vie quotidienne de Villeneuve à l'heure allemande alors que se manifestent les premières conséquences des mesures antisémites prises par le régime de Vichy jusqu'à l'aryanisation[1] des biens juifs, à la saison III, laquelle met également en scène ce grand basculement que fut l'entrée dans la Résistance des communistes à partir de 1941. La mise en place villeneuvoise de la solution finale[2] en 1942 occupe toute la première partie de la saison IV et la saison V met en évidence un premier basculement dans la perception de la guerre avec notamment l'imposition du STO[3] qui donne à la Résistance une vigueur nouvelle. Les saisons VI et VII sont celles de la Libération présentée sous un jour terriblement amer, de toutes les libérations et autres règlements de comptes, celles aussi de la mémoire et du « devoir de mémoire ».

Joël Drogland
(Présentation de l'essai de Bernard Papin, *Un village français, l'histoire au risque de la fiction.*)

1. l'aryanisation : terme employé par les Nazis pour désigner l'expropriation totale des biens juifs entre 1933 et 1945.
2. la solution finale : terme employé par les Nazis pour désigner l'ensemble des mesures qui vont conduire à l'extermination massive des Juifs d'Europe.
3. Service du Travail Obligatoire : loi du 16 février 1943 qui a contraint des centaines de milliers de Français à aller travailler en Allemagne.

1. Lisez l'article de Joël Drogland (doc. 1).
- **a.** Quel est son thème ?
- **b.** Quelle période de l'histoire est concernée ?

2. Par deux. Relisez le premier paragraphe de l'article (doc. 1).
- **a.** Qu'apprend-on sur la série ?
- **b.** Observez la frise historique (doc. 2). Qu'est-ce que l'Occupation et quand commence-t-elle ?

document 2

- **Septembre 1939** La France et le Royaume-Uni déclarent la guerre à l'Allemagne.
- **Juillet 1940** Début du régime de Vichy = régime de collaboration.
- **22 juin 1940** Armistice signé entre la France et l'Allemagne. Début de l'occupation de la France par l'Allemagne et de la Résistance.
- **Juin 1941** Entrée en guerre de l'URSS.
- **Décembre 1941** Entrée en guerre des États-Unis.
- **6 juin 1944** Débarquement en Normandie et début de la Libération.
- **Février 1945** Conférence de Yalta.
- **8 mai 1945** Capitulation allemande.

3. Par deux. Lisez le deuxième paragraphe de l'article (doc. 1). Vrai ou faux ? Justifiez.

Un village français…

a. raconte une histoire vraie.

b. se déroule dans plusieurs villes de France.

c. se concentre sur un fait précis de la Seconde Guerre mondiale.

4. Par deux. Lisez le troisième paragraphe de l'article (doc. 1).

a. Listez les temps forts de chaque saison de la série *Un village français*.

b. Situez-les sur la frise historique (doc. 2).

▸ p. 41, n°4

En petits groupes.

a. Connaissez-vous d'autres séries historiques ? Est-ce un genre apprécié dans votre pays ?

b. À votre avis, quelle est la meilleure manière de « raconter » l'histoire ? Quels supports préférez-vous (film, documentaire…) ? Faites une liste et partagez avec la classe.

document 3 Vidéo n° 2

La Pologne de Marzi

Nous écrirons ce que nous voulons.

6. Regardez la vidéo jusqu'à 1'20" (doc. 3). Repérez un maximum d'indices sur le thème de la vidéo.

7. Par deux. Regardez la suite de la vidéo jusqu'à 3'00" (doc. 3).

a. Résumez le propos de Marzi.

b. Comment Marzi décrit-elle sa vie et son enfance ?

c. Qu'apporte la bande dessinée à son histoire ? Pourquoi cela change-t-il le regard des Occidentaux sur son pays, selon elle ?

8. En petits groupes. Regardez la fin de la vidéo (doc. 3).

a. Sans le son. Faites des hypothèses sur le type d'événement décrit dans cet extrait animé de l'enfance de Marzi.

b. Avec le son.

1. Vérifiez vos hypothèses.
2. Quels souvenirs Marzi garde-t-elle de cet événement ?

À NOUS !

9. Nous présentons un support qui raconte une histoire.

En petits groupes.

a. Choisissez le type d'histoire que vous voulez présenter (un fait historique ou un souvenir d'enfance).

b. Choisissez le support que vous préférez pour raconter cette histoire (act. 5b). Votre support peut être en français ou dans une autre langue.

c. Expliquez pourquoi vous avez choisi ce support et ce qu'il apporte à la manière de raconter l'histoire, de captiver le lecteur ou le spectateur.

d. Présentez votre support à la classe et montrez-en des extraits.

e. En groupe. La classe donne son avis sur chaque présentation.

Grammaire

Le passé simple pour comprendre un récit au passé

p. 162 et p. 205

1. Par deux. Relisez ces extraits du document 3 p. 37.

1. Je me rappelle le soir où je découvris tout à coup la vraie manière de sauter et de courir, et me grisai jusqu'à tomber de cette chose délicieusement nouvelle.
2. J'étais depuis un moment engourdi et tranquille. L'heure du dîner approchant, une bonne vint, qui jeta dans la cheminée une brassée de menu bois.
3. Alors ce fut un beau feu clair et un grand rond lumineux se dessina au milieu de l'appartement.
4. Oh ! alors je me levai tout droit, saisi d'admiration…
5. [Je] m'approchai de la flamme ; puis, dans le cercle lumineux qui se dessinait sur le tapis, je me mis à marcher en rond.
6. J'inventai une manière nouvelle et très amusante de faire.

a. Observez les verbes en vert. Avez-vous déjà rencontré ce temps du passé ? D'après vous, par quel temps pourrait-on le remplacer ?

Le passé simple et l'imparfait sont des temps complémentaires dans un récit au passé.

- Le passé simple s'emploie pour évoquer le premier plan d'un récit, c'est-à-dire les actions principales, celles qui font avancer l'histoire ; l'imparfait s'emploie pour évoquer l'arrière-plan d'un récit, c'est-à-dire la narration de faits secondaires, qui ne font pas avancer l'histoire, par exemple la description du décor et de l'atmosphère.
- Le passé simple exprime des actions achevées (terminées), délimitées dans le temps (avec un début et une fin), qui ont eu lieu à un moment précis ; l'imparfait exprime des actions inachevées (qui ne sont pas terminées) dans le passé.

! Le passé simple ne s'utilise pratiquement plus à l'oral mais il est encore très présent dans les écrits littéraires. À l'oral, il est généralement remplacé par le passé composé.

Les quatre types de terminaisons du passé simple

- **Passé simple en *a*** pour tous les verbes du 1er groupe et pour le verbe *aller* :
  -ai, -as, -a, -âmes, -âtes, -èrent (**exemples** : *je me grisai, je me levai, je m'approchai, j'inventai, elle jeta*).
- **Passé simple en *i*** pour les verbes du 2e groupe et pour certains verbes du 3e groupe :
  -is, -is, -it, -îmes, -îtes, -irent (**exemples** : *je découvris, je me mis*).
- **Passé simple en *u*** pour certains verbes du 3e groupe :
  -us, -us, -ut, -ûmes, -ûtes, -urent (**exemple** : *ce fut*).
- **Passé simple en *in*** pour les verbes *tenir* et *venir* ainsi que leurs dérivés :
  -ins, -ins, -int, -înmes, -întes, -inrent (**exemple** : *elle vint*).

b. Réécrivez les extraits du document 3 p. 37 au passé composé.

Mots et expressions

Les prépositions de lieu pour situer dans l'espace

p. 162

2. Par deux. Relisez le document 3 p. 37.

a. Complétez avec des exemples extraits du document.

1. dans : *dans la salle à manger* ; …
2. sur : *sur le tapis* ; …
3. au milieu de : …
4. près de : …
5. le long de : …
6. aux pieds de : …

b. Donnez d'autres prépositions de lieu que vous connaissez et employez-les dans une phrase.

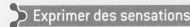

Exprimer des sensations

p. 163

3. Observez le tableau ci-dessous (doc. 2 p. 36).

Les cinq sens	Noms et adjectifs	Verbes
la vue (sensations visuelles)	des photos de famille un cliché un poème ...	observer regarder relire avoir dans les yeux ...
l'ouïe (sensations auditives)	le chant des paons l'appel du muezzin le bruit rassurant de la pluie ...	entendre tambouriner ...
l'odorat (sensations olfactives)	le parfum de mes rues d'enfance des fragrances de souvenirs submergé par ...	se souvenir ...
le toucher (sensations tactiles)	une tresse autour des doigts ...	enrouler avoir dans la peau, dans les mains ...
le goût (sensations gustatives)	une saveur	...

a. **Par deux. Classez les éléments suivants dans le tableau.**
apercevoir • écouter • résonner • savourer • déguster • caresser • toucher • sentir • voir • respirer • goûter • la clarté • la pénombre • doux • froid • chaud • tiède • une senteur • un son

b. **En petits groupes. Complétez le tableau avec d'autres noms, adjectifs et verbes que vous connaissez.**

Parler de la guerre

p. 163

4. Par deux.

a. **Associez chaque terme à sa définition (doc. 1 et 2 p. 38-39).**

- un armistice
- une capitulation
- la débâcle
- le débarquement
- la Libération
- la Résistance
- la collaboration
- l'Occupation (n. f.)

1. Désigne la défaite de l'armée française face à l'armée allemande lors de la bataille de France en mai et juin 1940.
2. Fin de l'occupation nazie en France, qui se fait en plusieurs étapes.
3. Accord qui met fin à la guerre.
4. Mouvement clandestin de lutte contre les armées allemandes d'occupation.
5. Période pendant laquelle la France envahie était sous la domination de l'Allemagne nazie.
6. Politique d'entente avec l'occupant allemand mise en œuvre par le gouvernement de Vichy.
7. Opération militaire dirigée par les alliés pour libérer les pays occupés par les Nazis.
8. Accord qui met fin aux combats (mais pas à la guerre).

b. **Donnez une brève définition des termes suivants.**
une déclaration de guerre • une invasion • un bombardement • un cessez-le-feu • une trêve • un traité de paix

c. **Enrichissez votre glossaire avec d'autres termes que vous connaissez.**

Résumer

Par deux.

1. **Observez le document 1 de la leçon 4, p. 38. Identifiez :**
a. le type de texte ;
b. le titre ;
c. le nombre de parties ;
d. l'intertitre.

2. **Parcourez le texte sans le lire en détail. Repérez les phrases qui développent les idées présentées dans le titre et l'intertitre.**

3. **Lisez le texte et relevez les termes appartenant au champ lexical de la Seconde Guerre mondiale.**

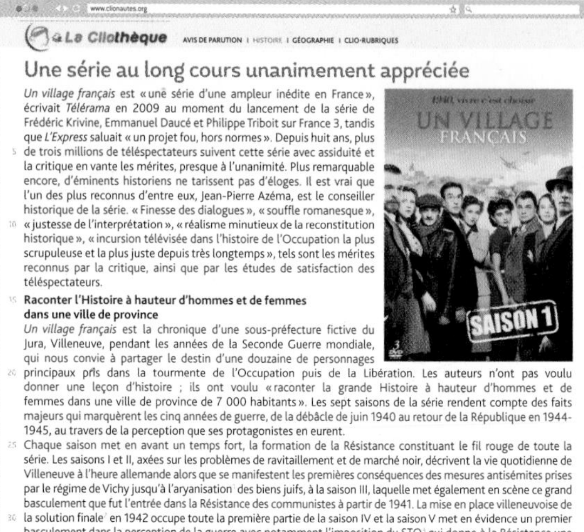

www.clionautes.org

La Cliothèque — AVIS DE PARUTION | HISTOIRE | GÉOGRAPHIE | CLIO-RUBRIQUES

Une série au long cours unanimement appréciée

Un village français est « une série d'une ampleur inédite en France », écrivait *Télérama* en 2009 au moment du lancement de la série de Frédéric Krivine, Emmanuel Daucé et Philippe Triboit sur France 3, tandis que *L'Express* saluait « un projet fou, hors normes ». Depuis huit ans, plus de trois millions de téléspectateurs suivent cette série avec assiduité et la critique en vante les mérites, presque à l'unanimité. Plus remarquable encore, d'éminents historiens ne tarissent pas d'éloges. Il est vrai que l'un des plus reconnus d'entre eux, Jean-Pierre Azéma, est le conseiller historique de la série. « Finesse des dialogues », « souffle romanesque », « justesse de l'interprétation », « réalisme minutieux de la reconstitution historique », « incursion télévisée dans l'histoire de l'Occupation la plus scrupuleuse et la plus juste depuis très longtemps », tels sont les mérites reconnus par la critique, ainsi que par les études de satisfaction des téléspectateurs.

Raconter l'Histoire à hauteur d'hommes et de femmes dans une ville de province

Un village français est la chronique d'une sous-préfecture fictive du Jura, Villeneuve, pendant les années de la Seconde Guerre mondiale, qui nous convie à partager le destin d'une douzaine de personnages principaux pris dans la tourmente de l'Occupation puis de la Libération. Les auteurs n'ont pas voulu donner une leçon d'histoire ; ils ont voulu « raconter la grande Histoire à hauteur d'hommes et de femmes dans une ville de province de 7 000 habitants ». Les sept saisons de la série rendent compte des faits majeurs qui marquèrent les cinq années de guerre, de la débâcle de juin 1940 au retour de la République en 1944-1945, au travers de la perception que ses protagonistes en eurent.

Chaque saison met en avant un temps fort, la formation de la Résistance constituant le fil rouge de toute la série. Les saisons I et II, axées sur les problèmes de ravitaillement et de marché noir, décrivent la vie quotidienne de Villeneuve à l'heure allemande alors que se manifestent les premières conséquences des mesures antisémites prises par le régime de Vichy jusqu'à l'aryanisation[1] des biens juifs, à la saison III, laquelle met également en scène ce grand basculement que fut l'entrée dans la Résistance des communistes à partir de 1941. La mise en place villeneuvoise de la solution finale[2] en 1942 occupe toute la première partie de la saison IV et la saison V met en évidence un premier basculement dans la perception de la guerre avec notamment l'imposition du STO[3] qui donne à la Résistance une vigueur nouvelle. Les saisons VI et VII sont celles de la Libération présentée sous un jour terriblement amer, de toutes les libérations et autres règlements de comptes, celles aussi de la mémoire et du « devoir de mémoire ».

Joël Drogland

(Présentation de l'essai de Bernard Papin, *Un village français, l'histoire au risque de la fiction*.)

4. **Relisez le texte. Dégagez le thème principal de chacune des trois parties.**

5. **Pour chaque partie, relevez les informations principales qui vous aideront à rédiger votre résumé. Puis proposez à chaque fois une reformulation.**

	Informations principales	Propositions de reformulation
1re partie	*Un village français* est « une série d'une ampleur inédite en France ». Depuis huit ans, plus de trois millions de téléspectateurs suivent cette série avec assiduité et la critique en vante les mérites, presque à l'unanimité. Plus remarquable encore, d'éminents historiens ne tarissent pas d'éloges.	Depuis 2009, plus de trois millions de Français suivent assidûment les épisodes de la série *Un village français*. Les téléspectateurs, la presse et même les historiens font l'éloge de cette fiction historique.
	…	…
2e partie	…	…
3e partie	…	…
	…	…
	…	…
	Les saisons VI et VII sont celles de la Libération présentée sous un jour terriblement amer.	Enfin, les saisons VI et VII présentent la Libération sous un jour très sombre.

6. **Lisez les conseils ci-dessous puis rédigez votre résumé du document 1 de la leçon 4 (120 mots, + ou – 10 %).**

CONSEILS

Pensez à conserver :
- l'ordre des informations et des idées du texte d'origine ;
- le système d'énonciation du texte d'origine (par exemple, si le texte est à la 1re personne du singulier, vous utiliserez également *je* dans votre résumé.)

Veillez à :
- reformuler (ne recopiez pas des phrases entières du texte) **!** Vous pouvez reprendre des mots-clés du texte d'origine et si nécessaire une formule significative entre guillemets ;
- ne pas donner d'avis personnel ;
- ne pas « présenter » le texte (~~Dans ce texte de Joël Drogland~~…) ;
- respecter le nombre de mots exigé.

N'oubliez pas d'utiliser des connecteurs logiques (*en effet, c'est pourquoi, bien que…*) et/ou temporels (*tout d'abord, ensuite, enfin…*) pour clarifier et organiser votre résumé.

7. **Échangez votre résumé avec celui d'un autre groupe. Dites si les conseils ci-dessus ont été respectés.**

Projet de classe

Nous réalisons un mini-dossier documentaire sur un thème historique ou mémoriel.

1. À votre avis, qu'est-ce qu'un dossier documentaire et quelle est sa fonction ?

2. Vous allez réaliser un mini-dossier documentaire (2 ou 3 pages maximum) pour faire découvrir un thème à la classe à travers des supports variés.

a. Listez les thèmes abordés dans le dossier 2.

b. Listez les types de supports proposés ou évoqués dans le dossier 2.
Exemples : *des photos, un article de presse*.

c. Choisissez un thème du dossier 2. Formez des groupes en fonction du thème choisi.

En petits groupes.

3. Précisez votre thème.
Exemple : *l'histoire avec un grand « H » : des lieux de mémoire.*

! Le dossier documentaire que vous allez réaliser devra être composé uniquement de supports en français.

4. Comparez ces deux sommaires de dossiers documentaires de la bibliothèque municipale de Lyon.

a. Repérez leurs similitudes et leurs différences.

b. Quel type de sommaire préférez-vous ? Pourquoi ?

LE NOUVEAU CIRQUE,
TOUTE UNE HISTOIRE !

> Le nouveau cirque, qu'est-ce que c'est?
> Mai 68 et la rupture du cirque
> 1984: création d'un cirque national
> L'école remplace la famille: naissance d'une formation
> Et aujourd'hui, quoi de neuf?

Pour aller plus loin : bibliographie

LE CARNET DE VOYAGE :
UNE BELLE MANIÈRE DE VOIR
ICI ET AILLEURS

> Définition
> Petite histoire du carnet de voyage
> Carnettistes et croqueurs: ils vous en font voir de toutes les couleurs
> Une exposition à revisiter
> Des festivals à explorer sans modération !

Pour aller plus loin : petite bibliographie DIY*

* DIY = *Do It Yourself*: à faire soi-même.

5. Cherchez des supports en français pour illustrer votre thème. Vous pouvez faire vos recherches sur Internet et/ou à la médiathèque de votre école.

6. À partir des supports trouvés, choisissez vos rubriques et préparez le sommaire de votre mini-dossier documentaire.

7. Rédigez chaque rubrique du sommaire et résumez le contenu des supports choisis.

8. Partagez avec la classe. Faites le recueil des mini-dossiers de la classe.

Projet ouvert sur le monde

▶ GP

Nous racontons l'histoire de personnes ou de lieux et nous la partageons.

DELF 2

Compréhension des écrits / texte informatif

Lisez l'article puis répondez aux questions.

Les bouquinistes des quais, patrimoine parisien en danger

Paris ne serait pas Paris sans sa librairie à ciel ouvert, qui s'étend du pont Marie au quai François-Mitterrand. Exposés dans leurs boîtes vertes, les livres anciens et d'occasion s'offrent aux passants. Mais le livre seul ne permet plus aux bouquinistes de vivre. Depuis quelque temps, ces derniers ont dû se tourner vers le commerce d'objets souvenirs de la capitale comme, par exemple, les célèbres porte-clés en forme de tour Eiffel. Or ces articles sont aujourd'hui bien souvent davantage mis en avant que les livres. Pourtant, la réglementation stipule bien que les bouquinistes ont droit à quatre boîtes maximum, dont une seule pour vendre des objets autres que des bouquins[1].

Depuis plusieurs siècles, les bouquinistes des quais participent ainsi au charme de la capitale française et attirent chaque jour de nombreux touristes. Ce métier – ancêtre des colporteurs[2] – existe depuis le XVIe siècle et il est devenu un véritable symbole culturel de la ville, au même titre que Montmartre ou Notre-Dame, ce qui lui a permis d'être inscrit au patrimoine de l'UNESCO en 1991. En 1900, lors de l'exposition universelle, la capitale comptait déjà deux cents bouquinistes. Aujourd'hui, plus d'un siècle plus tard, la ville de Paris en recense à peine quarante de plus.

L'emplacement est gratuit pour les bouquinistes, ce qui fait d'eux les seuls commerçants parisiens à ne payer ni taxe, ni loyer. Cependant, ces derniers ont l'obligation d'ouvrir au moins quatre jours par semaine, sauf s'il y a des intempéries. Même en cas de force majeure, les bouquinistes doivent prévenir par écrit la mairie de Paris de leur désir de prendre des congés.

La précarité du métier en fait une véritable profession de passionnés qui offrent à leur clientèle une part du patrimoine littéraire français. Un argument que l'on entend souvent près des boîtes. « Il fait froid l'hiver, on respire la pollution, si je n'étais pas animé par la littérature, je me serais reconverti depuis longtemps. » Cette offre culturelle en plein air attire les curieux à la recherche de raretés, de cartes postales anciennes, de gravures, ou de unes de revues. Mais si la clientèle se rend sur les quais, c'est aussi pour solliciter plus particulièrement le rapport humain et la discussion. C'est bien connu, les bouquinistes ont toujours de belles anecdotes à raconter.

La mairie de Paris tient à conserver ces boîtes de livres qui font le charme de la ville. Mais le métier n'est pas seulement menacé par la vente d'objets souvenirs. L'accessibilité et la rapidité d'Internet amènent les clients à se déplacer de moins en moins, depuis quelques années. En un clic, ils ont la possibilité de commander l'œuvre qu'ils recherchent plutôt que de se lancer dans la jungle touristique du centre parisien à la recherche de l'objet rare. Mais ce n'est pas le seul facteur. L'aménagement des berges[3] de la Seine fait aussi du mal au métier car il a intensifié la circulation automobile au-dessus, sur les quais. Or personne n'a envie de se promener sur des trottoirs envahis par le bruit des moteurs et des klaxons de voitures. D'autant plus que les piétons sont invités à marcher plus bas, sur les berges, et donc à ne plus passer devant les boîtes à livres. Le métier de bouquiniste semble quand même continuer à intéresser les jeunes, qui sont de plus en plus nombreux devant les célèbres boîtes vertes.

D'après lefigaro.fr

1. un bouquin (*familier*) : livre.
2. un colporteur : marchand qui propose ses produits en faisant du porte-à-porte.
3. les berges : bords immédiats d'un fleuve.

1. **L'objectif principal de cet article est de présenter…**
a. l'évolution des différents bouquinistes parisiens.
b. les mesures prises pour aider les bouquinistes parisiens.
c. les difficultés rencontrées par les bouquinistes parisiens.

2. **D'après l'article, les bouquinistes parisiens vendent des souvenirs pour…**
a. répondre aux exigences de la mairie de Paris.
b. faire face à des problèmes économiques.
c. s'adapter au nombre croissant de touristes.

3. **Pour quelles raisons les bouquinistes jouent-ils un rôle essentiel dans Paris ?**
(Plusieurs réponses possibles, 2 réponses attendues)

4. **Vrai ou faux ? Choisissez la bonne réponse et recopiez la phrase ou la partie du texte qui justifie votre réponse.**
a. Le nombre de bouquinistes a considérablement augmenté au fil du temps.
☐ Vrai
☐ Faux
Justification : …
b. Généralement, ce sont les bonnes conditions de travail qui poussent les bouquinistes à exercer ce métier.
☐ Vrai
☐ Faux
Justification : …

5. **Dans quels buts les clients se rendent-ils chez les bouquinistes parisiens ?**
(2 réponses possibles, 1 réponse attendue)

6. **La mairie de Paris souhaite…**
a. protéger les boîtes à livres parisiennes.
b. restaurer les boîtes à livres parisiennes.
c. moderniser les boîtes à livres parisiennes.

7. **Vrai ou faux ? Choisissez la bonne réponse et recopiez la phrase ou la partie du texte qui justifie votre réponse.**
Les librairies en ligne sont des concurrents de taille pour les bouquinistes parisiens.
☐ Vrai
☐ Faux
Justification : …

8. **En quoi le développement urbain de la zone représente-t-il un inconvénient pour les bouquinistes parisiens ?**

9. **Concernant l'avenir des bouquinistes, la conclusion de l'article est plutôt…**
a. partagée.
b. pessimiste.
c. encourageante.

DOSSIER 3

Nous nous construisons une culture commune

AVEC
UN PEU
DE CULTURE
ON PEUT
ENTRER
DANS UN
TABLEAU
AU LIEU
DE RESTER
DEVANT

Tout le monde
a droit à la culture
fondation.cultura.com

Fondation
Cultura

1

En petits groupes.

a. Observez les affiches. Quel est le mot manquant sur la première affiche ? À votre avis, quel est l'objectif de la campagne de la Fondation Cultura ?

b. Reformulez les slogans avec vos propres mots.

c. Quel est selon vous le slogan le plus efficace, celui qui attire le plus l'attention ? Pourquoi ?

d. Proposez votre propre slogan pour encourager l'accès à la culture. Partagez avec la classe.

Pour vous, ces activités sont-elles des activités culturelles ?

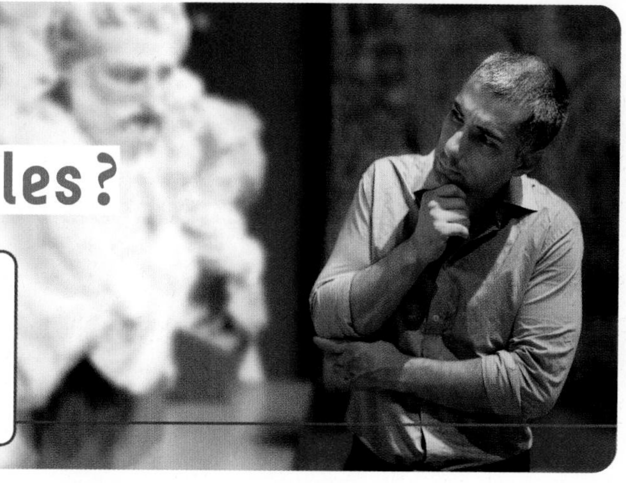

RÉPONSES POSSIBLES
- OUI, ABSOLUMENT
- ÇA DÉPEND
- NON, PAS DU TOUT

- Visiter un musée ou un monument
- Voyager
- Cuisiner
- Aller au théâtre
- Lire la presse
- Écouter de la musique
- S'intéresser à la mode et au design
- Faire des photos
- Aller au cirque
- Lire des bandes dessinées
- Faire du jardinage
- Faire du sport
- Collectionner des timbres
- Surfer sur Internet
- Sortir pour danser
- Voir des spectacles de hip-hop
- Pratiquer le graffiti et le tag
- Aller dans des parcs d'attractions
- Aller à la chasse ou à la pêche
- Regarder des séries télévisées
- Jouer à des jeux vidéo
- Regarder des émissions de téléréalité

2

a. Seul(e). Répondez au questionnaire.

b. En petits groupes. Comparez et justifiez vos réponses.

PROJETS

Un projet de classe

Inventer un roman et son auteur.

Et un projet ouvert sur le monde

Rédiger et publier le synopsis de la mini-série de la classe.

Pour réaliser ces projets, nous allons :

- comparer et exprimer des préférences
- résumer un livre et dire ce que nous en pensons
- débattre
- faire le portrait d'un acteur ou d'une actrice
- poser un problème et proposer des solutions
- décrire une spécificité culturelle
- donner notre avis sur une tendance
- comprendre un processus de création

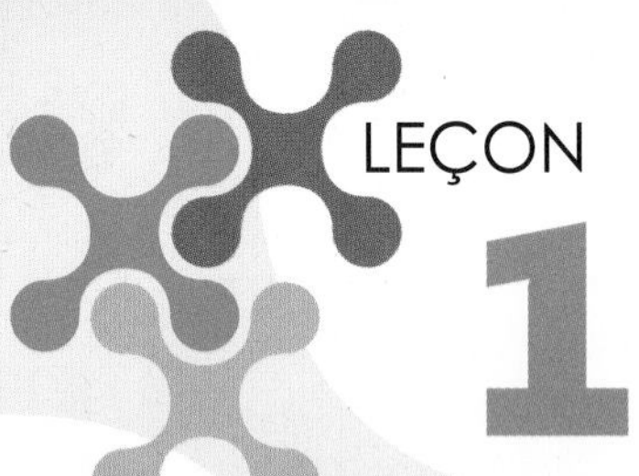

- Comparer et exprimer des préférences ▸ Doc. 1
- Résumer un livre et dire ce qu'on en pense ▸ Doc. 2

LEÇON 1 Tous au Salon du livre !

document 1

Ces livres français qui cartonnent à l'étranger

Deuxième langue littéraire la plus traduite au monde après l'anglais, la langue française était à l'honneur de la 69e édition de la Foire internationale du livre de Francfort. Consécration confirmée ou tentative désespérée de redorer son blason défraîchi ? Voyons d'un peu plus près comment se porte la littérature française à l'étranger.

Après que l'article de la BBC intitulé « *Why don't French books sell abroad?* »[1] a fait grand bruit chez les journalistes culturels et les éditeurs il y a quelques années, nombreuses furent les voix à crier cocorico pour défendre notre littérature injustement attaquée. Il faut dire que, de Sully Prudhomme en 1901 à Patrick Modiano en 2014 (traduit en 36 langues, y compris le persan et le basque), la France, avec 15 auteurs primés, a été jusqu'à présent le pays le plus gâté par le Nobel de littérature.

Les catégories Jeunesse (29,9 %) et Bande dessinée (23,8 %) représentent à elles deux plus de 50 % des cessions[2] réalisées. Suivent la Fiction (15,5 %) puis les Sciences humaines et sociales. Quant aux langues de destination, le chinois parade en tête, devant l'italien, l'espagnol et l'allemand. Étonnamment, l'anglais n'arrive qu'en quatrième position, *ex æquo* avec le coréen et le polonais (6 % des contrats).

En littérature française, le trio de tête des ventes à l'étranger fait l'unanimité. Depuis sa parution en 1943, *Le Petit Prince* de Saint-Exupéry est l'ouvrage le plus vendu au monde et le plus traduit après la Bible. Il est suivi par *L'Étranger* d'Albert Camus et *Madame Bovary* de Gustave Flaubert. La réputation de ces auteurs incontournables ne se résume toutefois pas aux chiffres d'exportation et il arrive que des notoriétés relèvent davantage de l'imaginaire que de lectures avérées. Aussi, vous avez déjà dû vous voir citer Sartre ou Proust dans une première conversation avec un étranger, avant que celui-ci n'avoue, plus amusé qu'honteux, n'avoir jamais rien lu d'eux.
En dehors des classiques, notre littérature contemporaine est prisée à l'étranger pour sa capacité à regonfler les egos et donner le sourire, à coups de fantaisie bien placée et d'auto-identification facilitée. Le romancier ultrapopulaire Marc Levy bat, dans cette catégorie, tous les records, en ayant vendu 40 millions d'exemplaires de ses livres hors de l'Hexagone. Dans une récente émission de BFM TV, Éric-Emmanuel Schmitt, autre champion de l'exportation, dit avoir découvert qu'on pouvait l'aimer à l'étranger « pour des qualités qu'on trouve explicitement françaises et qu'en France on dénigre un petit peu ». Pour son éditeur en Allemagne, où *Monsieur Ibrahim et les Fleurs du Coran* s'est vendu à 850 000 exemplaires, « il pose des questions qui intéressent beaucoup de monde et trouve des réponses que le monde entier peut comprendre ».

De façon assez surprenante, on trouve des auteurs relativement peu connus en France qui voient leur carrière décoller à l'étranger. Le plus bel exemple en est Muriel Barbery et son *Élégance du hérisson*, qui s'est vendu à plus de 900 000 exemplaires, alors qu'il avait été boudé par pléthore d'éditeurs de l'Hexagone. Depuis une dizaine d'années, Michel Houellebecq (*Les Particules élémentaires, La Carte et le Territoire*) est également une référence mondiale de la littérature française. *Au revoir là-haut* de Pierre Lemaître et le premier roman de Romain Puértolas, *L'Extraordinaire Voyage du fakir qui était resté coincé dans une armoire Ikea*, ont été achetés outre-Manche sur épreuves[3], avant même de paraître en France.
Malgré la vague de polars scandinaves qui domine, encore aujourd'hui, le marché du livre à frissons, les auteurs de romans policiers français semblent tirer leur épingle du jeu. Les livres de Jean-Christophe Grangé (*Les Rivières pourpres, Miserere*) sont en tête de gondole en Turquie et la France tient une place de choix dans la collection « *World Noir Series* » d'Europa Editions, grâce à Jean-Claude Izzo (*Total Khéops*), Caryl Férey (*Mapuche*) et Philippe Georget (*L'été tous les chats s'ennuient*).
Enfin, toute une série de « jeunes » talents littéraires français vendent chaque année leurs œuvres à plusieurs dizaines de milliers d'exemplaires à travers le monde : Maylis de Kerangal, Antoine Laurain, Fred Vargas, Sébastien Japrisot, Emmanuel Carrère, Yasmina Reza, Agnès Desarthe, Laurent Mauvignier, pour ne citer qu'eux.

Justine Hugues, lepetitjournal.com

1. *Why don't French books sell abroad?* : Pourquoi les livres français ne se vendent-ils pas à l'étranger ?
2. une cession (de droits) : vente des droits de commercialisation d'un livre à des éditeurs étrangers.
3. des épreuves : étape de mise en pages du manuscrit, avant l'impression.

1. Lisez le titre et le chapeau de l'article (doc. 1).

a. Identifiez le thème de l'article.

b. Repérez les deux informations principales du chapeau et l'objectif de la journaliste.

2. Par deux. Lisez l'article (doc. 1).

a. Proposez un titre pour la première partie de l'article (l. 8 à 16).

b. Associez les intertitres suivants aux autres parties. Des figures moins populaires devenues illustres au-delà des frontières • Quoi ? *La Prophétie des grenouilles* traduit en chinois ? • Entre Saint-Exupéry et Marc Levy, le cœur des étrangers balance

3. Par deux. Relisez l'article (doc. 1).

a. À quelles catégories appartiennent les ouvrages français qui ont le plus de succès auprès des éditeurs étrangers ?

b. Quel est l'ouvrage le plus vendu au monde ?

c. Pourquoi la littérature française contemporaine est-elle si appréciée à l'étranger ?

d. Quels sont les trois types d'auteurs français contemporains qui ont du succès à l'étranger ?

4. Par deux. Reformulez les lignes 34 (« il arrive que... ») à 38 avec vos propres mots (doc. 1).

p. 52, n° 1

a. En groupe. Listez les auteurs cités dans le document 1. En connaissez-vous et/ou en avez-vous lu certains ? Si oui, lesquels ?

b. En petits groupes. Choisissez trois auteurs cités et faites des recherches. Pour chacun d'eux, donnez un titre phare en précisant son sujet, sa date de publication et son genre (roman, roman historique, roman policier, récit autobiographique, pièce de théâtre...). Dites si l'auteur a reçu un prix littéraire important (Nobel, Goncourt, Renaudot...).

Exemple :

Auteur	Prix	Titre phare
Albert Camus	Nobel en 1957	*L'Étranger* (roman, 1942) : vie et mort de Meursault, un homme qui semble indifférent aux autres et à sa propre existence.

c. En groupe. Constituez la bibliothèque de livres français de la classe. Quel(s) genre(s) préférez-vous ? Pourquoi ?

LA LIBRAIRIE FRANCOPHONE

La Librairie francophone au Salon du livre de Genève

ROMAIN PUÉRTOLAS
Les Nouvelles Aventures du FAKIR au pays d'IKEA
2

6. Observez le document 2.

a. Identifiez le nom, le lieu et le thème de l'émission.

b. Faites des hypothèses sur le sujet du livre.

7. 18 Par deux. Écoutez l'introduction de l'émission (doc. 2). Relevez les informations données sur :

a. le premier roman de Romain Puértolas ;

b. le thème de son nouveau roman.

8. 18 Par deux. Réécoutez l'introduction de l'émission (doc. 2).

a. Résumez l'intrigue du roman (l'évolution du personnage principal, l'événement décisif et ses conséquences).

b. Que pense le présentateur du livre ?

c. Qui sont les personnes qui vont s'exprimer sur le roman ?

9. 19 En petits groupes. Écoutez la suite de l'émission (doc. 2). Identifiez le point de vue de chaque libraire : plutôt positif, mitigé ou plutôt négatif ? Justifiez.

10. 20 Par deux. Écoutez la dernière partie de l'émission (doc. 2).

a. Que pensent le présentateur et l'auteur du débat ?

b. Quel est le point de vue du présentateur sur le livre ? Justifiez.

p. 53, n° 4

11. Nous présentons un livre.

Seul(e) ou en petits groupes.

a. Choisissez un livre que vous avez lu (français ou traduit en français). Précisez l'année de publication, le genre et éventuellement le(s) prix reçu(s). Présentez brièvement l'auteur(e) et la place qu'il / elle occupe sur le marché littéraire international.

b. Résumez le livre en quelques lignes. Dites si vous recommandez ou non sa lecture, en justifiant votre point de vue.

c. Présentez votre livre et lisez un extrait à la classe.

d. Complétez la bibliothèque de la classe.

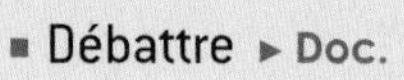

- Débattre ▸ Doc. 1
- Faire le portrait d'un acteur ou d'une actrice ▸ Doc. 2

LEÇON

2 À chacun son cinéma

document **1** 21 à 24

DÉBAT DU JOUR
- **Patrick Poivey, comédien**
- **Alain Modot, vide-président de Media Consulting Group**
- **Ralf Kuchheuser, responsable de la production multilingue d'ARTE**

1. 21 **Écoutez l'introduction de l'émission (doc. 1).**

a. Quel est son thème ?

b. Comment le sous-titrage est-il perçu en France ? Est-ce la même chose dans votre pays ?

c. Quelles sont les deux chaînes de télévision citées et pourquoi ?

2. 22 **Par deux. Écoutez le premier extrait de l'émission (doc. 1). Vrai ou faux ? Justifiez.**

a. La chaîne Arte a choisi de sous-titrer les films qu'elle diffuse pour favoriser l'apprentissage des langues étrangères.

b. Arte propose des films d'auteur, à découvrir en version originale sous-titrée.

c. Les films diffusés en *prime time*, les films actuels et les films classiques sont doublés.

3. 23 **Par deux. Écoutez le deuxième extrait de l'émission (doc. 1).**

a. Quelle est la particularité de la France, selon le présentateur ?

b. Résumez le point de vue de Patrick Poivey.

4. 24 **Par deux. Écoutez le troisième extrait de l'émission (doc. 1).**

a. Reformulez la question du présentateur et dites ce qu'elle sous-entend.

b. Quelle est la cartographie du doublage et du sous-titrage en Europe ?

c. Quel est le choix de la Pologne en matière de doublage ?

5

Doublage ou sous-titrage ? Débattez.

a. **Divisez la classe en deux : un groupe pour le doublage et un groupe pour le sous-titrage.**

b. **En petits groupes. Parlez de la situation dans votre pays et préparez vos arguments pour le débat.**

c. **En groupe. Débattez.**

6. Lisez le titre de l'article, la note de bas de page et observez la photo (doc. 2). Quel lien pouvez-vous faire entre ces trois éléments ?

7. Lisez le chapeau de l'article (doc. 2) et vérifiez vos hypothèses.

8. Par deux. Lisez l'article (doc. 2).

a. Associez un objectif à chaque partie.

Exemple : *Caractériser brièvement l'actrice. → Partie 1.*

A. Expliquer comment l'actrice s'est mise dans la peau de son personnage.

B. Présenter un événement marquant de la carrière de l'actrice.

C. Relater le processus de sélection de l'actrice.

D. Développer le thème de l'article et décrire le personnage central du film.

E. Proposer une courte biographie de l'actrice.

b. Qui sont les quatre personnes citées par la journaliste ? Dans quel but ? ▸ p. 53, n° 2 et 3

9. En petits groupes. Relisez l'article (doc. 2).

a. Relevez comment Irène Frachon et Sidse Babett Knudsen sont caractérisées.

Exemples : *Irène Frachon, cette femme hors du commun. Sidse Babett Knudsen : lumineuse, bouillonnante, électrisante.*

b. Quels sont leurs traits de caractère communs ?

À NOUS !

10. Nous faisons le portrait d'un acteur ou d'une actrice.

En petits groupes.

a. **Choisissez un acteur ou une actrice de stature internationale. Expliquez les raisons de votre choix.**

b. **Rédigez son portrait en y intégrant les éléments suivants :**
- éléments de biographie ;
- faits marquants de sa carrière ;
- description physique et psychologique ;
- opinions d'autres personnes à son sujet.

Vous pouvez également ajouter d'autres informations (ses goûts, les langues qu'il / elle parle…).

c. **Indiquez si ses films sont plutôt doublés ou sous-titrés et dans quels pays.**

d. **Faites le recueil des portraits d'acteurs et d'actrices de la classe.**

document 2

l'express PORTRAIT

*La Fille de Brest** : Sidse Babett Knudsen, l'étoile polaire

Elle est danoise et campe, en français, la Bretonne Irène Frachon en guerre contre le Mediator, dans *La Fille de Brest*. Héroïne de la série *Borgen*, la comédienne Sidse Babett Knudsen continue de nous éblouir.

① Elle est comme à l'écran : lumineuse, bouillonnante, électrisante. La cinquantaine approchante, sublimée par une allégresse gourmande.

② **« Sidse Babett Knudsen, c'est la grande classe ! »**

Il fallait du culot pour proposer à une actrice scandinave le rôle de cette Bretonne pur jus qu'on a vue aux infos crier sa colère contre les négligences meurtrières des laboratoires Servier. Pourtant, qui mieux qu'elle aurait pu incarner cette femme hors du commun, devenue malgré elle une héroïne des temps modernes ?

Irène Frachon elle-même l'avait remarquée dans *Borgen*, dont elle regardait religieusement les épisodes avec son mari. « Le fait que ce soit elle qui m'incarne aujourd'hui et qu'elle soit danoise me plaît beaucoup. Cela donne une vraie distance fictionnelle. Et puis, je ne vais pas mentir : Sidse Babett Knudsen, c'est la grande classe ! »

Affable, blagueuse en ce matin gris d'automne, l'actrice se raconte. Elle est heureuse de voir sa carrière prendre ce tournant français. Heureuse, aussi, de pouvoir, entre deux tournages, retrouver Paris, la ville qui l'a accueillie trente ans plus tôt comme fille au pair. Paris où elle a vécu six années.

À cette époque, elle habite une minuscule chambre de bonne, enchaîne les petits boulots, intègre l'école du Théâtre de l'Ombre, aujourd'hui disparu.

③ **Comédienne touche-à-tout**

Née à Copenhague d'un père photographe et d'une mère éducatrice, elle a grandi dans plusieurs pays d'Afrique, notamment en Tanzanie, où ses parents font du volontariat pendant qu'elle parfait son anglais. Une école d'art privée lui donne le goût de la musique, des langues et surtout du théâtre. De retour au Danemark après sa bohème parisienne et un bref passage par les États-Unis, elle rejoint la compagnie de théâtre d'une amie, joue entre autres *L'École des femmes* et *Alice au pays des merveilles*.

Le cinéma la sollicite avec *Let's Get Lost* (1997), une comédie qui lui vaut le Bodil Award de la meilleure actrice, le césar danois.

④ **Le tournant *Borgen***

Le grand public la découvre dans *Borgen* (2010-2013), la série multiprimée où elle est donc Birgitte Nyborg, une femme politique scandinave propulsée Première ministre à l'issue d'un succès électoral inattendu.

Borgen a bouleversé la carrière de Sidse Babett Knudsen. « J'avais tenté plusieurs fois ma chance en France, mais c'était impossible. Mes amis me disaient : "Aucun film ne se financera sur ton nom, personne ne sait qui tu es." Et tout à coup, avec *Borgen*, tout devenait possible. Cette série a été un fantastique passeport. » En 2015, le César du meilleur second rôle féminin pour *L'Hermine*, où elle est l'amour secret d'un président de cour d'assises (Fabrice Luchini), marque une consécration.

⑤ **L'œil avisé de Catherine Deneuve**

Son rôle dans *La Fille de Brest*, elle le doit à Catherine Deneuve. « Pendant l'écriture du scénario, explique la réalisatrice Emmanuelle Bercot, je n'arrivais pas à imaginer une actrice française dans le personnage d'Irène Frachon. Je songeais à abandonner le projet. » Catherine Deneuve lui conseille de regarder *Borgen* : « Tu verras, la comédienne est formidable. Et il me semble qu'elle parle français. »

Bercot tombe sous le charme. « J'ai tout de suite été séduite à l'écran par son énergie qui ressemble beaucoup à celle d'Irène Frachon : une énergie de guerrière, de battante. Et aussi par ce côté très clownesque qu'elles ont en commun et auquel je tenais beaucoup. Elle a ce double tempérament : très déterminé et en même temps très drôle, vivant et fantaisiste. »

⑥ **Le goût et le talent de la composition**

Pour gommer son accent, l'actrice prend l'initiative d'engager un professeur avec qui, deux fois par semaine, sur Skype, elle répète inlassablement l'intégralité de ses scènes. Elle questionne aussi longuement Irène Frachon. « Je me disais : "Mon Dieu, cette femme est un vrai héros. Je veux me mettre dans sa peau quelque temps. Voir ce que cela fait." Je la trouvais tellement intéressante. Pleine de contradictions, d'humanité. Je n'avais jamais croisé quelqu'un d'aussi concentré, intelligent, aussi clair et précis dans sa manière de parler. Irène écoute les gens très attentivement. Elle est très émotive également. Lorsqu'elle parle de ses patientes, les larmes lui montent aux yeux et, en même temps, elle sourit. Après notre rencontre, j'avais les lignes directrices ; il ne me restait qu'à recréer un personnage à partir de ce que j'avais vu et senti. »

Estelle Lenartowicz

* *La Fille de Brest* : film d'Emmanuelle Bercot dont le personnage principal est la pneumologue Irène Frachon, lanceuse d'alerte du scandale du Mediator, un médicament qui aurait tué entre 1 000 et 2 000 personnes avant son retrait en 2009.

Grammaire

Les comparatifs et les superlatifs pour comparer et établir une hiérarchie p. 164 et p. 201

1. Par deux.

a. Observez puis complétez les tableaux avec des extraits du document 1 p. 48.

Le comparatif	
moins / aussi / plus + adjectif + *que*	L'Étranger *est* ***moins*** *traduit* ***que*** Le Petit Prince. *La littérature jeunesse est* ***aussi*** *appréciée* ***que*** *la BD à l'étranger.* …
moins / aussi / plus + adverbe + *que*	*Sartre se lit* ***moins*** *facilement* ***que*** *Marc Levy.* *Un bon polar se lit* ***aussi*** *rapidement* ***qu'****une BD.* *Certains auteurs se vendent* ***plus*** *difficilement en France* ***qu'****à l'étranger.*
moins de / autant de / plus (ou *davantage**) *de* + nom + *que*	*La fiction représente* ***moins de*** *cessions de droits* ***que*** *la BD.* *Muriel Barbery a* ***autant de*** *succès* ***que*** *Michel Houellebecq.* *Éric-Emmanuel Schmitt ne vend pas* ***plus de*** *livres* ***que*** *Marc Levy.*
verbe + *moins / autant / plus* (ou *davantage**) + *que*	*Les essais se vendent* ***moins que*** *les romans.* *Les BD s'exportent* ***autant que*** *les romans jeunesse.* …

* soutenu

Le superlatif	
le (la, les) moins / le (la, les) plus + adjectif	*L'Angleterre, la Pologne et la Corée sont les pays* ***les moins*** *intéressés par les cessions de droits.* … … … …
le moins / le plus + adverbe	*Les ouvrages de sciences humaines et sociales sont ceux qui s'exportent* ***le moins*** *bien à l'étranger.* *Sartre et Proust sont les auteurs français que les étrangers citent* ***le plus*** *fréquemment.*
le moins de / le plus de + nom	*L'Angleterre est le pays où il y a* ***le moins de*** *traductions de livres français.* *La Chine est le pays où il y a* ***le plus de*** *traductions de livres français.*
verbe + *le moins / le plus*	*Les polars scandinaves sont ceux qui se vendent* ***le plus****.*

b. Observez le tableau ci-dessous. Employez ces comparatifs et superlatifs pour parler de livres et d'auteurs que vous connaissez.

Exemple : *Pour moi, Albert Camus est le meilleur auteur français !*

Cas particuliers	Comparatif	Superlatif
bon(ne)	meilleur(e)	le (la) meilleur(e)
petit(e)	plus petit(e) moindre (= moins important(e))	le (la) plus petit(e) le (la) moindre
mauvais(e)	plus mauvais(e) pire (= encore plus mauvais(e))	le (la) plus mauvais(e) le (la) pire
bien	mieux	le (la) mieux

Les pronoms relatifs pour éviter les répétitions

p. 164 et p. 195

2. Par deux. Trouvez au moins quatre phrases contenant un pronom relatif simple (*qui, que, dont* et *où*) dans le document 2 p. 51. Dites ce que chaque pronom relatif remplace.

3. Observez cet extrait du document 2 p. 51.
Ce côté très clownesque **auquel** je tenais beaucoup.

a. Dites comment est formé le pronom relatif en gras. Puis trouvez un autre pronom relatif composé dans le document 2 p. 51.

b. En petits groupes. Observez le tableau puis réemployez chaque pronom dans des énoncés de votre choix.

Pronoms relatifs composés : préposition + *lequel, laquelle*	Fonction dans la seconde phrase	Exemples
avec lequel, par laquelle, pour lesquels, sans lesquelles, sur lequel, dans laquelle…	remplace le complément d'un verbe suivi des prépositions *avec, par, pour, sans, sur, dans…*	*Les acteurs de la série* Borgen ***avec lesquels*** *elle a tourné.* *La minuscule chambre de bonne* ***dans laquelle*** *elle a vécu à Paris.*
auquel, à laquelle, auxquel(le)s grâce auquel, grâce à laquelle…	remplace le complément d'un verbe suivi des prépositions *à* et *grâce à*	*Ce côté très clownesque* ***auquel*** *je tenais beaucoup.* *Une actrice* ***à laquelle*** *Catherine Deneuve a pensé.* *Les cours sur Skype* ***grâce auxquels*** *elle a pu améliorer son accent.*
à cause duquel, à côté duquel, au-dessous de laquelle, au-dessous desquels, près desquelles…	remplace le complément d'un verbe suivi des groupes prépositionnels *à cause de, à côté de, au-dessous de, près de…*	*Son léger accent danois,* ***à cause duquel*** *elle a dû engager un professeur de français.*

! Quand le nom remplacé par le pronom est **une personne**, on peut utiliser ***qui*** à la place de *lequel, laquelle*, etc.
Un professeur ***avec qui*** *elle répète l'intégralité de ses scènes. Une actrice* ***à qui*** *elle a tout de suite pensé.*

! La préposition est suivie de *quoi* quand l'antécédent est *ce, quelque chose* ou *rien*.
Elle a été choisie pour le rôle principal de La Fille de Brest, *ce* ***à quoi*** *elle ne s'attendait pas.*

Mots et expressions

Qualifier le style ou le contenu d'un livre

p. 165

4. Associez chaque adjectif à son synonyme (doc. 2 p. 49).
Exemple : *c-3.*

a. rocambolesque — b. divertissant(e) — c. loufoque — d. absurde — e. enjoué(e) — f. laborieux (laborieuse) — g. ennuyeux (ennuyeuse) — h. foisonnant(e) — i. étonnant(e)

1. riche — 2. insensé(e) — 3. fou (folle) — 4. amusant(e) — 5. lourd(e), pénible — 6. lassant(e), sans intérêt — 7. gai(e) — 8. surprenant(e) — 9. invraisemblable

Phonétique

p. 165

Voyelles nasales et dénasalisation

5. 25 Écoutez. Dites quand la graphie *on, an, en, un* ou *(a)in* est prononcée comme une voyelle nasale et quand elle est dénasalisée.
Exemples : *carton → voyelle nasale* [ɔ̃] – *cartonner → dénasalisation* [ɔn] ;
romanesque → dénasalisation [an] – *roman → voyelle nasale* [ɑ̃].

- Poser un problème et proposer des solutions ▸ Doc. 1
- Décrire une spécificité culturelle ▸ Doc. 2

LEÇON 3 Patrimoines

document 1

Patrimoine : les citoyens à la rescousse d'une France en ruine

Par Corentin Lacoste – 19 juin 2018

Alors que de nombreux sites historiques se dégradent, les défenseurs du patrimoine font appel à la contribution du grand public pour financer leur rénovation.

Le château de Fontainebleau organise un financement participatif pour rénover son escalier en fer à cheval.

En organisant son loto du patrimoine, Stéphane Bern* a fait état d'une France en piteux état, dont les sites historiques « en danger [...] ont besoin d'urgence d'être sauvegardés ». Ainsi, ce sont quelque 270 sites « en péril » qui ont été choisis afin de bénéficier de ce tirage coorganisé avec la Française des jeux, parmi lesquels la maison de Pierre Loti, à Rochefort (Charente-Maritime), qui menace de s'effondrer, ou le domaine de la Maison-Rouge, à Saint-Louis (La Réunion), dont la façade n'est plus qu'un vague souvenir de sa splendeur d'antan. Nos édifices historiques s'abîment et l'argent manque dans les caisses. Même le palais de l'Élysée est obligé de se vendre.

Si l'initiative conduite par Stéphane Bern attire beaucoup de critiques, c'est aussi parce qu'elle pose la question du financement de l'entretien de nos monuments. Le patrimoine appartenant à tous (littéralement « qui vient de notre père et de notre mère »), reviendrait-il au contribuable de se soucier de sa rénovation ? Le phénomène n'est pas nouveau mais il connaît un nouvel essor, en particulier grâce au numérique. Ainsi, le château de Fontainebleau a lancé en avril une opération visant notamment à acheter virtuellement l'une des 92 marches de son célèbre escalier en fer à cheval pour un montant de 1 000 euros. « C'est un objet cher aux Bellifontains, mais aussi aux visiteurs, assure Éric Grebille, responsable du mécénat pour le château. Il fait partie de l'imaginaire collectif et beaucoup de gens viennent se prendre en photographie devant. »

« Cercle élitiste »

En 2015, Romain Delaume et Bastien Goullard tablaient également sur l'attachement au patrimoine en créant Dartagnans, un site de financement participatif pour aider à financer des projets de rénovation. Reposant sur un système de contreparties, à l'instar des plateformes généralistes comme Kickstarter ou Ulule, il permet à chacun de devenir mécène et de se sentir, l'espace d'un instant, une Catherine de Médicis ou un François Ier des temps modernes.

Parmi les projets majeurs, celui du château de la Mothe-Chandeniers, dans la Vienne, acheté en 2017 par plus de 18 000 contributeurs français et étrangers afin de le sauver des ruines. Ce faisant, l'édifice du XIIIe siècle devenait la plus grande copropriété au monde. Un succès en partie dû à l'attachement des Français à leurs édifices historiques, comme en témoignent les foules qui se pressent chaque année aux Journées du patrimoine (12 millions de visiteurs en 2017).

Faire du patrimoine une priorité

Certes, le gouvernement fait des efforts. En 2018, le budget dédié à l'entretien et à la restauration du patrimoine a ainsi été augmenté de 5 % pour atteindre les 326 millions d'euros. Malgré cela, de nombreux sites peinent encore à trouver les moyens de maintenir leur architecture en état. « À Fontainebleau, nos financements publics ont augmenté grâce à un plan d'investissement de l'État, qui nous a octroyé 115 millions d'euros sur dix ans. Mais ce montant était en partie dédié à de grands travaux d'accessibilité, de sécurité et de réaménagement. D'où la nécessité de faire appel au grand public », explique Éric Grebille.

« L'innovation majeure serait que l'État reconnaisse que la restauration du patrimoine est une priorité historique et économique », tacle Jean-Paul Ciret, rappelant que si notre pays est la première destination touristique au monde depuis plus de vingt ans, c'est en partie grâce à ses sites historiques. Codirecteur de l'Observatoire de la culture de la Fondation Jean-Jaurès, il s'est fait remarquer pour une note intitulée « Le loto du patrimoine, une fausse bonne idée ? » Selon lui, l'opération, qui n'a rien d'original, n'aura qu'un impact limité. « C'est mieux que rien, mais le budget de l'État est-il à 15 millions d'euros près pour devoir faire un loto pour les trouver ? » interroge-t-il. À ses yeux, le principal avantage est que cela permet de conscientiser le public. « On aime savoir là où va notre argent et là, c'est concret. » Un constat que partage Éric Grebille, pour qui la communication autour du château de Fontainebleau permet « une meilleure compréhension de l'enjeu de l'entretien et de la restauration du patrimoine ».

* Stéphane Bern : journaliste français, chargé par le président de la République Emmanuel Macron de la mission d'établir une liste des monuments et des bâtiments en péril du patrimoine français.

1. Lisez le titre de l'article et la légende de la photo (doc. 1). Quel est selon vous le thème de l'article ?

2. Lisez le chapeau de l'article (doc. 1) et vérifiez vos hypothèses.

3. Par deux. Parcourez l'article (doc. 1) sans le lire en détail. Trouvez le plus vite possible l'information précise concernant le château de Fontainebleau. Reformulez avec vos propres mots puis partagez avec la classe.

4. En petits groupes. Lisez l'article (doc. 1).

a. Regroupez les informations qui présentent le problème ainsi que les solutions proposées.

b. Identifiez les critiques faites aux solutions proposées.

5. En petits groupes. Relisez l'article (doc. 1).

a. Listez les différents lieux patrimoniaux cités et les indications données sur leur état.

b. Quelle est l'action de l'État ? Quelles en sont les limites ?

c. Quelle est l'importance du patrimoine :

1. dans l'esprit des Français ?
2. pour l'économie française ?

► p. 58-59, n° 1 et 4

En petits groupes. Donnez des exemples de ce qui relève selon vous du patrimoine, en France, dans votre pays ou dans le monde. (Vous pouvez faire des propositions loufoques.) À partir de ces exemples, rédigez votre propre définition du concept de patrimoine. Partagez avec la classe.

document 2 26 à 28

7. 26 Observez la page Internet et écoutez la première partie de l'émission (doc. 2).

a. Quel est le thème de l'émission ?

b. Quel élément du patrimoine culturel français a été reconnu par l'UNESCO en 2010 ?

8. 27 Par deux. Écoutez la deuxième partie de l'émission (doc. 2).

a. Identifiez le titre du livre de l'anthropologue Marc Augé.

b. Quel avantage de « la vie au café » met-il en avant dans cet ouvrage ? Pourquoi ?

9. 27 Par deux. Réécoutez la deuxième partie de l'émission (doc. 2). Selon Marc Augé, quel type de liens la disposition du café favorise-t-elle ? Comment ?

10. 28 Par deux. Écoutez la troisième partie de l'émission (doc. 2).

a. Relevez les informations concernant :

1. le nombre de cafés à Paris ;
2. les relations entre les cafés et la culture (cinéma et littérature) ;
3. les synonymes familiers de « café ».

b. Quelle est la conclusion du journaliste ? Quel est son lien avec l'introduction de l'émission ?

► p. 58, n° 2

À NOUS !

11. Nous proposons un lieu ou un concept à inscrire au patrimoine culturel immatériel de l'UNESCO.

En petits groupes.

a. Choisissez un lieu ou un concept que vous aimeriez faire entrer au patrimoine culturel immatériel de l'UNESCO (act. 6).

b. Préparez la présentation de votre lieu ou concept (ses avantages, le type de liens sociaux qu'il favorise, son importance dans la ville / le pays, ses relations avec d'autres domaines culturels…).

c. Présentez votre choix à la classe en essayant de convaincre.

d. La classe vote pour ses propositions préférées.

LEÇON

- Donner son avis sur une tendance ▸ Doc. 1
- Comprendre un processus de création ▸ Doc. 2

4 Histoires de séries

document 1

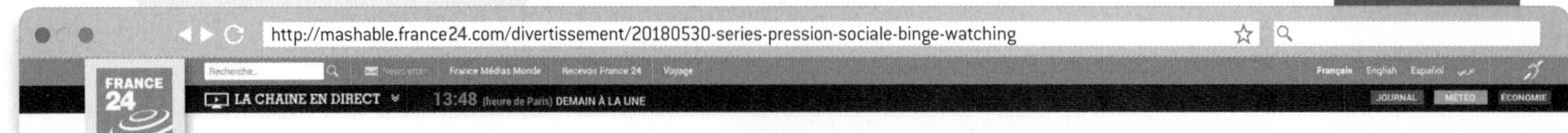

Et si on arrêtait de se mettre la pression autour des séries qu'il « faut » regarder ?

La profusion des séries, à la télévision comme sur les plateformes de VOD[1], a instauré une forme de pression sociale incitant à la course à la consommation. Toutefois, pour certains, le *binge watching*[2] est tout sauf un comportement de sériephile.

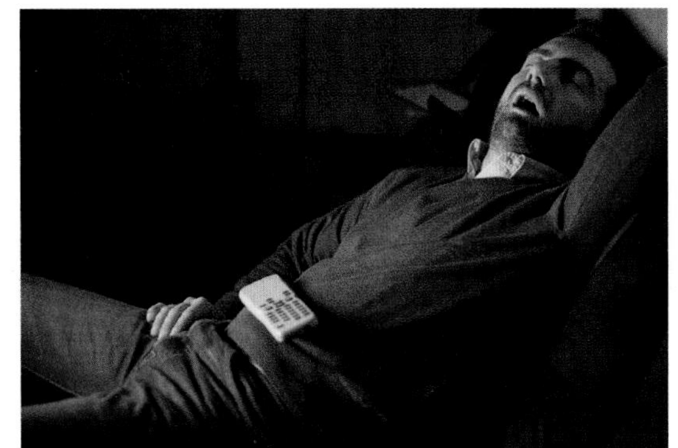

Pour Benoît Lagane, journaliste culturel à France Inter et critique séries, « regarder des séries en *binge watching*, c'est comme décider d'aller dans un restaurant trois étoiles et de se bouffer toute la carte en un soir. À part si elles sont pensées et construites pour ça, à l'image de *Stranger Things* par exemple ». Il poursuit : « *Binge watcher*, c'est passer à côté de 60 % de ce que la série raconte. Il faut se dire qu'il y a autant de richesse dans un seul épisode de série que dans un livre ou dans un film. »

Tant pis pour les *spoilers*[3]

Un vrai sériephile devrait prendre le temps de respirer entre chaque épisode s'il veut apprécier une série dans toute sa profondeur, et prendre conscience de ses résonnances. Lorsqu'on sort d'une salle de cinéma ou d'une exposition, on aime bien prendre le temps d'y repenser et d'en parler avec nos amis, non ? Eh bien il faudrait faire de même avec les épisodes de série.
Et tant pis pour les *spoilers* si on n'avance pas assez vite. Mais quid de la profusion de séries « qu'il-faut-absolument-que-tu-voies » ?

Préférer les histoires aux titres

S'il est accepté dans le domaine de la littérature de dire « je ne lis que des polars d'auteurs nordiques » ou dans celui du cinéma d'affirmer « je déteste les films de super-héros », il semble bien plus difficile d'assumer ses goûts en matière de séries. Interrogé par le site Slate.fr en mai 2016 autour de la folie *Game of Thrones*, Clément Combes, auteur d'une thèse sur les amateurs de séries télévisées, racontait qu'une partie des personnes interrogées pour sa thèse affirmait même céder et regarder des séries avant tout pour pouvoir prendre part aux échanges et aux conversations. Un comble lorsqu'on pense qu'il y a sans doute autant de séries que de téléspectateurs aujourd'hui. « Aux États-Unis, où il y a une vraie culture de la série, les spectateurs savent depuis toujours faire la part des choses dans ce qu'ils aiment. Le problème, c'est qu'en France, on n'arrive pas à faire pareil », analyse Benoît Lagane. « Mais tout un chacun n'est pas obligé d'aller se farcir des tas de séries de science-fiction si la SF lui sort par les yeux. C'est une chance d'avoir le choix de suivre des œuvres des univers qu'on aime ! »

« En quoi devrait-on être obligé à quoi que ce soit en matière de culture ? »

Mélissa Thériault, professeure d'université et auteure d'un article sur la dimension philosophique des séries télévisées, partageait cet avis sur Slate.fr : « En quoi devrait-on être obligé à quoi que ce soit en matière de culture ? Et de quel droit notre entourage se permet-il de juger de ce que l'on inclut ou non à notre agenda ? S'il vous exclut parce que vous n'aimez pas la série *Game of Thrones*, alors fuyez, c'est qu'ils ne sont pas vos amis ! »
Avec un peu de chance, le temps devrait permettre de gommer ce syndrome qui nous pousse à collectionner les titres de séries visionnées en gage de « coolitude ». Pour n'en retenir que les histoires fortes qui font écho en nous. « En fait, quand on parle de séries entre nous, il faudrait qu'on raconte l'histoire ou le sentiment que ça nous procure, mais qu'on s'en foute de citer le titre », conclut Benoît Lagane. « Quand j'ai raconté le final de *The Leftovers* à mon père, ce n'était pas pour qu'il regarde la série, mais pour lui expliquer qu'après le décès de ma mère, il pouvait se reconstruire et avoir une nouvelle vie avec quelqu'un d'autre. C'est ça qu'il faudrait qu'on arrive tous à faire. »

Louise Wessbecher

1. VOD : *video on demand* = « vidéo à la demande ». Technologie qui permet, grâce à un abonnement, de visionner un programme à toute heure.
2. *binge watching* : visionnage frénétique, à la chaîne.
3. un *spoiler* (de l'anglais *to spoil* signifiant « gâcher ») : toute chose qui interrompt le suspense ou dévoile une partie d'une intrigue.

1. **Lisez le titre de l'article (doc. 1), le chapeau et la première partie (l. 4 à 11).**

a. Reformulez le titre avec vos propres mots.

b. Quelle est la tendance exposée dans le chapeau ? Et le contrepoint proposé par la journaliste ?

c. Vrai ou faux ? Justifiez. Selon le journaliste culturel Benoît Lagane…
1. le visionnage frénétique de séries est une bonne chose.
2. regarder trop vite les épisodes d'une série nuit à la compréhension de l'histoire.

2. **Par deux. Lisez la deuxième partie (doc. 1, l. 12 à 19).**

a. Expliquez l'intertitre.

b. À quelles autres activités culturelles la journaliste compare-t-elle le visionnage de séries ? Pourquoi ?

► p. 58, n° 3

3. **Par deux. Lisez la troisième partie (doc. 1, l. 20 à 30). Identifiez les deux informations principales.**

4. **Par deux. Lisez la quatrième partie (doc. 1, l. 31 à 41).**

a. Quelle est la recommandation de Mélissa Thériault ?

b. Résumez la conclusion de Benoît Lagane.

► p. 59, n° 5

5 En petits groupes.

a. Listez les séries mentionnées dans l'article (doc. 1).

b. Les avez-vous vues ? Appréciées ? En regardez-vous d'autres ? Des séries françaises ou francophones ? Si oui, lesquelles ?

c. Commentez le point de vue de l'article. Êtes-vous d'accord ? Pas d'accord ? Pourquoi ?

document 2 Vidéo n° 3

Séries françaises

6. **Observez cette image extraite d'une émission de France 24 (doc. 2). Repérez et listez toutes les informations qu'elle contient. Faites des hypothèses sur le lieu où se trouve la présentatrice.**

7. **Regardez l'introduction de l'émission (doc. 2) et vérifiez vos hypothèses.**

8. **En petits groupes. Regardez la première partie de l'émission (doc. 2).**

a. Identifiez le thème et le lieu du reportage.

b. Parmi la liste de métiers ci-dessous, dites :
– quels métiers sont mentionnés ;
– quels métiers apparaissent à l'écran.
décorateur(trice) • réalisateur(trice) • éclairagiste • scénariste • acteur(trice) • preneur(euse) de son • scripte • claquiste • maquilleur(euse) • cameraman

► p. 59, n° 6

9. **Par deux. Regardez à nouveau la première partie de l'émission (doc. 2).**

a. Qu'est-ce qui différencie le travail de réalisation d'une série de celui de la réalisation d'un film ?

b. À quoi l'actrice interviewée compare-t-elle un tournage ?

10. **Par deux. Regardez la deuxième partie de l'émission (doc. 2).**

a. Qui est la personne interviewée ?

b. Comment l'interview est-elle « mise en scène » ?

c. Résumez le propos de la personne interviewée.

À NOUS !

11. Nous imaginons le prochain épisode d'une série.

En petits groupes.

a. Choisissez une série que vous appréciez (act. 5).

b. Présentez votre série, son thème et son équipe.

c. Imaginez le premier épisode de la nouvelle saison (nouveaux personnages, lieux, intrigue, événements…).

d. Partagez avec la classe.

Grammaire

La mise en relief pour souligner une information

p. 166 et p. 196

1. Observez cette mise en relief extraite du document 1 p. 54. Trouvez une autre mise en relief de ce type dans le document.

Si l'initiative attire beaucoup de critiques, c'est parce qu'elle pose la question du financement de l'entretien de nos monuments.

La structure ***Si… c'est…*** permet de mettre en relief :
- une cause : ***Si… c'est parce que / grâce à / à cause de / suite à…***
  Si notre pays est la première destination touristique au monde, ***c'est parce qu'****il regorge de sites historiques.*
- un but : ***Si… c'est pour / pour que / dans le but de…***
  S'il organise un loto du patrimoine, ***c'est pour*** *répondre à une situation d'urgence.*

2. Observez ces mises en relief extraites des documents de la leçon 3 puis complétez avec des exemples de votre choix.

1. Ce sont quelque 270 sites qui ont été choisis.
2. En 2010, c'était le repas gastronomique des Français qui avait intégré la liste du patrimoine culturel immatériel.

La structure ***C'est / Ce sont…*** + **pronom relatif** permet de mettre en relief :
- un sujet (*C'est / Ce sont… qui…*) : *Ce sont quelque 270 sites qui ont été choisis. …*
- un complément d'objet direct (*C'est / Ce sont… que…*) : …
- un complément de lieu ou de temps (*C'est / Ce sont… où…*) : …
  ! Avec une préposition (*dans, à, en…*), un adverbe (*ici, demain, devant, hier…*) ou un nom de jour (*lundi, mardi…*), on emploie le pronom relatif *que*.
  C'est *à Paris* ***qu'****il y a le plus de bistrots.*
- un complément introduit par *de* (*C'est / Ce sont… dont…*) : …
  ! Si on maintient la préposition *de*, on emploie le pronom relatif *que*.
  C'est *donc bien d'un fait social et culturel « total »* ***qu'****il s'agit.*

Les pronoms *y* et *en* pour éviter les répétitions

p. 166 et p. 197

3. Observez cet extrait du document 1 p. 56. Reformulez la phrase en remplaçant les pronoms *y* et *en* par des noms.

Lorsqu'on sort d'une salle de cinéma ou d'une exposition, on aime bien prendre le temps d'y repenser et d'en parler avec nos amis, non ?

Le pronom *y*

Le pronom ***y*** remplace le complément d'un verbe ou d'un adjectif introduit par la préposition **à** : *penser à, croire à, s'intéresser à, réfléchir à, s'attendre à, participer à, être favorable à, être opposé à…*

Je pense ***à la série****. → J'****y*** *pense.*

! Pour les personnes, on utilise *à* suivi du pronom tonique : *Je pense* ***à cet acteur****. → Je pense* ***à lui****.*

Rappel Le pronom *y* peut remplacer un nom de lieu : *Tu vas* ***au cinéma*** *à quelle heure ce soir ? J'****y*** *vais à 20 heures.*

Le pronom *en*

Le pronom ***en*** remplace le complément d'un verbe ou d'un adjectif introduit par la préposition **de** : *avoir besoin de, avoir envie de, parler de, rêver de, s'occuper de, être satisfait de, être fier de…*

Je parle ***de la série****. → J'****en*** *parle.*

! Pour les personnes, on utilise *de* suivi du pronom tonique : *Je parle* ***du scénariste de la série****. → Je parle* ***de lui****.*

Rappel Le pronom *en* peut remplacer un lieu introduit par *de* : *Vous revenez* ***du cinéma*** *? Oui, j'****en*** *reviens à l'instant.*

Mots et expressions

Parler du patrimoine

p. 167

4. a. Par deux. Lisez la carte mentale (doc. 1 p. 54). Placez les titres suivants au bon endroit.

Économie et finances • Patrimoine • Entretien • Détérioration

PARLER DU PATRIMOINE

…

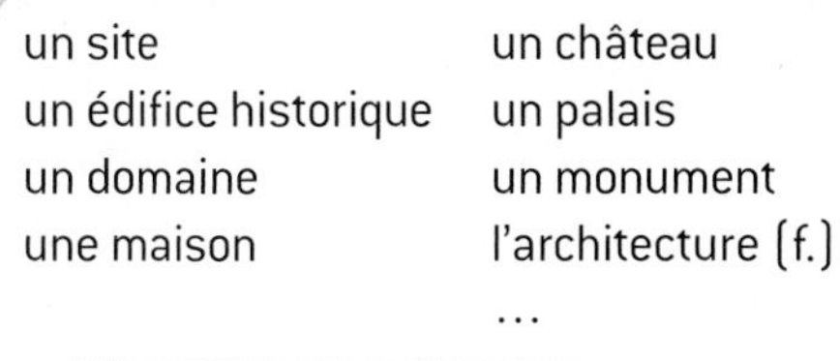

un site
un édifice historique
un domaine
une maison
un château
un palais
un monument
l'architecture (f.)
…

…

en piteux état
en danger / en péril
en ruine
se dégrader
menacer de s'effondrer
s'abîmer
…

…

des travaux d'accessibilité, de sécurité, de réaménagement
la rénovation / rénover
la restauration / restaurer
la sauvegarde / sauvegarder
…

…

un plan d'investissement
un budget dédié (à)
le mécénat / un(e) mécène
un financement (public, participatif)
une contribution
un(e) contribuable
octroyer (une somme d'argent)
…

b. Complétez la carte avec des termes que vous connaissez.

Les registres de langue standard et familier

p. 167

5. Par deux. Relisez ces expressions extraites du document 1 p. 56. Proposez leur équivalent en français standard. Puis réemployez l'expression familière dans une phrase.

Exemple : *Se mettre la pression.* → *S'obliger à, se forcer à. Je trouve ridicule de se mettre la pression pour terminer la saison d'une série.*

a. Se bouffer toute la carte.
b. Des polars.
c. Se farcir (des tas de séries).
d. Sortir par les yeux.
e. La coolitude.
f. Se foutre de.

! *Se foutre de (Je m'en fous !)* est encore plus familier que *se ficher de (Je m'en fiche !).*

Parler des séries et des tournages

p. 167

6. Par deux. Lisez le tableau (doc. 2 p. 57) et complétez-le avec d'autres termes que vous connaissez.

Les composantes d'une série	Les métiers	Les actions
un scénario (une intrigue, des dialogues) un personnage un rôle, un second rôle une saison un épisode une séquence une scène un plan un tournage un décor …	un(e) scénariste un(e) acteur(trice), un(e) comédien(ne) un(e) réalisateur(trice) un(e) caméraman un(e) machiniste un(e) éclairagiste un(e) preneur(euse) de son un(e) décorateur(trice) un(e) maquilleur(euse) un(e) claquiste un(e) scripte …	tourner filmer jouer diffuser …

Maîtriser les registres de langue

1. Par deux.

a. Lisez le tableau.

	Registre familier	Registre courant	Registre soutenu
Emploi	• S'emploie surtout à l'oral. • Avec des amis et des proches.	• S'emploie aussi bien à l'écrit qu'à l'oral. • Dans la vie quotidienne (échanges personnels, professionnels, avec des services commerciaux ou administratifs…).	• S'emploie surtout à l'écrit. Peut s'employer à l'oral dans un contexte formel. • Lettres officielles. Textes littéraires, essais, écrits théoriques.
Syntaxe	• Syntaxe simplifiée et souvent approximative. • Suppression du *ne* de la négation. • Surtout question intonative. Exemple : *Tu viens ?*	• Langage correct. Les principales règles de syntaxe sont respectées. • Présence des deux éléments de la négation (*ne… pas*). • Surtout question avec *est-ce que*. Exemple : *Est-ce que tu viens ?*	• Syntaxe complexe, phrases pouvant être longues. • Utilisation possible du passé simple (à l'écrit). • Question par inversion. Exemple : *Venez-vous ?*
Lexique	• Vocabulaire familier. • Nombreuses abréviations.	• Vocabulaire standard. • Pas d'abréviations. • Emploi de *cela* au lieu de *ça*.	• Vocabulaire recherché. • Figures de style.

b. **Classez les mots et énoncés suivants extraits du dossier dans le registre correspondant.**

1. troquet • bistroquet • mastroquet • caboulot • rade
2. Notre langue, dans son versant populaire et fleuri, porte la trace de cette omniprésence urbaine.
3. Il faut se dire qu'il y autant de richesse dans un seul épisode de série que dans un livre ou un film.

2. **Par deux. Lisez ces trois critiques de la série française *Le Chalet*. Dites à quel registre chaque critique appartient : familier, courant ou soutenu. Justifiez votre choix.**

a Le Chalet propose une incursion dans un genre inattendu et, pour ce faire, déploie une kyrielle d'ingrédients afin d'installer un huis clos angoissant : un village déserté aux ruelles vides jour et nuit, des villageois un peu frustes, de vieilles rancœurs et un passé trouble. Hélas, la tension est quelque peu diluée par une narration compliquée, entremêlant trois époques (1997, 2017 et 2018), et par un trop grand nombre de personnages. Deux figures féminines tirent tout de même leur épingle du jeu : Alice (Agnès Delachair) et Muriel (Chloé Lambert).

D'après La Croix

b Je me suis farci les critiques de presse... Aïe, aïe, aïe, le manque d'imagination des rédacteurs fiche la trouille. Quand ça sort de l'ordinaire, sont perdus les petits. Le politiquement correct à deux balles, ça peut faire de belles rédactions. Mais là, n'ont plus leurs repères... C'est sûr que quand tu les lis, ça fait une belle unité, z'ont dû avoir un modèle. Eh oui, faut réfléchir, chercher qui est qui, mémoriser, retrouver le sens des indices répandus par ci par là... Eh oui, c'est pas « comme d'habitude ». Eh oui, il faut être plutôt éveillé et laisser son smartphone et sa tablette vivre leur vie pendant qu'on regarde. Vous l'aurez deviné, ça me plaît beaucoup, c'est bien mis en images, encore, encore !!!

D'après *Allociné*, critique spectateur

c Ce thriller repose sur le *whodunit**. La découverte du tueur doit, pour que le pari soit relevé, être une surprise totale. Malheureusement, ce n'est pas le cas. Les personnages sont trop nombreux et leur psychologie trop grossière pour que le spectateur s'attache à eux. Si *Le Chalet* mérite qu'on salue la prise de risque de France 2 d'oser un genre pas nécessairement fédérateur, on constate quand même que le traitement est raté.

D'après *20 minutes*

* De l'anglais *Who [has] done it?* = « Qui l'a fait ? ». Type d'intrigue policière.

3. **Classe divisée en deux groupes.**
Groupe 1 : réécrivez la critique de *La Croix* en français courant.
Groupe 2 : réécrivez la critique du spectateur en français courant.

PROJETS

Projet de classe

 Nous inventons un roman et son auteur.

1. En petits groupes.

a. Choisissez deux noms de famille courants de votre pays qui peuvent être traduits en français. Créez un nom composé.

Exemples : *Bell* (« *cloche* ») + *White* (« *blanc, blanche* ») = *Clocheblanche.*
Aguila (« *aigle* ») + *Cruz* (« *croix* ») = *Aiglecroix.*

b. Choisissez un prénom français rare ou ancien.

c. Partagez avec la classe. La classe vote pour son nom d'écrivain(e) préféré(e).

Exemples : *Berthilde Clocheblanche. Florimond Aiglecroix.*

2. En petits groupes.

a. Inventez un titre loufoque pour votre roman, sur le modèle du roman de Romain Puértolas (*L'Extraordinaire Voyage du fakir qui était resté coincé dans une armoire Ikea*).

Exemple : *La Merveilleuse Histoire de la fille dont la tante était russe.*

b. Partagez avec la classe. La classe vote pour son titre préféré.

3. Par deux.

a. Lisez la quatrième de couverture de *Triades sur Seine*.

b. Identifiez ses différentes composantes :
- point de vue de celui qui l'a rédigée ;
- extrait du roman ;
- informations sur l'auteur ;
- présentation du thème ;
- présentation des personnages principaux ;
- résumé de l'intrigue.

4. Par deux.

a. Déterminez l'intrigue, les personnages et le lieu de votre roman.

b. Rédigez la quatrième de couverture de votre roman en vous appuyant sur les composantes de celle de *Triades sur Seine* (act. 3b).

c. Ajoutez la photo de votre écrivain : selfie ou photo trouvée sur Internet.

d. Affichez vos quatrièmes de couverture dans la classe.

5. En groupe. La classe vote pour ses deux propositions préférées.

6. Les deux groupes finalistes lisent leur quatrième de couverture en choisissant un ton approprié. La classe procède au vote final.

« Je m'appelle Vincent Arnaud, mais tout le monde ou presque m'appelle Vince. Il est trois heures du matin et je suis assis sur un banc dans un parc du 15e arrondissement de Paris. Comment et pourquoi je suis arrivé là ? Je vais essayer de vous l'expliquer. »

C'est par ces mots que débute la confession violente et parfois pathétique de Vincent Arnaud, l'ancien parachutiste. Une histoire véridique ? Pas sûr ! Mais un récit étonnant et passionnant, c'est certain ! Vincent Arnaud, à sa sortie de prison, ne peut faire qu'un constat : « C'est fragile l'existence. Tout peut basculer si vite ! » ; ceci, lorsqu'il apprend que son épouse le trompe avec un truand chinois. Avec l'aide de sa belle-sœur, il décide alors de rançonner l'amant de sa femme. Mais rien ne va se passer comme prévu. Meurtres, passions, souffrances et trahisons sont au programme de ce polar surprenant et décalé, dans la grande tradition des *pulp magazines* américains. Jusqu'à un dénouement inattendu !

Yves-Daniel Crouzet vit en région parisienne. En 2009, son roman *Les Fantômes du Panassa* a reçu le prix du jury du roman de l'été d'un célèbre magazine féminin. *Triades sur Seine* est son deuxième roman.

Projet ouvert sur le monde

▶ GP

Nous rédigeons et publions le synopsis de la mini-série de la classe.

DELF 3

I Compréhension de l'oral

Vous allez entendre une émission de radio. Lisez les questions, écoutez le document puis répondez.

1. En plus de la location d'une œuvre d'art, quels services sont offerts par l'école des beaux-arts de Nantes-Saint Nazaire ? *(2 réponses attendues)*

2. D'après Emmanuel Mouront, les œuvres de l'artiste Ben sont…
a. peu connues.
b. assez chères.
c. très demandées.

3. Selon Emmanuel Mouront, cette initiative a été créée afin…
a. d'inciter les gens à visiter davantage les musées.
b. de donner de la visibilité à des artistes régionaux.
c. de faire redécouvrir des œuvres célèbres.

4. D'après Emmanuel Mouront, quels sont les avantages de cette initiative ? *(Plusieurs réponses possibles, 2 réponses attendues)*

5. Emmanuel Mouront affirme que cette initiative est plutôt destinée…
a. aux jeunes.
b. aux familles.
c. aux connaisseurs.

6. Selon Emmanuel Mouront, en quoi le fait d'organiser des expositions dans des établissements scolaires est-il bénéfique pour les élèves ?

7. Les entreprises ont recours à la location d'œuvres d'art pour que leurs locaux soient plus…
a. modernes.
b. accueillants.
c. harmonieux.

II Production écrite

Vous êtes installé(e) en France depuis quelques mois. À l'occasion de la Fête du cinéma, le journal de votre ville lance un appel à témoignages sur le thème suivant : « Que pensez-vous des adaptations de romans au cinéma ? » Vous écrivez un article pour donner votre opinion sur la question, de façon organisée et argumentée, tout en vous appuyant sur des exemples précis pour illustrer votre point de vue. *(250 mots minimum)*

III Production orale

Choisissez un des deux sujets suivants. Dégagez le problème soulevé et présentez votre opinion sur le sujet de manière claire et argumentée.

SUJET 1

La télévision et le cinéma sont-ils en danger ?

Netflix, la plateforme Internet de films et de séries à la demande, compte déjà 125 millions d'abonnés dans le monde. Ce succès amène certains à se demander si ce type de plateformes ne va pas « tuer » le cinéma. Ce n'est pas l'avis de Rodolphe Belmer, membre du conseil d'administration de Netflix, qui déclare : « Je n'y crois pas du tout. Le cinéma restera un genre culturel et artistique essentiel, même si la série est en train de monter en puissance grâce aux grands scénaristes qui commencent à s'y intéresser. » Concernant la télévision, il affirme : « La télévision va continuer à être un média très important pour la consommation familiale et festive, les matchs de football, les grands films événementiels… » Il reconnaît cependant qu'avec Internet et les plateformes de type Netflix, c'est un nouveau mode de divertissement qui est en train de naître : un divertissement à la demande et personnalisé.

D'après rmc.bfmtv.com

SUJET 2

Les musées devraient-ils être gratuits ?

Offrir un accès gratuit aux musées un dimanche par mois : c'est une idée récente du ministère de la Culture québécois, inspirée des musées parisiens. « Je ne suis pas convaincu par le modèle de financement français. Les musées y sont soutenus à 100 % par l'État, alors qu'ici, ce n'est jamais à plus de 50 % », rappelle Stéphane Chagnon, directeur général de la Société des musées du Québec.
Annie Gauthier, directrice des collections et de la recherche du Musée national des beaux-arts du Québec, se montre également assez perplexe. Elle n'est pas favorable aux mesures de gratuité dans leur ensemble pour la culture : « Certes, il y a des publics défavorisés qui ont besoin d'accès privilégiés. Mais les musées les aident déjà en proposant des tarifs réduits. Adopter cette mesure, c'est envoyer le signal que la culture n'a pas de valeur dans notre société. En outre, il existe déjà une offre gratuite au Québec : les Journées de la Culture, qui proposent trois jours d'activités culturelles et artistiques accessibles à tous. Or l'affluence du public n'a pas augmenté pour autant. »

D'après ledevoir.com

DOSSIER 4

Nous vivons avec les nouvelles technologies

1

En petits groupes.

a. Observez les trois jeux de photos. Quelle évolution illustrent-ils ?

b. Listez les différentes activités représentées et proposez un titre pour chaque jeu de photos.

c. Imaginez un autre jeu de photos. Décrivez-le à la classe.

d. Que pensez-vous de cette évolution ? Selon vous, est-elle plutôt positive ou négative ? Pourquoi ?

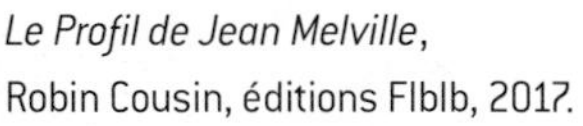

Le Profil de Jean Melville,
Robin Cousin, éditions Flblb, 2017.

PFF, il n'y a plus rien à bouffer... Il est quelle heure ?
Il est 19H34. Une épicerie est encore ouverte à 12 minutes à pied.

Quelle recette vous ferait plaisir ?
Oh, du poisson, ça fait longtemps...

Niveau de difficulté de la recette ?
Un truc rapide.

Poisson aux agrumes en papillote.

Ingrédients : 1 filet de julienne, 1 orange, 1 pamplemousse, 1 citron, 1 brocoli, du riz, des câpres, de l'huile d'olive, des herbes de Provence...

Je vous propose le film *Fenêtre sur cour* qui devrait vous plaire. Le louer en VOD ?
Ah oui, tiens ! Je ne l'ai jamais vu !

Afin d'affiner mes suggestions, veuillez donner votre avis sur la recette.
FIN
Un peu sucré, mais délicieux !

Et le film ?
J'ai eu du mal à me mettre dedans, mais vachement bien au final !

Mise à jour de vos centres d'intérêt...
Prochain cycle de sommeil dans 17 minutes, je vous invite à vous mettre au lit.

2

En petits groupes.

a. Lisez la planche de bande dessinée. À votre avis, à qui parle le personnage ? Pour quoi faire ?

b. Relisez la planche. Que vous inspire la dernière case ? Comment caractériseriez-vous la technologie présentée dans cette BD ? Choisissez un adjectif dans la liste ci-dessous.
- fantastique
- effrayante
- pratique
- révolutionnaire
- autre

c. Échangez. Aimeriez-vous utiliser ce type de technologie ? Pourquoi ?

PROJETS

Un projet de classe

Réaliser une revue des médias sur l'actualité d'une technologie.

Et un projet ouvert sur le monde

Vivre une expérience sans technologies et partager ses impressions.

Pour réaliser ces projets, nous allons :

- décrire et commenter une actualité technologique
- questionner les avantages et les inconvénients d'une technologie
- commenter une évolution sociétale liée aux technologies
- développer un point de vue
- développer un raisonnement

Vidéo n° 4
Into the Tribe

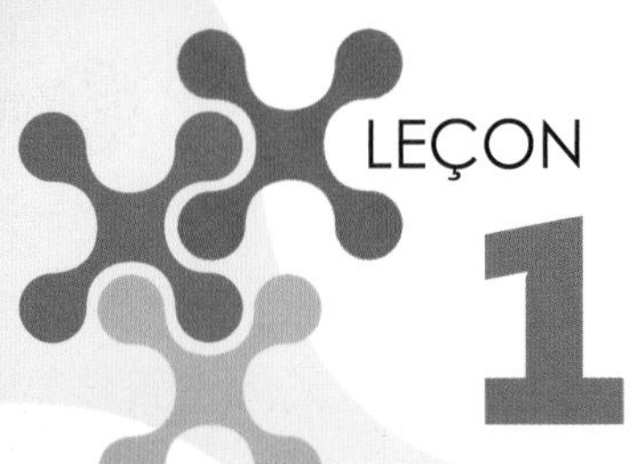

LEÇON

- Décrire et commenter une actualité technologique ▸ Doc. 1 et 2
- Questionner les avantages et les inconvénients d'une technologie ▸ Doc. 1 et 2

1 Protection des données

document 1

https://cio-mag.com

SE CONNECTER / S'INSCRIRE ACCUEIL QUI SOMMES NOUS ? CONTACT BOUTIQUE S'ABONNER 0 Articles - 0,0€

ciomag *La référence du magazine numérique en Afrique*

Facebook et la reconnaissance faciale : opportunités et risques

La reconnaissance faciale de Facebook a été déployée depuis quelques semaines en Afrique. Elle est passée quasiment inaperçue. Cependant, cette nouvelle fonctionnalité, avec ses nombreuses opportunités, suscite également de vives inquiétudes. Nos vies privées seront-elles menacées? La souveraineté numérique des États africains est-elle remise en cause par les réseaux sociaux? Cette contribution tente d'apporter des réponses à ces interrogations.

Entre innovation et recherche de profit, Facebook trace sa route.

Depuis sa création en 2004, le réseau social de Mark Zuckerberg implémente de nouvelles fonctionnalités pour mettre à disposition de ses utilisateurs des outils innovants pour échanger et partager avec leurs différents contacts. Avec cette stratégie, Facebook, comme toute entreprise, poursuit un objectif économique. Sa force repose essentiellement sur la collecte et l'analyse des données personnelles de ses utilisateurs, ce qui lui permet de proposer aux annonceurs des campagnes de publicité extrêmement ciblées. Poursuivant cette même dynamique d'innovation, le géant américain des réseaux sociaux annonçait fin décembre 2017 le déploiement de la reconnaissance faciale aux États-Unis et, depuis quelques semaines, un peu partout dans le monde à l'exception du Canada et de l'Europe. Également appelée « *Photo Review* », cette nouvelle fonctionnalité permet d'identifier automatiquement des utilisateurs sur des photos.

La reconnaissance faciale de Facebook présenterait des avantages pour l'utilisateur.

Comme l'explique le réseau social, ce nouvel outil permettrait d'identifier rapidement et facilement ses amis présents sur des photos, d'aider les personnes malvoyantes en leur indiquant l'identité des personnes présentes sur des photos ou vidéos et d'informer l'utilisateur lorsqu'il apparaît sur une photo ou une vidéo sans y avoir encore été identifié. Il permet aussi de protéger les utilisateurs contre une publication non désirée de leurs images et de lutter contre les usurpations d'identité et « vols » de photos de profil. Toutefois, cette nouvelle fonctionnalité ne comporte-t-elle pas des risques, liés notamment à la vie privée des utilisateurs?

Facebook toujours plus intrusif : notre vie privée menacée.

La nouvelle fonction de reconnaissance faciale de Facebook pose très clairement la question de la protection de nos données personnelles et de notre vie privée. Certes, le géant des réseaux sociaux offre la possibilité aux utilisateurs de désactiver cette fonction. Mais que se passera-t-il pour ceux qui souhaiteront conserver cette fonctionnalité? Leur vie privée sera-t-elle menacée? Lorsque l'on sait qu'aucun navire n'est insubmersible mais aussi qu'aucun système informatique n'est impénétrable ni infaillible, il est normal de se demander ce que deviendraient les contenus (photos, vidéos...) sur lesquels les utilisateurs ont été identifiés si les bases de données de Facebook venaient à être piratées. Cette interrogation est plus que légitime puisque nous vivons à une époque où les utilisateurs publient sur les réseaux sociaux une bonne partie de leurs vies sous forme de photos ou de vidéos, permettant ainsi à Facebook de retracer leurs différentes activités, de connaître leurs centres d'intérêt, parfois même de déterminer leurs opinions politiques ou religieuses. Quelle exploitation pourrait être faite de ces données si elles tombaient entre les mains de personnes malintentionnées ou d'États « dictatoriaux », « criminels », animés par un seul et unique objectif, l'espionnage de masse ou l'hypersurveillance de leurs populations pour détecter et réprimer toutes idées ou opinions dissidentes?

Avec les réseaux sociaux, n'est-il pas illusoire de parler de souveraineté numérique en Afrique?

N'est-il pas légitime de se poser la question de l'exploitation de nos données par les réseaux sociaux? Les États africains n'ont, pour l'heure, prévu aucun dispositif pour vérifier l'utilisation réelle faite par Facebook des données de leurs citoyens. L'informatique en tant que science et les nouvelles technologies de manière générale doivent être au service de l'homme. Dès lors qu'elles nuisent à l'utilisateur, il devient nécessaire d'encadrer leurs usages.

Ousseynou THIAM
Ingénieur en systèmes d'information. Spécialiste en sécurité des systèmes d'information et en management des technologies de l'information.

TAGS Afrique | Facebook | protection des données | reconnaissance faciale | réseaux sociaux | souveraineté

1. Par deux. Observez l'article, le titre et les informations en bas de l'article (doc. 1).

a. Identifiez le site et l'auteur de l'article.

b. À l'aide des mots-clés (ou *tags*) et du titre, faites des hypothèses sur le contenu de l'article.

c. Rédigez le chapeau de l'article à partir de ces informations.

2. Par deux. Lisez le chapeau de l'article (doc. 1).

a. Comparez avec vos propositions (act. 1c).

b. Dites si l'auteur de l'article…
1. nomme précisément le sujet de l'article.
2. annonce les développements de l'article.
3. donne son point de vue.

3. En petits groupes. Lisez l'article (doc. 1).

a. Associez chaque phrase du chapeau au paragraphe correspondant de l'article.
Exemple : *La reconnaissance faciale de Facebook a été déployée depuis quelques semaines en Afrique. Elle est passée quasiment inaperçue.*
→ Premier paragraphe.

b. Identifiez les paragraphes qui correspondent respectivement à la partie informative et à la partie critique de l'article.

c. Repérez comment l'auteur assure la transition entre ces deux parties.

4. En petits groupes. Relisez les premier et deuxième paragraphes (doc. 1, l. 6 à 19).

a. Sur quoi repose le modèle économique du réseau social Facebook ?

b. Listez les avantages de la reconnaissance faciale pour l'utilisateur.

5. Par deux. Relisez le troisième paragraphe (doc. 1, l. 20 à 30).

a. Expliquez pourquoi la reconnaissance faciale pose la question de la protection de la vie privée.

b. Pourquoi l'auteur compare-t-il le système informatique à un navire ?

► p. 71, n° 3

6. Par deux. Lisez à nouveau les deux derniers paragraphes (doc. 1, l. 20 à 35).

a. Selon Ousseynou Thiam, quel est le risque avec les réseaux sociaux en Afrique ? Pourquoi ce risque pèse-t-il particulièrement sur le continent africain ?

b. Comment Ousseynou Thiam choisit-il d'interpeller le lecteur ? Selon vous, est-ce efficace ?

c. Comment conclut-il son article ?

► p. 70, n° 1

7 En petits groupes.

a. **Listez les réseaux sociaux que vous utilisez et/ou que vous connaissez.**

b. **Proposez une définition pour chaque réseau social.**
Exemple : *YouTube permet de déposer, d'évaluer, de regarder, de commenter et de partager des vidéos.*

c. **Partagez avec la classe.**

document 2 30 à 32

nova

Plus près de toi par Édouard Baer
● ON AIR Du lundi au vendredi de 7h à 9h

8. 30 Écoutez l'introduction de l'interview (doc. 2). Dites quel est le sujet de l'émission et qui sont les deux invités.

9. 31 Par deux. Écoutez la première partie de l'interview (doc. 2).

a. Décrivez le problème de Facebook selon Thomas Fauré.

b. Relevez la définition du profilage selon Bertrand Leblanc-Barbedienne. D'après lui, pour quelles raisons Facebook profile-t-il ses utilisateurs ?

10. 31 Par deux. Réécoutez la première partie de l'interview (doc. 2). Selon Thomas Fauré, comment fonctionne la sélection d'informations sur Facebook ?

11. 32 Par deux. Écoutez la deuxième partie de l'interview (doc. 2).

a. Relevez les trois mots-clés caractéristiques du réseau social Whaller.

b. Résumez ce que chaque mot-clé signifie en pratique pour l'utilisateur et en quoi Whaller se différencie de Facebook, selon les invités.

À NOUS !

12. Nous questionnons les avantages et les inconvénients d'un réseau social.

En petits groupes.

a. Choisissez un réseau social (act. 7).

b. Interrogez-vous sur ses avantages et ses inconvénients. Existe-t-il une alternative à ce réseau social ? Si oui, laquelle ? Prenez des notes pour structurer et préparer votre présentation.

c. Présentez votre réflexion à la classe.

LEÇON 2 Technologies au quotidien

document **1** 

RaDIO-CanaDa.ca
6 h 22 Revue des médias avec Hélène Mercier :
Le sens de l'orientation à l'époque du GPS

 **1. Observez le document 1.**
a. Qu'est-ce qu'une revue des médias ? Proposez votre définition. Puis comparez avec la définition page 78.
b. Avez-vous le sens de l'orientation ? Échangez.

2. 🎧 33 **Écoutez la première partie de la revue des médias (doc. 1). Identifiez la question centrale posée.**

3. 🎧 33 **Par deux. Réécoutez la première partie de la revue des médias (doc. 1).**
a. Sur quoi la journaliste s'appuie-t-elle pour répondre à la question ? Listez les différentes sources mentionnées.
b. Repérez l'information principale apportée par chaque source.
c. Selon les chercheurs, quel est le risque principal pour les utilisateurs intensifs de GPS ?

4. 🎧 34 **Par deux. Écoutez la deuxième partie de la revue des médias (doc. 1).**
a. Expliquez ce qu'est la théorie de la dérive développée par Guy Debord.
b. Qu'est-ce que le *Random GPS* ? Quel est le lien entre cet outil et la théorie de Guy Debord ?

En petits groupes.
a. **Listez des actions que vous ne faites plus ou que vous faites différemment du fait de certaines technologies.**
Exemple : *Utiliser une carte imprimée pour aller d'un point A à un point B.*
b. **Partagez-les avec la classe.**

6. Observez la photo qui illustre l'article (doc. 2). Que vous évoque-t-elle ?

7. Lisez le titre et le chapeau (doc. 2). Identifiez :
a. l'objet dont parle l'article ;
b. le principal responsable de sa disparition.

8. Lisez les quatre premiers paragraphes de l'article (doc. 2, l. 1 à 58).
a. Quelle est la crainte des Français liée aux clichés numériques ?
b. Listez les termes utilisés par la journaliste pour souligner le poids et la difficulté du tri des photos.

9. Par deux. Lisez les trois significations que peut prendre l'expression « jeter le bébé avec l'eau du bain ». Quelle définition correspond le mieux à l'utilisation de cette expression dans l'article (l. 56) ? Justifiez.
a. Perdre de vue l'essentiel.
b. Rejeter quelque chose de négatif, sans tenir compte de ses aspects positifs.
c. Se débarrasser d'une chose importante afin d'éliminer les contraintes qu'elle implique.

10. En petits groupes. Lisez cette affirmation de Pascale Krémer, l'auteure de l'article (doc. 2). Qu'en pensez-vous ?
« Jamais autant de photos n'ont été prises, jamais elles n'ont été aussi peu regardées. »

11. Par deux. Lisez le cinquième paragraphe (doc. 2, l. 59 à 80).
a. Pourquoi la fin de l'album photo est-elle proche, selon la journaliste ?
b. Listez les termes utilisés par la journaliste pour évoquer notre nouvelle manière de prendre et de partager des photos. Comparez-les aux termes utilisés pour souligner le poids du tri des photos (act. 8b). Que remarquez-vous ?

▸ p. 71, n° 4

12. Par deux. Lisez le dernier paragraphe (doc. 2, l. 81 à 96).
a. Quelles sont les fonctions respectives de l'album photo de famille et de la photo numérique, d'après la psychanalyste Christine Ulivucci ?
b. Selon le sociologue François de Singly, faut-il regretter cette évolution ? Pourquoi ?

▸ p. 70, n° 2

Le Monde

Le déclin de l'album photo de famille

Par Pascale Krémer

Chaque jour en Europe, 638 millions de clichés sont pris avec un smartphone, en vue de les partager aussitôt. Faire des albums, archiver et sauvegarder ses images est devenu une mission quasi impossible.

En tête de sa liste des tâches prioritaires, Clotilde Novella inscrit chaque mois les mêmes mots : « *Trier les photos.* » Cinq ans que cela dure. Cette quadragénaire tourangelle[1], pourtant aussi organisée qu'une enseignante mère de trois enfants sait l'être, recule devant l'obstacle. Dans le partage des rôles tacite, son compagnon mitraille[2], envoie aux proches, stocke sur disques durs. Elle est en charge de la mémoire familiale. Conceptrice officielle des albums photos. « *Un poids*, souffle-t-elle. *Mon aînée de 16 ans a les albums photo de ses dix premières années. Le second de 7 ans, de ses trois premières années. La petite de 2 ans, elle, n'a rien du tout.* »

Submergés, encombrés, culpabilisés. Faire parler les Français de leurs photos de famille, c'est pénétrer dans le domaine des « *faudrait que* », des bonnes résolutions non tenues et des inquiétudes larvées. C'est entendre le drame répété des « *photos du petit dernier depuis sa naissance* » brutalement perdues, de l'ex « *parti avec l'ordi et tout ce qu'il y avait dedans* », du « *CD sûrement illisible qu'on léguera en mourant, au lieu des albums* », du téléphone volé, du disque dur cassé, de la mise à jour fatale. Shooter dans des boîtes à chaussures qui débordent de tirages en attente d'un hypothétique album...

Même les pros de l'album dépriment. Claire Mathijsen, psychologue parisienne de 63 ans, en confectionnait depuis 1979. Des supports de mémoire, pour elle. Des déclencheurs d'émotion. « *J'en ai toute une bibliothèque. Entre cinquante et cent albums, je ne sais pas, bien alignés, apparence cuir, une couleur par année. Mais en 2005, la catastrophe numérique est arrivée. Comme tout le monde, j'accumule plein de photos qu'on ne verra jamais, qui restent dans mon téléphone, sur mon ordinateur, sur des clés USB, des cartes mémoire.* »

Chaque jour, 638 millions de clichés sont pris avec un smartphone en Europe de l'Ouest, soit autant ces trois dernières années que depuis l'invention de la photographie. Pour les Français, la moyenne est de 99 photos par mois, tous appareils de prise de vue confondus. Avec le smartphone, l'image est devenue langage, et chaque membre de la famille s'exprime. Dans cet amoncellement de clichés qui encombrent la mémoire des ordinateurs, smartphones, tablettes et appareils photo numériques, entre les doigts de pied sur fond de mer et les selfies grimaçants, se glissent les précieuses photos du bébé esquissant ses premiers pas. Un beau jour, le bébé et l'eau du bain sont balancés, comme tout le reste, sur un disque dur externe ou vers un quelconque « nuage » numérique de sauvegarde.

Convenons-en : la fin des albums est proche. Désormais, les photos se partagent autrement. À peine prises, elles s'envoient par SMS, par mail, elles paradent sur les réseaux sociaux. Elles s'affichent sur Instagram, sur Facebook – dans le meilleur des cas paramétrés pour un usage privé. Elles font une apparition fugace sur le fil familial Snapchat. Elles sont conservées, gérées, diffusées aux membres de plus en plus dispersés de la famille par le biais des plateformes de stockage, qui ont le mérite de la gratuité en cas d'usage limité : Flickr, Dropbox, Google Photos, Joomeo...

« *La photo sert moins à garder une mémoire, davantage à partager ce que l'on vit. Nous avons moins besoin de cette représentation sociale de la famille qu'était l'album, parce que nous posons en permanence des traces de tous nos événements de vie, partagées en temps réel* », commente la psychanalyste et psychothérapeute Christine Ulivucci, qui manie à l'occasion les photos avec ses patients. Le sociologue de la famille François de Singly est de ceux qui, en cas d'incendie, sauveraient d'abord les albums photo. « *Pourtant, depuis 2000 environ, j'ai arrêté de regarder ces albums avec mes petits-enfants* », réalise-t-il, constatant « *la disparition d'un rituel, d'une logique de transmission explicite* ». Sans nostalgie aucune. « *Ce n'est pas tout ou rien. Les supports de la relation familiale se sont diversifiés, avec beaucoup d'écrits, d'échanges de photos. La mémoire familiale, celle qui renvoie aux souvenirs de famille, est aussi pleine qu'avant.* »

1. tourangelle : habitante de la ville de Tours.
2. mitrailler : prendre de nombreuses photos à la suite.

13. Nous nous exprimons sur une évolution sociétale.

En petits groupes.

a. Choisissez l'une des actions citées lors de l'activité 5.

b. Listez les points positifs et négatifs de l'évolution constatée. Dites quels changements cela implique.

c. Rédigez un article d'opinion dans lequel vous décrivez cette évolution et donnez votre avis sur ces changements.

d. Publiez votre article sur le mur de la classe.

Grammaire

Poser des questions : la question par inversion

► p. 168 et p. 214

1. a. Par deux. Relisez ces questions extraites du document 1 p. 66.

1. Cette nouvelle fonctionnalité ne comporte-t-elle pas des risques ?
2. La souveraineté numérique des États africains est-elle remise en cause par les réseaux sociaux ?
3. N'est-il pas légitime de se poser la question de l'exploitation de nos données par les réseaux sociaux ?

b. Lisez les tableaux. Complétez les exemples avec les questions ci-dessus.

La question par inversion simple
Le sujet est un pronom personnel. Il se place après le verbe. *Peut-on vraiment quitter Facebook ?*
La question par inversion complexe
Le sujet est un groupe nominal placé avant le verbe. Il est répété par un pronom personnel à la 3e personne placé après le verbe. *Nos vies privées seront-elles menacées ?* …
Rappels – La question par inversion concerne surtout l'écrit ou le registre soutenu. – Aux temps composés, le pronom sujet se place entre l'auxiliaire et le participe passé. *Ont-ils quitté Facebook ?* – Quand le verbe se termine par une voyelle, on ajoute un *-t-* entre le verbe et le sujet pour faciliter la prononciation. *Leur vie privée sera-**t**-elle menacée ?*

La question négative par inversion
Aux temps simples, la négation encadre le verbe et le pronom sujet inversé. *Avec les réseaux sociaux, **n'**est-il **pas** illusoire de parler de souveraineté numérique en Afrique ?* … ; … Aux temps composés, la négation encadre l'auxiliaire et le pronom sujet inversé. *N'ont-ils **pas** quitté Facebook ?* ! Pour ce type de questions, la réponse affirmative n'est pas *oui* mais *si*. *Si, ils ont quitté Facebook.*

Exprimer la durée

► p. 168 et p. 209

2. a. Par deux. Observez le tableau (doc. 1 et 2 p. 66-67 et doc. 2 p. 69).

L'action ou la situation est terminée.	
Il y a + période de temps	*Thomas Fauré a créé Whaller **il y a** cinq ans.*
L'action ou la situation continue / n'a pas changé au moment où on parle.	
Depuis + action ou date	***Depuis** sa création en 2004, le réseau social de Mark Zuckerberg implémente de nouvelles fonctionnalités.* *Soit autant ces dernières années que **depuis** l'invention de la photographie.* ***Depuis** 2000 environ, j'ai arrêté de regarder ces albums avec mes petits-enfants.*
Depuis + durée	*Des plateformes alternatives se développent **depuis** plusieurs années.*
Cela fait / Ça fait / Il y a + durée + ***que***	***Ça fait** plusieurs années **que** des plateformes alternatives se développent.* *(Ça fait) cinq ans **que** cela dure.*

b. Utilisez les structures ci-dessus pour parler de votre expérience des réseaux sociaux.

Exemple : *J'utilise Facebook depuis cinq ans et j'en suis très satisfait. Ça fait deux ans que je publie des photos sur Instagram et j'aime ça parce que ça me permet de partager mon quotidien.*

Mots et expressions

Les préfixes négatifs pour former certains adjectifs

p. 169

3. Par deux. Relisez cet extrait du document 1 p. 66.

Lorsque l'on sait qu'aucun navire n'est **insubmersible** mais aussi qu'aucun système informatique n'est **impénétrable** ni **infaillible**, il est normal de se demander ce que deviendraient les contenus [...].

a. Placez les trois adjectifs en gras dans le tableau. Puis complétez avec quatre adjectifs du document 1 p. 66.

Adjectifs	Contraire : préfixe *in-*			
	Forme *in-*	Forme *im-**	Forme *il-***	Forme *ir-****
faillible	...			
aperçu(e)	inaperçu(e)			
pénétrable		...		
submersible	...			
...			illégitime	
...				irréel(le)
Contraire : préfixe *mal-*				
voyant(e)	...			
intentionné(e)	...			
Contraire : préfixe *dé-* ou *dés-*				
activé(e)	désactivé(e)			

* devant un *m*, un *b* ou un *p* ** devant un *l* *** devant un *r*

b. 35 Écoutez la prononciation de quatre adjectifs formés avec le préfixe négatif *in-*. Quand prononce-t-on [in] ? Quand prononce-t-on [ɛ̃] ?

Parler des nouvelles technologies et des réseaux sociaux

p. 169

4. En petits groupes. Observez la carte mentale.

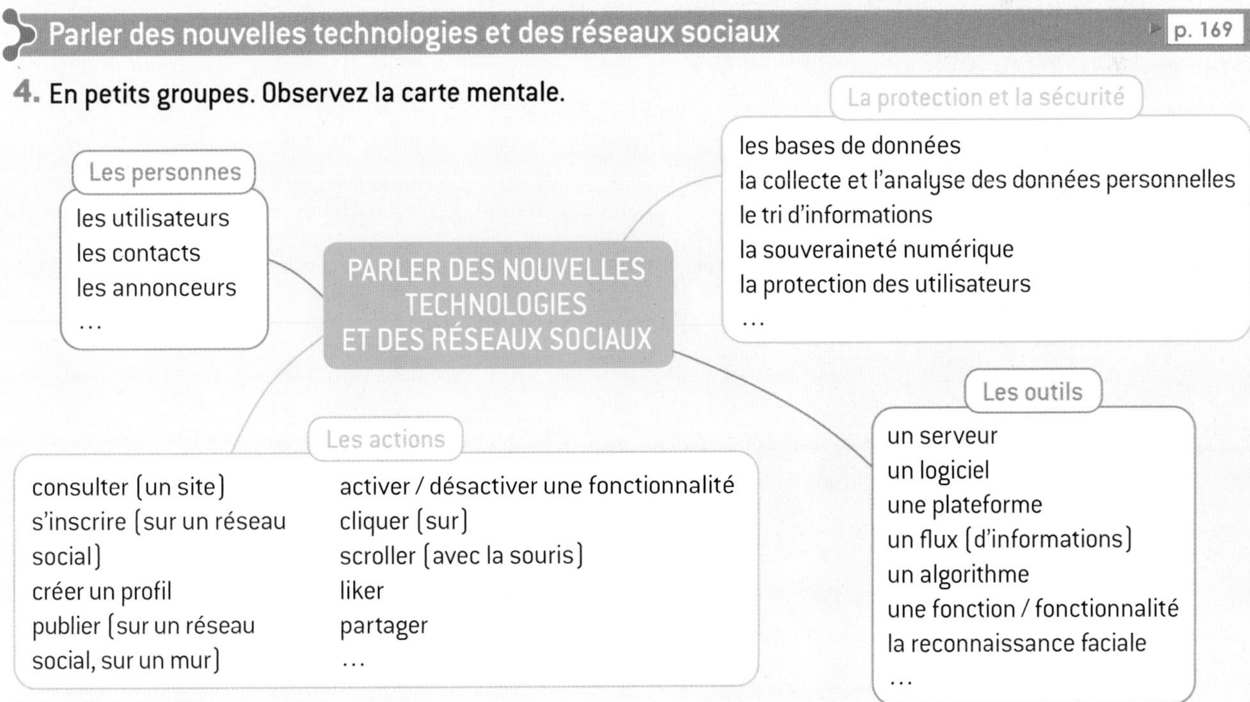

a. Placez dans la carte mentale ces termes extraits du document 2 p. 69.

un disque dur • une clé USB • faire une mise à jour • une carte mémoire • un appareil photo numérique • un nuage numérique de sauvegarde • une plateforme de stockage • paramétrer (un compte)

b. Complétez la carte avec des termes que vous connaissez.

LEÇON 3 Mémoire et réseaux

document 1

https://sawisms.blog

sawi FORMATION « SPÉCIALISTE EN MÉDIAS SOCIAUX » – LE BLOG DES ÉTUDIANTS

LA CULTURE DU NARCISSISME SUR LES RÉSEAUX SOCIAUX

Véritable trampoline pour booster notre ego, les réseaux sociaux sont devenus des journaux intimes publics destinés à la mise en avant d'une marque : MOI.

Depuis l'apparition des plateformes sociales, il n'a jamais été aussi facile de se mettre en avant. Employées comme vitrine d'exposition dont le sujet principal n'est autre que nous-mêmes, chaque « like » étanche notre soif de reconnaissance.

Vacances au ski, café du matin ou cocktail du soir, tout se partage. Chaque instant vécu est propice à être publié sur les réseaux sociaux. Instagram, Facebook, Snapchat ou encore Periscope, les plateformes sont nombreuses, ce qui offre une très large visibilité. Lorsque nous publions, principalement des photos, nous avons le même but : susciter l'intérêt. Pour y parvenir, un principe : s'afficher. En nous mettant en avant, nous voulons nous distinguer dans notre cercle social. Indirectement, nous voulons montrer aux autres ce que nous possédons : économiquement (revenu, patrimoine, biens matériels, etc.), culturellement (savoirs et biens culturels) et socialement (réseaux de connaissance).

Le narcissisme existe depuis la nuit des temps mais a toujours été considéré comme un défaut de caractère. Cependant, la tendance du « moi je » s'est peu à peu développée et, à l'ère des caméras frontales sur nos appareils, l'ego-portrait est carrément venu s'inscrire dans le dictionnaire en 2016 ! Le mot « selfie » s'est ainsi standardisé. On ne dit plus « faire une photo » mais « faire un selfie ». Une chose tout à fait normale dorénavant. C'est un fait, nous n'éprouvons pas la même retenue pour parler de notre vie ou de nos centres d'intérêt sur les réseaux sociaux, parce que s'afficher sur la toile est devenu une norme sociale. Nous nourrissons notre ego de « likes », de commentaires, de partages. Plus nous en recevons, plus cela nous pousse à nous afficher davantage pour amener encore plus de réactions. C'est une course à la reconnaissance !

Aujourd'hui, notre popularité et l'intérêt que nous porte notre audience sont quantifiables grâce aux nombres d'abonnés, de petits cœurs, de pouces en l'air ou encore au nombre de vues. C'est ce qui fait (en partie) notre bonheur. Et on nous rappelle partout à quel point on est aimé, admiré, adulé (ou pas).
Mais comment obtenir l'attention des gens? En leur montrant ce qu'ils veulent voir, pardi[1] ! Nous sommes là face à un paradoxe : nous ne publions pas forcément ce que nous trouvons intéressant, mais nous publions en fonction de ce qui captive notre réseau. Et on n'hésite pas sur l'optimisation de l'image si ça peut encore plus booster les réactions. Quitte à[2] perdre la notion de la réalité.

Chaque photo partagée, chaque information publiée est une occasion de modeler la perception que les autres ont de nous. Ainsi, les gens ne voient que ce qu'on veut qu'ils voient. C'est pour cela que nous n'affichons généralement que des contenus que nous jugeons avantageux.

Pour ce faire, les méthodes sont diverses et variées, mais consistent généralement, dans un premier temps, à mettre en scène la réalité ou à ne garder que la partie intéressante. Dans un deuxième temps, une fois la photo réalisée, il existe mille et une applications permettant de l'embellir davantage. Contraste, luminosité, saturation, tout est modifiable pour rendre plus beau que ça ne l'est.

Ainsi, les réseaux sociaux permettent de rassasier rapidement et fréquemment le mégalomane en nous. Mais il faut veiller à ne pas tomber dans la surexposition et la surconsommation car les autres aussi veulent attirer votre attention... Et puisque le narcissisme est socialement accepté, je vous demanderais d'aimer, commenter et partager mon article. Il faut bien ça pour rassasier[3] mon ego surdimensionné.

PUBLIÉ PAR MÉLISSA RYSER. PHOTOGRAPHIES : MORAKOT SIRIPALA.

1. pardi ! = bien sûr ! 2. quitte à : au risque de. 3. rassasier : satisfaire pleinement.

1. Lisez le titre du billet d'opinion et regardez les deux photos (doc. 1).

a. Proposez une définition du narcissisme.

b. À votre avis, quel est le lien entre le titre et les photos ? Que montrent ces photos ?

2. Lisez le billet d'opinion (doc. 1).

a. Associez chacun des intertitres suivants à la partie correspondante.
- Façonner une autre réalité
- Le narcissisme est devenu socialement acceptable
- Autopromotion et distinction sociale
- La course aux « likes »

b. À l'aide des intertitres et du chapeau, résumez le point de vue défendu dans ce billet.

3. Par deux. Relisez les première et deuxième parties (doc. 1).

a. Identifiez ce qui motive les internautes à publier sur les réseaux sociaux.

b. Repérez pourquoi :
1. le narcissisme est devenu acceptable ;
2. publier sur les réseaux sociaux est un cercle vicieux.

4. Par deux. Relisez la troisième partie (doc. 1).

a. Comment mesure-t-on sa popularité sur les réseaux sociaux ?

b. Quel paradoxe cela entraîne-t-il ?

5. Par deux. Relisez la quatrième partie (doc. 1). Relevez les deux méthodes utilisées pour afficher des contenus avantageux.

6. Lisez la conclusion du billet (doc. 1).

a. Selon l'auteure, à quoi faut-il faire attention ? Pourquoi ?

b. Pour quelles raisons demande-t-elle aux lecteurs d'aimer, de commenter et de partager son article ?

▸ p. 77, n° 3

7

a. Seul(e). Choisissez une photo que vous avez vue ou publiée sur un réseau social. À la manière des photos du document 1, imaginez ce qui n'est pas visible sur cette photo.

b. En petits groupes. Présentez votre photo aux membres de votre groupe. Le groupe choisit une photo et la présente à la classe.

document 2 36 à 39

8. 36 **Par deux. Écoutez la présentation de l'émission *Le téléphone sonne* consacrée à la mémoire (doc. 2).**

a. Listez un maximum de questions posées par la journaliste.

b. Relevez les hypothèses formulées par la journaliste pour y répondre.

9. 37 **Écoutez le premier extrait de l'émission (doc. 2).**

a. À quelles questions de l'introduction Francis Eustache répond-il ?

b. Selon le neuropsychologue, pour quelles raisons faut-il continuer à apprendre par cœur ? Et quel rôle essentiel jouent les poésies et les chansons ?

10. 38 **Par deux. Écoutez le deuxième extrait de l'émission (doc. 2).**

a. Résumez les interrogations de la journaliste en une seule question.

b. Qu'est-ce qui est important selon Francis Eustache ?

▸ p. 76, n° 1 et 2

11. 39 **Par deux. Écoutez le dernier extrait de l'émission (doc. 2).**

a. Reformulez l'opinion de l'auditeur ou auditrice.

b. Roland Portiche partage-t-il cet avis ? Pourquoi ?

12. Nous rédigeons un billet d'opinion.

En petits groupes.

a. Faites la liste de ce qu'il faut selon vous continuer à apprendre par cœur.
Exemple : *les poèmes à l'école.*

b. Choisissez deux ou trois points de votre liste et expliquez pourquoi il est essentiel de continuer à les apprendre par cœur.

c. Rédigez votre billet puis publiez-le sur le mur de la classe.

d. La classe lit les billets et donne son point de vue.

LEÇON

4 Besoin d'une détox ?

■ Développer un raisonnement ▸ Doc. 2 et 3

document 1

1. Observez l'affiche (doc. 1). Identifiez :
a. les différents éléments qui la composent ;
b. l'organisme qui la diffuse ;
c. le domaine concerné (public, professionnel ou privé).

2. Par deux. Lisez l'affiche (doc. 1).
a. Identifiez la revendication exprimée.
b. Qu'est-ce que le « travail au noir » ? Cette expression est-elle appropriée ici ?
c. Expliquez le choix de la photo.

CGT : Confédération générale du travail, syndicat de salariés.
UGICT : Union générale des ingénieurs, cadres et techniciens, branche de la CGT.

document 2

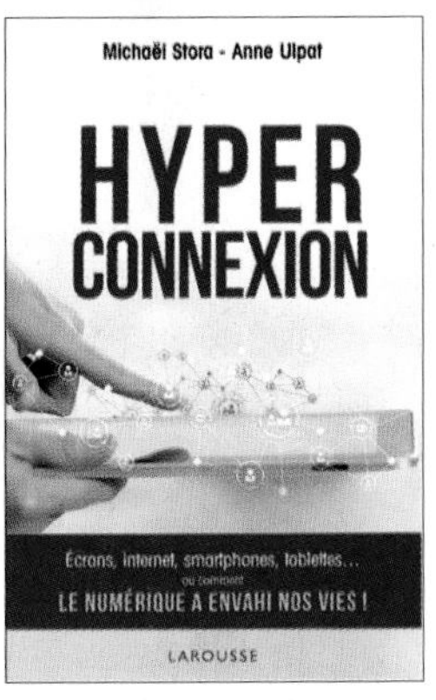

La déconnexion est un droit

Depuis le 1er janvier 2017, l'article L2242-8 de la loi Travail oblige les entreprises de plus de 50 salariés à aborder le droit à la déconnexion dans le cadre « des négociations annuelles sur l'égalité professionnelle entre les femmes et les hommes et la qualité de vie au travail ». Il s'agit de mettre en place des outils de régulation, de façon à ce que les collaborateurs ne reçoivent plus, ou ne puissent plus envoyer d'e-mails en dehors du temps de travail ou lors des temps de pause.

Certes, la réactivité dans le monde du travail est nécessaire. Mais elle peut aussi devenir anxiogène, quand elle se transforme en réflexe pavlovien* pour tout lire et tout traiter. D'autant que c'est un puits sans fond : un e-mail arrive, nous le lisons, nous y répondons, pensant que l'affaire est close. Mais notre réponse induit un nouvel e-mail de notre interlocuteur. Et tout recommence... Les courriels collectifs amplifient le phénomène. Les réponses ou commentaires se croisent et s'entrechoquent, les pièces jointes s'accumulent, le dialogue se complexifie. L'avalanche d'e-mails crée ainsi un débordement pulsionnel, les utilisateurs balançant en permanence entre excitation et anxiété. Désireux de répondre à ces injonctions numériques par goût du travail bien fait, ils sont confrontés à leur propre impuissance. Car la tâche s'avère impossible !

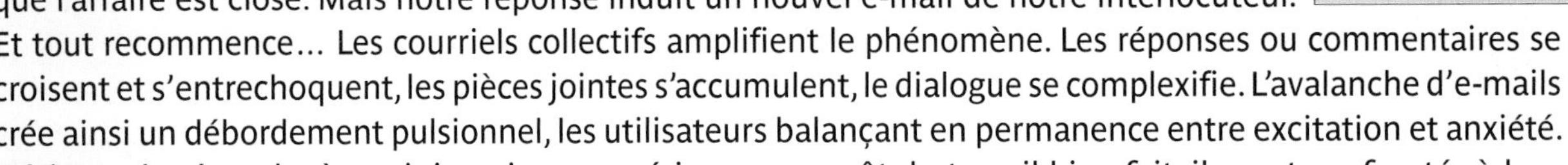

Attention, risque de burn-out !

De ce point de vue, les e-mails deviennent des facilitateurs de burn-out, ce syndrome d'épuisement au travail, dont les victimes perdent pied et oublient le sens de leur mission (12 % de la population active !). Les victimes de burn-out ne parviennent plus à hiérarchiser les questions et les problématiques, et se noient dans un immense sentiment d'impuissance. Victimes mais aussi responsables en partie de leur malheur, elles lisent leurs e-mails sur leur ordinateur du bureau, mais aussi sur leur mobile, pendant les temps de pause, puis encore le soir et le week-end. Or les courriels sont truffés de pièges. En effet, ils alimentent le narcissisme positif des utilisateurs, qui ressentent une sorte de satisfaction primaire à y répondre et à les traiter en nombre : « Je reçois des courriels, donc je suis quelqu'un qui compte, donc j'existe. » Plus il y a d'e-mails, plus le narcissique se gonfle de son importance. Jusqu'à se brûler les ailes.

Hyperconnexion, Michaël Stora et Anne Ulpat, Larousse, 2017.

* pavlovien : conditionné.

3. Lisez le premier paragraphe du texte (doc. 2).

a. Quel est son lien avec l'affiche (doc. 1) ?

b. Existe-t-il une loi similaire dans votre pays ? Ce droit peut-il s'appliquer à votre profession ?

4. Lisez les deuxième et troisième paragraphes (doc. 2).

a. Identifiez l'idée principale développée par les auteurs.

b. Qu'est-ce que le burn-out ? Quelles en sont les conséquences ?

► p. 76, n° 1

5. Par deux. Relisez les deuxième et troisième paragraphes (doc. 2).

a. Pourquoi compare-t-on la réactivité dans le monde du travail à « un puits sans fond » (l. 10) ?

b. Relevez les conséquences psychologiques de ce phénomène pour les salariés.

c. À votre avis, que signifie la conclusion de l'extrait : « Jusqu'à se brûler les ailes » ?

► p. 77, n° 4

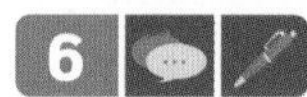

Imaginez une affiche pour illustrer une revendication.

a. **En groupe. Pour ou contre le droit à la déconnexion ? Échangez puis formez des groupes en fonction des points de vue exprimés.**

b. **En petits groupes. Préparez votre affiche pour défendre le droit à la connexion ou à la déconnexion. Imaginez un slogan et choisissez une photo.**

c. **Présentez votre affiche à la classe.**

document **3** Vidéo n° 4

Into the Tribe*

* Dans la tribu

7. Observez ces images extraites d'un reportage (doc. 3). Faites des hypothèses sur le contenu du reportage.

8. Regardez la première partie du reportage (doc. 3).

a. Vérifiez vos hypothèses.

b. Légendez les images 1 et 2.

9. Par deux. Regardez la deuxième partie du reportage (doc. 3).

a. Légendez l'image 3.

b. Identifiez le point commun entre le créateur de l'agence *Into the Tribe* et Coco Brac de la Perrière.

c. Quelle est la spécificité du « voyage » proposé par Coco Brac de la Perrière ? Quel est son objectif ?

10. Par deux. Regardez à nouveau la deuxième partie du reportage (doc. 3).

a. À qui sont comparés les accros au smartphone ? Pourquoi ?

b. Quel constat partage Coco Brac de la Perrière avec les auteurs de l'essai *Hyperconnexion* (doc. 2) ?

À NOUS !

11. Nous développons un raisonnement.

a. **Choisissez votre sujet préféré dans la liste ci-dessous.**
   - Vivons mieux, vivons déconnectés ?
   - Les détox digitales : une mode ou un réel besoin ?
   - Le droit à la déconnexion : illusion ou réalité ?

b. **Formez des groupes en fonction du sujet choisi.**

c. **Rédigez un court essai dans lequel vous développez votre raisonnement et justifiez votre point de vue.**

d. **Affichez les essais dans la classe. La classe choisit un essai et lance le débat.**

FOCUS LANGUE

Grammaire

Exprimer la cause et la conséquence

p. 170 et p. 215

1. En petits groupes. Observez les tableaux (doc. 1 et 2 p. 72-73 et doc. 2 p. 74).

La cause	
parce que *car* *en raison de* + nom (cause neutre)	*Il faut éviter de perdre son smartphone* ***parce que*** *là c'est vrai que ça crée un peu d'angoisse.* *Mais il faut veiller à ne pas tomber dans la surexposition et la surconsommation* ***car*** *les autres aussi veulent attirer votre attention.*
puisque (cause présentée comme connue de l'interlocuteur)	*Et* ***puisque*** *le narcissisme est socialement accepté, je vous demanderais d'aimer, commenter et partager mon article.*
grâce à + nom (cause positive) ≠ *à cause de* + nom (cause négative)	*Aujourd'hui, notre popularité et l'intérêt que nous porte notre audience sont quantifiables* ***grâce aux*** *nombres d'abonnés, de petits cœurs.*
à force de + infinitif ou nom (cause qui se répète)	***À force de*** *zapper d'une chaîne à l'autre [...], on n'imprime plus ou on imprime moins.*

La conséquence	
donc *alors*	*Je reçois des courriels,* ***donc*** *je suis quelqu'un qui compte,* ***donc*** *j'existe.*
c'est pour cela que *c'est la raison pour laquelle* *c'est pourquoi*	*Ainsi, les gens ne voient que ce qu'on veut qu'ils voient.* ***C'est pour cela que*** *nous n'affichons généralement que des contenus que nous jugeons avantageux.*
tellement ou *si* + adjectif ou adverbe + *que*	*On est* ***tellement*** *sollicités par les écrans* ***que*** *notre attention est diminuée.* *Pourquoi est-ce qu'on suit nos GPS* ***tellement*** *bêtement* ***qu'****on ne sait même plus par où on est passé ?*
Rappels – *tellement de* ou *tant de* + nom + *que* : *Il y a* ***tant*** *d'écrans* ***que*** *notre attention est diminuée.* – verbe + *tellement* ou *tant* + *que* : *On suit* ***tellement*** *nos GPS* ***qu'****on ne sait plus par où on est passé.*	

a. **Utilisez une expression de cause et une expression de conséquence pour mettre en garde contre les dangers de l'addiction aux nouvelles technologies (réseaux sociaux, smartphones, etc.).**
Exemple : ***À force de*** *passer tout son temps avec son « doudou » digital, on en oublie ses amis.* ***C'est pour cela qu'****il est essentiel de maîtriser l'usage que l'on fait de son smartphone.*

b. **Utilisez une expression de cause et une expression de conséquence pour mettre en avant les bienfaits des nouvelles technologies.**
Exemple : *Aujourd'hui, les liens entre les individus sont renforcés* ***grâce aux*** *réseaux sociaux. On se sent* ***donc*** *beaucoup plus proche de ses amis.*

Mots et expressions

Le préfixe *re-* pour indiquer un retour à un état antérieur ou une répétition

p. 170

2. 40 **Écoutez cet extrait du document 2 p. 73.**

a. **Repérez les actions liées à la mémoire. Quel est le préfixe utilisé pour former ces verbes ?**

b. **Classez les actions suivantes dans le tableau, selon ce qu'elles indiquent.**
~~réhabituer sa mémoire~~ • refaire travailler sa mémoire • se remettre à apprendre • réapprendre • se réapproprier sa mémoire

Le préfixe *re-* / *ré-* pour indiquer…	
le retour à un état antérieur : *réhabituer sa mémoire* …	une répétition : …

c. **Complétez.**

On ajoute le préfixe … à un mot commençant par une consonne ou par un *h* dit « aspiré ».
Ce préfixe devient … quand il complète un mot commençant par une voyelle ou par un *h* dit « muet ».
! Les mots composés avec ce préfixe s'écrivent sans trait d'union.

La ponctuation dans un texte d'opinion

▸ p. 171

3. a. En petits groupes. Relisez le billet d'opinion (doc. 1 p. 72). Repérez-y les signes de ponctuation suivants : les parenthèses ( ), les points d'exclamation !, les deux points : .

b. Associez chaque signe de ponctuation à l'une des fonctions ci-dessous.

1
- exprimer une émotion
- montrer la conviction de l'auteur

2
- donner une information complémentaire (précision, exemple)
- introduire un commentaire personnel
- attirer l'attention du lecteur sur ce qui est encadré

3
- mettre en évidence une explication
- annoncer une énumération

Quelques connecteurs pour développer un raisonnement

▸ p. 171

4. Observez (doc. 2 p. 74). Puis complétez avec d'autres connecteurs que vous connaissez.

Exprimer une concession	***Certes***, *la réactivité dans le monde du travail est nécessaire.* ***Mais*** *elle peut aussi devenir anxiogène, quand elle se transforme en réflexe pavlovien pour tout lire et tout traiter.* *=* ***Même si*** *la réactivité dans le monde du travail est nécessaire, elle peut aussi devenir anxiogène.*
Apporter un argument supplémentaire pour renforcer une affirmation	***D'autant que*** *c'est un puits sans fond : un e-mail arrive, nous le lisons, nous y répondons.*
Introduire une conséquence (ou une conclusion)	*L'avalanche d'e-mails crée* ***ainsi*** *un débordement pulsionnel, les utilisateurs balançant en permanence entre excitation et anxiété.*
Faire une transition	***De ce point de vue***, *les e-mails deviennent des facilitateurs de burn-out.*
Exprimer une opposition	***Or*** *les courriels sont truffés de pièges.*
Introduire une cause	***En effet***, *ils alimentent le narcissisme positif des utilisateurs, qui ressentent une sorte de satisfaction primaire à y répondre et à les traiter en nombre.*

Phonétique

▸ p. 171

Phonie-graphie des voyelles [y] et [u] – [ø] et [œ] – [o] et [ɔ]

5. Relisez le document 1 p. 72 jusqu'à la ligne 31. Relevez les mots contenant les voyelles [y] et [u] – [ø] et [œ] – [o] et [ɔ].

[y] comme *sur*	[u] comme *sous*	[ø] comme *ceux*	[œ] comme *heure*	[o] comme *beau*	[ɔ] comme *blog*
culture …	pour …	nombreuses …	cœurs …	ego …	notre …

Identifier les caractéristiques d'une revue des médias

Une revue de presse (ou des médias) est un compte rendu écrit ou oral, quotidien ou hebdomadaire, qui fait la synthèse des médias sur un ou plusieurs sujets d'actualité (ensemble des informations et points de vue).

En petits groupes.

1. Lisez la définition de la revue de presse (ou des médias) ci-dessus. Puis listez les différentes sources disponibles pour une revue des médias.
Exemples : *un journal, un podcast.*

2. 41 Écoutez cet extrait de la revue de presse internationale de la radio France Culture.

a. Identifiez la technologie présentée.

b. Listez les avantages et les inconvénients de cette technologie.

3. 41 Réécoutez l'extrait avec la transcription (livret de transcriptions p. 14).

a. Repérez les médias cités et complétez le tableau. Faites des recherches si nécessaire.

Nom du média	Pays	Type de média et fréquence de parution
Popular Science	...	site Web de vulgarisation scientifique
...	...	magazine économique (mensuel)
...	Suisse	...
...	Allemagne	...
...	...	...

b. Complétez les caractéristiques d'une revue des médias avec d'autres extraits de la revue de presse internationale de France Culture.

Dans une revue des médias...	Extraits
l'introduction donne le thème principal de la revue.	*Un jeune chercheur [...] vient de mettre au point un appareil qui, au moyen de détecteurs placés entre le menton et l'oreille, est capable de lire les mots avant qu'ils soient prononcés. Ou pour le dire plus simplement : un décodeur de la pensée.*
des relances et des transitions assurent le passage d'un point de vue à l'autre et d'un média à l'autre.	– ***Quant au** but recherché, explique pour sa part le magazine* Forbes *[...].* – ... – ... – ***Quoi qu'il en soit**, cette course, aujourd'hui, à l'intelligence artificielle, fait débat.* – ... – ...
les différentes sources sont choisies en fonction de leur complémentarité : apport d'informations nouvelles ou de points de vue différents.	– *Et voilà pourquoi ce qui semble a priori séduisant, écrit ce matin une chroniqueuse du* Temps, *se révèle en réalité surtout inquiétant.* – *Dans cet article repéré par le* Courrier International, *le journaliste va jusqu'à dire que la comparaison entre les pays voisins est une source de souffrance.*
des extraits des médias sont cités. Les citations sont introduites par des verbes déclaratifs.	– *précise le site* Popular Science. – ... – ... – ... – ...

Projet de classe

Nous réalisons une revue des médias sur l'actualité d'une technologie.

En groupe.

1. Faites la liste de l'ensemble des sujets traités dans le dossier 4.

2. Choisissez un sujet lié aux nouvelles technologies (l'un des sujets du dossier 4 ou un autre sujet de votre choix). Formez des groupes en fonction des sujets choisis.

En petits groupes.

3. Faites des recherches dans les médias sur l'actualité de votre sujet. Sélectionnez cinq sources, selon les critères suivants :
– sources variées, écrites et orales (site Internet, journal, magazine, podcast, etc.) ;
– de deux origines différentes : des sources de votre pays d'origine et des sources francophones ;
– présentant des informations et des points de vue complémentaires ou opposés.

4. Identifiez les extraits les plus pertinents dans les sources sélectionnées.

5. Faites le plan de votre revue des médias : choisissez l'ordre dans lequel vous allez présenter les différentes informations et les différents extraits. Préparez vos transitions.

6. Rédigez une introduction qui donne le thème principal de votre revue des médias.

7. Finalisez la rédaction de votre revue des médias. Vérifiez que vous avez bien mentionné et cité vos sources.

8. Affichez votre revue des médias dans la classe. La classe l'évalue à l'aide des critères ci-dessous.

	☹	😐	☺
Introduction			
Variété des médias			
Variété des informations et points de vue			
Qualité des transitions			
Cohérence de la revue			

Projet ouvert sur le monde

► GP

Nous vivons une expérience sans technologies et nous partageons nos impressions.

Compréhension des écrits / texte argumentatif

Lisez l'article puis répondez aux questions.

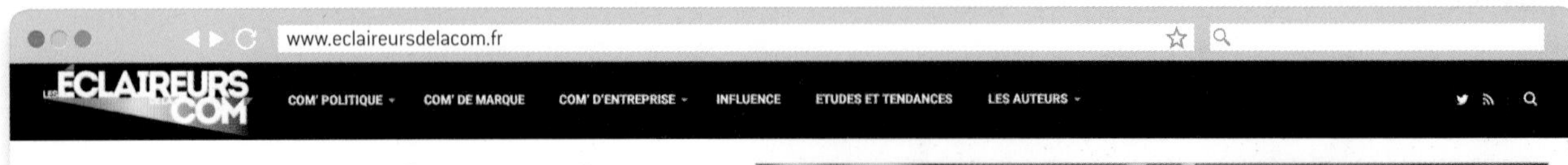

Pourquoi les émoticônes sont-ils devenus incontournables ?

Le succès des émoticônes se confirme. Toutes les applications sociales et les messageries les ont ajoutés à leurs fonctionnalités et ils font désormais partie de nos outils de communication quotidiens. Mais comment expliquer cet enthousiasme généralisé ?

La réponse principale tient aux limites du langage écrit. En effet, il est parfois difficile de percevoir l'intention du locuteur lorsqu'on écrit, et pour cause : il manque l'expression du visage, la position du corps, l'intonation de la voix... Tous ces signaux non verbaux mettent en contexte le propos et permettent de le décoder facilement. Qui n'a jamais lu un courriel en se demandant si l'autre se moquait de lui ?

Ce n'est pas un hasard si le premier émoticône créé fut le smiley. Son rôle est de signifier à l'interlocuteur : « c'est pour rire » ou encore « je viens en ami ». Le smiley joue un rôle fondamental dans la communication, c'est un discours dans le discours. Ainsi, les Japonais, qui ont culturellement horreur du conflit, ont rapidement adopté et développé les émoticônes car ils ont l'immense atout de ne pas provoquer la moindre ambiguïté d'interprétation.

En outre, dans toute communication interpersonnelle, le contenu de ce que l'on exprime n'est pas tout. Il y a aussi l'attachement que l'on témoigne à l'autre. On est toujours surpris par ces conversations presque vides de texte mais pleines d'émoticônes que s'échangent les adolescents entre eux. Or les émoticônes remplissent la conversation d'un contenu en réalité essentiel pour eux. Car le plus important n'est pas ce qui est dit ; ce qui importe, c'est la relation, la connexion permanente, presque fusionnelle, qu'ils établissent avec leur « tribu ». C'est pourquoi les émoticônes constituent un « kit » de communication indispensable.

Les émoticônes ont une autre vertu linguistique pour les adolescents : celle de crypter le propos pour ceux qui n'en maîtrisent pas les clés. De cette façon, seuls les membres de la « tribu » peuvent comprendre les références visuelles à des moments de vie (fous rires, conversations, confidences...). Cette façon d'exclure les autres renforce d'ailleurs la cohésion du groupe.

Une question se pose toutefois : les ados ne sont pas les seuls à utiliser les émoticônes, et pas uniquement pour éviter d'éventuels conflits. Alors pourquoi les adultes les utilisent-ils de plus en plus ? Sans doute parce qu'ils sont pris dans une exagération communicationnelle pour exister socialement. Tout élément permettant de se différencier et de donner plus de poids et de visibilité à son propos est donc le bienvenu : les icônes, smileys et jolis graphismes en font partie. Le principe est le même que pour cette multitude d'usagers qui ne postent sur Instagram et Facebook que les clichés de situations qui les mettent en valeur.

Enfin, on ne doit pas oublier une motivation qui n'est pas sans importance dans l'utilisation de ces multiples icônes colorées. Il s'agit tout simplement du plaisir de jouer.

Ces nouveaux signes graphiques sont donc loin d'être inutiles. Ils comblent un réel besoin linguistique auquel toutes les classes d'âge ont recours. Mais ils s'inscrivent aussi dans une société d'hypercommunication où les signes de l'expression écrite sont devenus, eux aussi, une manière de garder le contact en permanence.

D'après eclaireursdelacom.fr

En petits groupes
a. Observez et li
dessins de pr
chaque dessin
thèmes du caf

b. Analysez les d
1. Décrivez-le
personnage
2. Dites quel e
l'objectif de
(faire souri
exprimer un
sur l'actual
Expliquez.

c. Quel dessin p
Pourquoi ? Le
presse est-il p
votre pays ? É

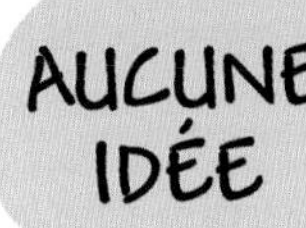

PROJETS

Un projet de classe
Organiser un *World Café* sur des questions de société.

Et un projet ouvert sur le m
Réagir à des articles sur une que

Pour réaliser ces projets, nous allons :

- analyser un enjeu de société
- prendre position sur un fait de société
- décrire et comparer des faits culturels et politiques
- commente de société

Vid
Ce

1. À quel signe voit-on que les émoticônes se sont définitivement installés dans les habitudes de communication ?

2. Selon l'auteur, quel est le principal inconvénient de la langue écrite ?

3. Le choix du premier émoticône créé est pour l'auteur une évidence car il permet à l'émetteur…
a. de toujours faire sourire le destinataire.
b. de créer instantanément un lien avec le destinataire.
c. de montrer au destinataire le ton bienveillant du message.

4. Vrai ou faux ? Choisissez la bonne réponse et recopiez la phrase ou la partie du texte qui justifie votre réponse.
Les Japonais ont adopté les émoticônes car la culture japonaise valorise l'extériorisation des sentiments.
☐ Vrai
☐ Faux
Justification : …

5. Chez les jeunes, les émoticônes sont principalement utilisés pour…
a. attirer l'attention des autres.
b. éviter des malentendus.
c. entretenir de forts liens amicaux.

6. Vrai ou faux ? Choisissez la bonne réponse et recopiez la phrase ou la partie du texte qui justifie votre réponse.
Les jeunes utilisent aussi les émoticônes à la manière d'un code secret.
☐ Vrai
☐ Faux
Justification : …

7. D'après l'auteur, les adultes ont fréquemment recours aux émoticônes pour…
a. gagner un maximum de temps.
b. se démarquer à tout prix.
c. montrer leur maîtrise des codes de la culture numérique.

8. Vrai ou faux ? Choisissez la bonne réponse et recopiez la phrase ou la partie du texte qui justifie votre réponse.
Pour l'auteur, l'usage des émoticônes chez les adultes est comparable à celui qu'ils font des photos sur les réseaux sociaux.
☐ Vrai
☐ Faux
Justification : …

9. Selon l'auteur, les émoticônes ont également une fonction…
a. ludique.
b. éducative.
c. culturelle.

10. Pourquoi les émoticônes sont-ils devenus essentiels à la communication écrite ? *(Plusieurs réponses possibles, 1 réponse attendue)*

DOSSIER 5

Nous débattons de questions de sociét

1 En petits groupes.

a. Observez et lisez l'affiche.
   1. Quel est son objectif ?
   2. Quels éléments (texte, photo, etc.) attirent votre attention ?
   3. Cette affiche vous donne-t-elle envie de participer à l'événement annoncé ? F

b. Que pensez-vous du concept de café-débat ? Existe-t-il dans votre pays ? Avez-
à ce type d'événement ?

c. À votre avis, qu'est-ce qu'une maison de quartier ? Faites des recherches si néc

d. Relisez les thèmes proposés pour le café-débat. Si vous organisiez un café-déb
thèmes proposeriez-vous ? Donnez deux sujets que vous aimeriez aborder pour
thèmes. Partagez avec la classe.

LEÇON 1 Questions de santé

1. Observez cette page du webzine on-peut-faire-mieux.com (doc. 1). Identifiez :
   a. l'organisme à l'origine du webzine ;
   b. le thème des deux articles.

2. Par deux. Lisez l'article 1 (doc. 1).
   a. Identifiez la problématique et l'objectif de l'article.
   b. Dites quel est l'objectif de chaque partie.
   c. Qu'apprend-on sur les habitudes des Français en matière d'antibiotiques ?

3. Relisez la première partie de l'article 1 (doc. 1). Relevez les chiffres qui illustrent :
   a. l'importance du problème en France ;
   b. l'aggravation du problème au niveau mondial.

4. Par deux. Relisez les deuxième et troisième parties de l'article 1 (doc. 1). Listez les actions nécessaires pour lutter contre la résistance aux antibiotiques. Pour chaque action, indiquez qui sont les acteurs concernés.

5. Lisez l'interview 2 (doc. 1). Selon Nadège, Française expatriée en Allemagne :
   a. comment perçoit-on les médicaments en Allemagne (génériques et antibiotiques) ?
   b. quelles sont les différences avec la France ?

6 En petits groupes. Relisez l'interview 2 (doc. 1).

a. Répondez aux troisième et quatrième questions de l'interview puis comparez vos réponses avec celles de Nadège.

b. Répondez aux deux premières questions de l'interview pour votre pays d'origine.

c. Listez les similitudes et les différences entre la France, l'Allemagne et votre pays.

d. Partagez-les avec la classe.

document 1

https://www.on-peut-faire-mieux.com

on-peut-faire-mieux.com | Avec notre système de santé | Avec les médicaments

1 **Et si, demain, les antibiotiques[1] n'étaient plus efficaces ?**

La résistance aux antibiotiques est un enjeu majeur de santé publique. Les chiffres sont alarmants et méritent vraiment une prise de conscience des professionnels et de chacun d'entre nous !

3 CHIFFRES À RETENIR

Aujourd'hui, avec 12 500 décès annuels en France, la résistance aux antibiotiques tue quatre fois plus que les accidents de la route ! À l'échelle de la planète, si l'on ne se mobilise pas davantage, les résistances aux antimicrobiens seront responsables de plus de morts que le cancer d'ici 2050. La consommation d'antibiotiques a été multipliée par dix entre 2000 et 2010 au niveau mondial. Des chiffres qui alertent quand on sait que la France est le troisième plus gros consommateur d'antibiotiques en Europe et un des premiers pays où les phénomènes de résistances bactériennes ont été mis en évidence.

LA MOBILISATION EST URGENTE

Pour enrayer ce problème, il est urgent que professionnels de santé et patients agissent à deux niveaux.
D'abord, s'interroger sur chaque décision de prescrire ou non des antibiotiques. Rappelons qu'ils ne sont efficaces que sur les microbes et non sur les virus. Ensuite, être très vigilant sur le mésusage[2] des antibiotiques, comme par exemple consommer des antibiotiques sans prescription, interrompre son traitement avant la fin si les symptômes ont disparu ou le poursuivre au-delà de la durée prescrite... Toutes ces mauvaises habitudes favorisent l'émergence des résistances.

MOINS PRESCRIRE D'ANTIBIOTIQUES, C'EST PRÉSERVER LEUR EFFICACITÉ

Pour être efficace, la mobilisation doit être globale. En France, les antibiotiques sont encore bien ancrés dans notre « culture ». À l'échelle internationale, la mobilisation est portée par l'Organisation mondiale de la santé, et reprise en Europe par chaque pays. En France, un plan national d'alerte sur les antibiotiques avait été défini pour la période 2010-2016. Dans ce domaine, l'engagement de la France pour relever ce défi est le Plan Écoantibio mis en place pour la période 2017-2021.
Le professionnalisme des prescripteurs, de nouvelles pratiques médicales et l'engagement individuel peuvent enrayer la tendance. Tous ensemble, on peut faire mieux pour préserver l'efficacité des antibiotiques !

on-peut-faire-mieux.com
Ce site est une initiative de l'Assurance Maladie d'Alsace et de ses partenaires.
Il a pour but de faire prendre conscience des risques qui pèsent sur notre système de santé et de montrer les bons comportements à adopter pour le préserver.

▸ Nous contacter ▸ Supports de commu ▸ Donnez votre avis ▸ Presse ▸ Mentions légales

1. un antibiotique : médicament qui permet de lutter contre les infections microbiennes.
2. un mésusage : mauvais usage de quelque chose.

document 2 42 à 45

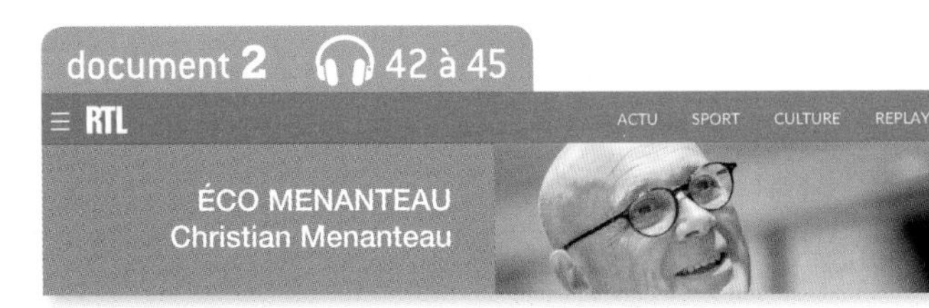

7. 42 Écoutez l'édito économique de Christian Menanteau (doc. 2). Identifiez le sujet de l'édito et les trois questions posées.

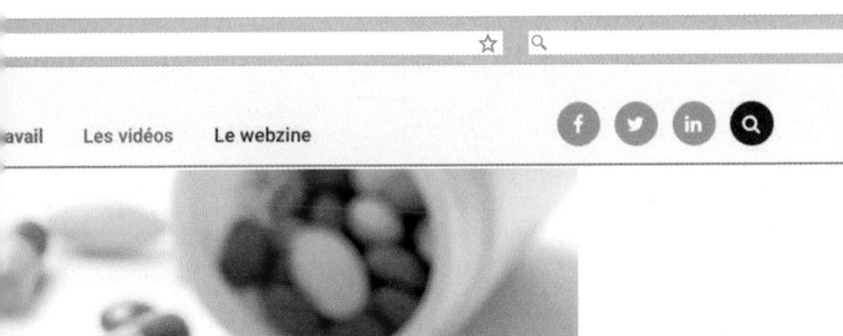

2 **Et en Allemagne, comment ça se passe ?**

Deuxième étape de notre série consacrée à la perception des médicaments dans d'autres pays du monde. Rencontre avec Nadège, une Française de 36 ans, qui vit en Allemagne depuis 2007.

LE MÉDICAMENT GÉNÉRIQUE EXISTE-T-IL EN ALLEMAGNE ET FAIT-IL DÉBAT ?
Oui, ça existe. C'est un médicament produit à partir de la même molécule que le médicament de référence, aussi efficace et moins cher en général. Contrairement à ce qui se passe en France, il n'y a aucun débat en Allemagne à ce sujet. Les médecins allemands n'ont pas pour habitude de prescrire des génériques, c'est la pharmacie qui attribue ce qu'elle a en stock en prenant en considération le degré de tolérance du patient, ses allergies éventuelles, ses antécédents et en privilégiant le suivi du même générique à chaque prescription.

SELON TOI, QUEL RAPPORT LES ALLEMANDS ONT-ILS AUX MÉDICAMENTS, ET NOTAMMENT AUX ANTIBIOTIQUES ?
Les Allemands ont une vision complètement différente de la nôtre. Il y a un proverbe qui dit : « Un rhume dure 1 semaine avec médicaments et 8 jours sans. » De leur point de vue, c'est très mauvais pour l'organisme et ils préfèrent attendre que le rétablissement soit plus « naturel » même si cela dure plusieurs semaines. Ils accordent beaucoup d'importance aux effets secondaires indésirables spécifiés sur les notices et préfèrent de loin l'homéopathie, le repos...

EN CAS DE RHUME, QUEL EST TON PREMIER RÉFLEXE ?
Je regarde ce que j'ai dans mon armoire à pharmacie... car mon médecin me dirait : « Buvez beaucoup d'eau, restez au chaud et reposez-vous ! » Donc je préfère ne pas me déplacer pour un tel diagnostic et j'ai tendance à faire mon propre traitement avec des médicaments vendus sans ordonnance.

PRENDS-TU SOUVENT DES ANTIBIOTIQUES ?
En dix ans, on m'a prescrit seulement une fois des antibiotiques !

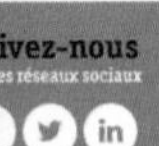

AGIR ENSEMBLE, PROTÉGER CHACUN

8. 43 Par deux. Réécoutez la première partie de l'édito (doc. 2).

a. Que propose le magazine économique *Capital* ?

b. Identifiez le point de vue de Christian Menanteau et relevez ses deux arguments.

c. Quel est selon lui le problème principal du système de santé français ? Expliquez l'image utilisée : « Les caisses de la Sécu sont [...] sous transfusion permanente ».

9. 44 Par deux. Réécoutez la deuxième partie de l'édito (doc. 2).

a. Relevez les différents points qui mécontentent les Français.

b. Qu'est-ce qu'un phénomène de défiance ? Citez les deux exemples donnés pour l'illustrer.

10. 45 Par deux. Réécoutez la troisième partie de l'édito (doc. 2).

a. Listez les trois pistes explorées pour faire mieux et moins cher.

b. À combien s'élèveraient les économies ainsi réalisées ?

c. Quelle pratique médicale souligne la différence entre la France et l'Allemagne ?

► p. 88, n° 1 et p. 89, n° 4

11. En petits groupes. Échangez. Faut-il selon vous faire des économies en matière de santé ? Si oui, dans quels domaines (médicaments, scanners, opérations...) ? Si non, pourquoi ?

À NOUS !

12. Nous rédigeons un édito sur un enjeu de santé publique.

En petits groupes.

a. Choisissez un enjeu de société lié à un problème de santé publique : régional, national, européen ou mondial.

b. Organisez votre développement à l'aide des trois questions du document 2.
  1. La situation est-elle alarmante ? → Constat et prise de position.
  2. Comment expliquer la montée des mécontentements ? → Exemples concrets et arguments.
  3. Peut-on redresser la barre ? → Actions nécessaires et incitation à agir.

c. Rédigez votre édito. Pensez à exprimer clairement le point de vue de votre groupe.

d. Lisez votre éditorial à la classe, qui réagit à votre prise de position.

LEÇON 2 Questions de genre

document 1 46 à 48

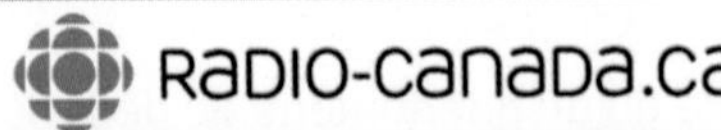

1. 46 Écoutez l'introduction de l'interview (doc. 1).
   a. Complétez cette définition de l'écriture inclusive. *C'est une graphie qui…*
   b. Dites pourquoi l'écriture inclusive fait débat en France.
   c. Qui est la personne invitée ?

2. 47 Par deux. Écoutez la première partie de l'interview (doc. 1).
   a. Relevez la définition de l'écriture inclusive selon Marie-Éva de Villers.
   b. Écrivez le mot que donne le journaliste pour illustrer cette graphie.
   c. L'écriture inclusive fait-elle débat au Québec ? Résumez le propos de la linguiste.

3. 48 Par deux. Écoutez la deuxième partie de l'interview (doc. 1).
   a. Selon la linguiste, l'écriture inclusive va-t-elle se diffuser au Québec ?
   b. Que pense-t-elle de la féminisation de la langue ?

4. 48 Par deux. Réécoutez la deuxième partie de l'interview (doc. 1).
   a. Quel principe a été popularisé par le grammairien Vaugelas ? Qu'en pensez-vous ?
   b. Lisez ces deux phrases extraites de l'interview : « les étudiants et les étudiantes étaient compétents », « les étudiants et les étudiantes étaient compétentes ». Expliquez ce qui les différencie.
   c. Que pense Marie-Éva de Villers de l'accord de proximité ?

5. 

En petits groupes.
   a. Choisissez une langue que vous parlez (langue maternelle ou langue étrangère).
   b. Listez des exemples qui illustrent la représentation des hommes et des femmes dans la langue choisie.
   c. L'écriture inclusive pourrait-elle être une bonne solution pour cette langue ? Et pour le français ?
   d. Partagez avec la classe.

6. Observez les témoignages publiés par le magazine suisse *La Liberté* (doc. 2).
   a. Qui sont les trois personnes qui témoignent ?
   b. Reformulez la question qui leur est posée.

7. Par deux. Lisez les trois témoignages (doc. 2).
   a. Classez les témoignages du plus convaincu au moins convaincu par l'écriture inclusive.
   b. Repérez comment chaque personne introduit son opinion.

8. Par deux. Relisez les témoignages (doc. 2). Associez chaque affirmation ci-dessous au témoignage correspondant. Justifiez avec un ou des extraits.

   Exemple : *La question de l'écriture inclusive n'est pas prioritaire. → Témoignage n° 1, Selin. « Je trouve qu'on devrait commencer par s'occuper de choses plus fondamentales. L'inégalité salariale est un problème plus urgent que la grammaire. »*
   a. Une règle de grammaire ne devrait pas être considérée comme sexiste.
   b. L'écriture inclusive encouragerait les femmes à accéder à tous types de métiers.
   c. L'écriture inclusive à l'école contribuerait à changer les mentalités.
   d. Elle ne pourrait probablement fonctionner qu'avec les nouvelles générations.
   e. Il est peu probable qu'elle freine l'apprentissage de la lecture et de l'écriture.
   f. Elle n'est pas un outil essentiel pour lutter contre les inégalités hommes-femmes.

▸ p. 88-89, n° 2 et 3

document 2

https://www.laliberte.ch/news/magazine/page-jeunes/ecriture-inclusive-le-masculin-doit-il-continuer-a-l-emporter-423762

LA LIBERTÉ RÉGIONS SUISSE SPORTS ÉCONOMIE INTERNATIONAL CULTURE MAGAZINE RECHERCHER

Home / Magazine / Page Jeunes

Écriture inclusive : le masculin doit-il continuer à l'emporter ?

SELIN KALAN

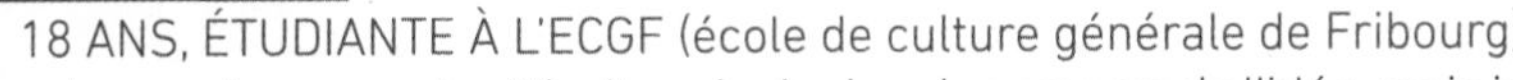

18 ANS, ÉTUDIANTE À L'ECGF (école de culture générale de Fribourg)

« Je ne suis pas contre l'écriture inclusive. Je comprends l'idée, mais je trouve qu'on devrait commencer par s'occuper de choses plus fondamentales. L'inégalité salariale est un problème plus urgent que la grammaire. Cela dit, l'introduction de l'écriture inclusive à l'école ne me dérangerait pas. Au contraire, je pense que cela peut apporter beaucoup aux enfants. Les petites filles s'intéresseraient peut-être plus aux métiers "masculins" si la féminisation des noms de métiers se répandait dans l'écriture. Il est en effet plus facile pour elles de s'identifier à une maçonne qu'à un maçon. Je ne suis pas sûre, en revanche, que l'écriture inclusive puisse réellement changer quelque chose pour les plus âgés. J'imagine qu'ils auront de la peine à se défaire de leurs vieilles habitudes quand ils devront écrire. C'est donc surtout aux nouvelles générations que l'écriture inclusive profitera. »

MAXIME SCHMUTZ

20 ANS, AU SERVICE MILITAIRE

« La question de l'écriture inclusive peut paraître anodine mais, personnellement, je la trouve importante. L'écriture est l'une des premières choses qu'on apprend à l'école. Je suis convaincu que le changement des mentalités passe notamment par là. C'est déjà un bon début si on cesse de répéter aux enfants que le masculin l'emporte sur le féminin. L'introduction des principes de l'écriture inclusive ne pourra que faire progresser l'égalité des sexes. Je suis pour son utilisation dans les textes officiels et son enseignement à l'école. Je doute qu'elle complique l'apprentissage du français, car elle m'a l'air assez logique. On doit s'occuper de chaque inégalité au plus vite, y compris celles qui figurent dans la langue française. »

OCÉANE GUEX

20 ANS, ÉTUDIANTE À LA HEP (Haute École pédagogique)

« L'introduction de l'écriture inclusive à l'école me semble être une bonne idée. Le but est que cela devienne un automatisme. Toutefois, je ne pense pas qu'elle soit indispensable pour faire progresser l'égalité hommes-femmes. Il ne faut pas nécessairement commencer par l'écriture inclusive pour obtenir une vraie égalité. Ce serait évidemment une avancée si on l'utilisait plus souvent, mais ce n'est pas mal de continuer à employer les règles actuelles. Il ne faut pas voir le fait de tout mettre au masculin comme discriminant envers les femmes. Le français a effectivement été pensé par des hommes qui ne se souciaient guère de la représentation féminine. Je pense néanmoins qu'on doit relativiser et voir cela comme une simple règle d'application. Le masculin ne renvoie d'ailleurs pas toujours à l'homme. Il est parfois juste utilisé par défaut, à la place du neutre qui n'existe pas dans notre langue. »

9. En petits groupes. De quel témoignage (doc. 2) vous sentez-vous le / la plus proche ? Le / La moins proche ? Pourquoi ? Échangez.

À NOUS !

10. Nous débattons sur l'égalité hommes-femmes.

En petits groupes.

a. L'égalité hommes-femmes est-elle un enjeu de société dans votre pays ? Si oui, dans quels domaines (écriture, salaires, opportunités professionnelles, partage des tâches, visibilité médiatique, etc.) ?

b. Choisissez un domaine et exprimez votre opinion. Faites une recommandation pour faire évoluer cette situation dans votre pays.

c. Partagez avec la classe et débattez.

Grammaire

La voix passive pour mettre en valeur un élément

p. 172 et p. 211

1. Par deux. Lisez ces extraits des documents 1 et 2 p. 84-85.

1. La consommation d'antibiotiques **a été multipliée** par dix entre 2000 et 2010.
2. La France est un des premiers pays où les phénomènes de résistances bactériennes **ont été mis** en évidence.
3. À l'échelle internationale, la mobilisation **est portée** par l'Organisation mondiale de la santé.
4. En France, un plan national d'alerte sur les antibiotiques **avait été défini**.
5. Un tiers [des actes médicaux] **serait jugé** – au mieux – inutile par les experts.
6. Des pistes **sont** déjà **explorées**.

a. **Observez dans chaque extrait les éléments en gras. Identifiez les temps utilisés.**

b. **Complétez la règle.**

La voix passive se construit avec l'auxiliaire … conjugué + … du verbe.
Le participe passé s'accorde avec … .
On utilise la préposition … pour préciser qui ou ce qui fait l'action.
! Pour transformer une phrase active à la voix passive, il faut que le verbe soit suivi d'un complément d'objet direct.

c. **Mettez les extraits des documents 1 et 2 à la voix active.**
Exemple : *1. On a multiplié par dix la consommation d'antibiotiques entre 2000 et 2010.*

Différents emplois du subjonctif pour prendre position

p. 172 et p. 207

2. Par deux. Observez ces extraits des documents 1 et 2 p. 86-87.

1. **Il était anormal qu'**on dise « Madame le ministre ».
2. **Je ne suis pas sûre que** l'écriture inclusive puisse réellement changer quelque chose pour les plus âgés.
3. **Je trouve qu'**on devrait commencer par s'occuper de choses plus fondamentales.
4. **J'imagine qu'**ils auront de la peine à se défaire de leurs vieilles habitudes.
5. **Je pense** néanmoins **qu'**on doit relativiser.
6. **Je ne pense pas qu'**elle soit indispensable pour faire progresser l'égalité hommes-femmes.

a. **Indicatif ou subjonctif ? Classez les extraits dans le tableau.**

Le subjonctif pour exprimer…		L'indicatif (ou le conditionnel) pour exprimer…
un jugement, un sentiment	≠	**une opinion**
Il est urgent que *professionnels de santé et patients agissent à deux niveaux.* ***Je suis heureux que*** *l'égalité hommes-femmes progresse.* …		***Je pense que*** *cela peut apporter beaucoup aux enfants.* … … …
un doute	≠	**une certitude**
Je ne crois pas qu'*on le voie au Québec.** ***Je doute qu'****elle complique l'apprentissage du français.* … …		***Je suis convaincu que*** *le changement des mentalités passe notamment par là.*

* Si la certitude l'emporte sur le doute, il est aussi possible d'utiliser l'indicatif.
Je ne crois pas qu'on le verra au Québec.

b. **Complétez le tableau avec d'autres structures que vous connaissez.**
Exemples : ***Je suis sûr(e) que*** *l'écriture inclusive sera un jour utilisée dans les journaux. (certitude)*
Je regrette que *tu n'aies pas acheté le médicament générique. (sentiment)*

3. Observez le tableau (doc. 1 et 2 p. 86-87).

Le subjonctif pour exprimer…	
une obligation ou une volonté / un souhait	*Il faudrait que tous s'entendent.* …
un but	*L'introduction de l'écriture inclusive à l'école me semble être une bonne idée.* ***Le but est que*** *cela devienne un automatisme.* …

! On utilise le subjonctif uniquement si les sujets des deux actions sont différents. Sinon, on utilise l'infinitif.
Je souhaite que ***tu*** *utilises l'écriture inclusive.* ≠ ***Je*** *souhaite utiliser l'écriture inclusive.*

a. **Donnez un exemple pour l'expression de la volonté et ajoutez un autre exemple pour l'expression du but.**

b. **Utilisez les structures du tableau pour prendre position par rapport aux affirmations ci-dessous.**
1. L'écriture inclusive peut faire changer les mentalités.
2. L'écriture inclusive complique inutilement l'apprentissage de la langue.

Mots et expressions

Parler de la santé

p. 173

4. En petits groupes. Observez la carte mentale (doc. 1 et 2 p. 84-85).

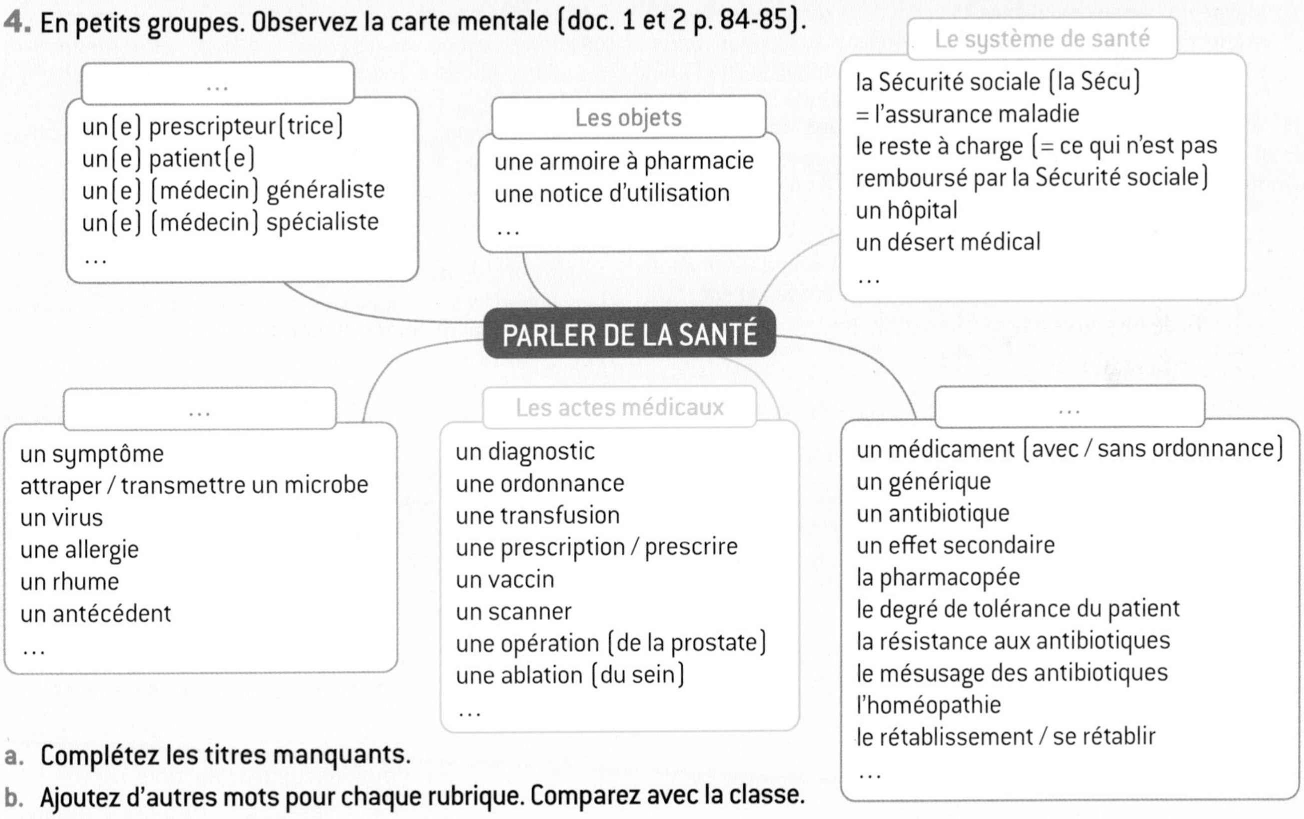

PARLER DE LA SANTÉ

…
- un(e) prescripteur(trice)
- un(e) patient(e)
- un(e) (médecin) généraliste
- un(e) (médecin) spécialiste
- …

Les objets
- une armoire à pharmacie
- une notice d'utilisation
- …

Le système de santé
- la Sécurité sociale (la Sécu) = l'assurance maladie
- le reste à charge (= ce qui n'est pas remboursé par la Sécurité sociale)
- un hôpital
- un désert médical
- …

…
- un symptôme
- attraper / transmettre un microbe
- un virus
- une allergie
- un rhume
- un antécédent
- …

Les actes médicaux
- un diagnostic
- une ordonnance
- une transfusion
- une prescription / prescrire
- un vaccin
- un scanner
- une opération (de la prostate)
- une ablation (du sein)
- …

…
- un médicament (avec / sans ordonnance)
- un générique
- un antibiotique
- un effet secondaire
- la pharmacopée
- le degré de tolérance du patient
- la résistance aux antibiotiques
- le mésusage des antibiotiques
- l'homéopathie
- le rétablissement / se rétablir
- …

a. **Complétez les titres manquants.**

b. **Ajoutez d'autres mots pour chaque rubrique. Comparez avec la classe.**

Phonétique

p. 174

Phonie-graphie des consonnes [s] et [z]

5. **Relevez dans le document 1 p. 84-85 des mots contenant les graphies suivantes des consonnes [s] et [z].**
[s] ou [ks] → « s » – « ss » – « sc » – « c » – « cc » – « ç » – « t(i) » – « x »
[z] ou [gz] → « s » – « z » – « x »

■ Décrire et comparer des faits culturels et politiques ▸ Doc. 1 et 2

LEÇON 3 Passions françaises

document 1

LA CROIX

La politique, une passion contrariée

VIVE LA POLITIQUE – Malgré une défiance de plus en plus grande, la politique occupe une place centrale dans la vie des Français, nourrie par toute une mythologie républicaine issue de la Révolution française qui est de moins en moins adaptée au monde actuel et ne peut que nourrir déception et colère.

Mal-aimée, décriée, rejetée, la politique n'en demeure pas moins au cœur de nos vies. À la télévision, dans les journaux et même dans les conversations, elle continue d'occuper une place essentielle sans qu'on s'en rende forcément compte.

«*En France, lorsqu'on dîne entre amis, on commence par parler de soi, de ses vacances, des films qu'on a vus et ça finit toujours par la politique…*» Professeur à Oxford, l'historien Sudhir Hazareesingh, qui séjourne souvent en France et vient de consacrer un essai à *Ce pays qui aime les idées*, a toujours été frappé par l'extraordinaire intérêt que les Français portent au débat public.

Des cycles de fort intérêt et désintérêt

Malgré un niveau de défiance à l'égard de la classe politique qui est devenu, selon le politologue et chercheur au Cevipof[1] Bruno Cautrès, «gigantesque», l'intérêt pour la politique, lui, ne faiblit pas. Une majorité de Français (56 %) continue à s'y intéresser, selon le baromètre de la confiance réalisé en janvier par le centre d'études de Sciences Po.

«*Nous sommes, depuis le début des années 1990, avec la chute du mur de Berlin, le traité de Maastricht et la déception de la gauche au pouvoir, dans une très nette phase de prise de distance, avec de temps à autre des poussées protestataires comme les émeutes de banlieue en 2005 ou, plus récemment, le phénomène Nuit debout,* explique Bruno Cautrès. *Les Français sont toujours prêts à se mobiliser quand une élection les motive, comme l'élection présidentielle où ils continuent de participer à plus de 80 %, ou à soutenir une cause humanitaire ou en dehors du champ électoral.*»

L'amour de la politique, mais la déception de ceux qui l'incarnent

«*Entre les Français et la politique, il y a, et ce n'est pas nouveau, une sorte de passion contrariée,* analyse Olivier Ihl, professeur à l'Institut d'études politiques de Grenoble. *Elle tient au décalage qui existe entre la démocratie telle qu'ils la rêvent depuis la Révolution française et la réalité, c'est-à-dire celle d'un gouvernement représentatif. Ils sont constamment dans l'attente d'une forme politique plus proche de la démocratie d'assemblées, où les gens se rencontrent et débattent. C'est une tradition historique très puissante en France et qui explique l'importance chez nous des rassemblements, depuis les banquets républicains jusqu'aux manifestations, et du rôle joué par la place publique.*»

Un imaginaire républicain

Cette aspiration très française à une forme de démocratie chimiquement pure ne peut cependant que générer de la déception. «*La République est un horizon toujours repoussé,* constate Sudhir Hazareesingh. *Ses trois principes – liberté, égalité, fraternité –, qui sont constitutifs de l'identité française, sont impossibles à concrétiser. Cela pousse les Français à les remettre constamment en question et à être déçus par leurs représentants.*»

La sacralisation de l'élection présidentielle

La place centrale occupée par l'État, issue d'un triple héritage – monarchique, révolutionnaire et bonapartiste – explique par ailleurs les rapports souvent ambigus que les citoyens cultivent avec leurs gouvernements. «*Ils cherchent en permanence à se débarrasser de sa tutelle tout en réclamant un État protecteur et, dans la grande tradition gaulliste, aspirent à s'en remettre à un homme providentiel*[2]», ajoute Jean Garrigues, professeur d'histoire contemporaine à l'université d'Orléans.

D'où la sacralisation de l'élection présidentielle, qui a écrasé tous les autres scrutins, et n'a quasiment pas d'équivalent dans les autres pays démocratiques. «*Avec la Ve République, de Gaulle a en quelque sorte institutionnalisé l'homme providentiel*[3], note Sudhir Hazareesingh. *En France, la politique n'est pas seulement un horizon idéologique mais un ensemble incarné dans la figure d'un homme. Tout va toujours très mal, et dès que l'élection présidentielle arrive vous recommencez à parler d'avenir.*»

Céline Rouden

1. Cevipof : Centre de recherches politiques de Sciences Po. 2. homme providentiel : sauveur de la nation. 3. La Constitution de septembre 1958, proposée par le général de Gaulle, instaure la Ve République. Elle accorde un pouvoir plus important au président de la République. Le général de Gaulle est élu premier président de la Ve République en décembre 1958.

1. Lisez le titre et le chapeau de l'article (doc. 1).

a. Expliquez le titre de l'article à l'aide du chapeau et de la définition ci-dessous.
Mythologie : ensemble des mythes, croyances, représentations idéalisées autour d'un personnage, d'un phénomène ou d'un événement historique, qui lui donne une force et une importance particulières. Exemples : le mythe napoléonien ; le mythe gaullien, etc.

b. À votre avis, quels sont les trois grands principes du mythe républicain français ?

2. Par deux. Parcourez l'article (doc. 1) sans le lire en détail. Trouvez le plus vite possible l'information précise concernant les grands principes du mythe républicain.

a. Vérifiez vos réponses à l'activité 1b.

b. Expliquez pourquoi Sudhir Hazareesingh décrit la République comme « un horizon toujours repoussé » (l. 47). Pourrait-on appliquer cette analyse à votre pays ?

3. Par deux. Lisez la première partie de l'article (doc. 1, l. 5 à 30).

a. Relevez :
– deux chiffres qui illustrent la passion des Français pour la politique ;
– deux phrases qui soulignent le rapport contradictoire que les Français entretiennent avec la politique.

b. Faites des recherches sur les événements suivants (Quoi ? Qui ? Où ? Quand ? Pourquoi ?) puis partagez avec la classe.
les émeutes de banlieue en 2005 • la chute du mur de Berlin • le traité de Maastricht • le phénomène Nuit debout
Exemple : *les émeutes de banlieue → Quoi ? Émeutes, incendies, dégradations… Qui ? Surtout des jeunes. Où ? Dans les banlieues françaises, en région parisienne puis en province. Quand ? En octobre et novembre 2005. Pourquoi ? En réaction au décès de deux adolescents de Clichy-sous-Bois morts accidentellement alors qu'ils tentaient d'échapper à un contrôle de police.*

c. Classez les événements évoqués par Bruno Cautrès selon qu'ils illustrent un cycle de fort intérêt ou un cycle de désintérêt pour la politique.
Exemple : *cycle de fort intérêt → l'élection présidentielle.*

4. Par deux. Lisez la deuxième partie de l'article (doc. 1, l. 31 à 68).

a. Comment Olivier Ihl, professeur à l'Institut d'études politiques, explique-t-il la passion contrariée des Français pour la politique ? Résumez son propos.

b. Repérez ce qui est propre au système politique français. En quoi les attentes des Français vis-à-vis de l'État sont-elles paradoxales ?

► p. 95, n° 3

5

En petits groupes.

a. Faites des recherches sur le mode de scrutin présidentiel en France. Comparez-le avec celui de votre pays.

b. Quel est le rôle du chef de l'État dans votre pays (ou dans d'autres pays que vous connaissez) ? Occupe-t-il une place centrale ? Comparez avec la France.

document 2 🎧 49 et 50

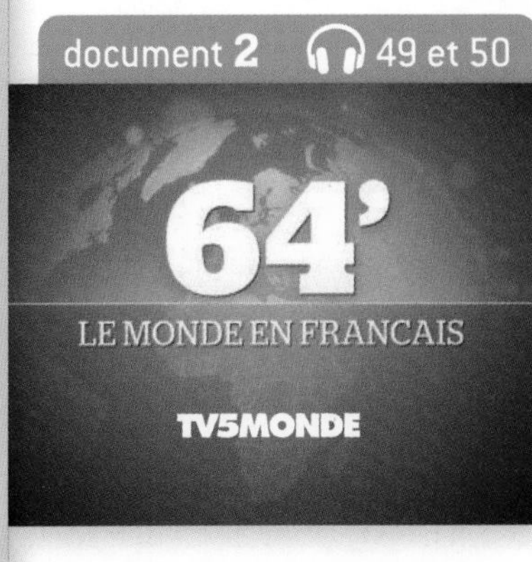

6. Listez les éléments qui composent la couverture de l'essai de Sudhir Hazareesingh (doc. 2). Que vous évoque le choix de l'illustration ? Quel est son lien avec le titre de l'essai ?

7. 🎧 49 **Écoutez la première partie de l'interview de Sudhir Hazareesingh diffusée sur TV5 Monde (doc. 2).**

a. Listez un maximum d'informations concernant Sudhir Hazareesingh.

b. Repérez l'événement à l'origine de sa passion pour les idées et la politique françaises.

8. 🎧 49 **Par deux. Réécoutez la première partie de l'interview de Sudhir Hazareesingh (doc. 2).**

a. Repérez ce qui l'a particulièrement attiré dans la culture politique française.

b. À quelle autre culture compare-t-il la culture politique française ? Pourquoi ?

9. 🎧 50 **Par deux. Écoutez la deuxième partie de l'interview (doc. 2).**

a. Selon Sudhir Hazareesingh, quelles sont les deux grandes idées qui distinguent la France du reste du monde ?

b. Quel philosophe cite-t-il ? Pourquoi ?

À NOUS !

10. Nous décrivons un fait culturel en lien avec la politique.

En petits groupes.

a. Peut-on parler de passion pour la politique et le débat d'idées dans votre pays ? Si oui, comment se manifeste-t-elle ? Existe-t-il des cycles de fort intérêt et de désintérêt pour la politique ? Si oui, qu'est-ce qui les motive ?

b. Illustrez votre analyse avec des événements concrets.

c. Présentez le résultat de votre analyse à la classe.

d. Listez les différences et les similitudes entre les groupes.

4 Le sport, à quel prix ?

document 1 Vidéo n° 5

1. Observez cette image extraite d'un reportage de France 2 (doc. 1). Faites des hypothèses sur le contenu du reportage.

2. En petits groupes. Regardez le reportage (doc. 1).
   a. Vérifiez vos hypothèses.
   b. Remettez dans l'ordre les sous-thèmes abordés dans le reportage.
   Un équilibre financier instable • Un secteur inégalitaire • Les nouveaux diffuseurs • L'explosion des salaires • Les droits télévisuels

3. Par deux. Regardez à nouveau la première partie du reportage jusqu'à 1'13" (doc. 1).
   a. Relevez les trois questions posées par la journaliste.
   b. Listez les éléments de réponse à ces questions :
   – selon la journaliste ;
   – selon Vincent Grimault.

4. Par deux. Regardez à nouveau la deuxième partie du reportage jusqu'à 2'05" (doc. 1).
   a. Quel joueur symbolise la forte hausse des salaires ? Pourquoi ?
   b. Selon vous, qu'apportent les infographies au reportage ?
   c. Comment Pierre Rondeau explique-t-il l'augmentation des salaires ? Résumez son propos.

5. Regardez à nouveau la dernière partie du reportage (doc. 1).
   a. À quelle profession compare-t-on les footballeurs ? Qu'est-ce qui les différencie ?
   b. Pourquoi de nouveaux diffuseurs arrivent-ils sur le marché ?

6 

En petits groupes. Échangez.
   a. D'après vous, quelles sont les raisons qui expliquent l'engouement pour le football dans le monde ?
   b. Quels sont les sports les plus populaires dans votre pays ?
   c. Partagez avec la classe.

7. Lisez le titre de l'article (doc. 2). Identifiez son thème.

8. Par deux. Lisez le chapeau de l'article et les intertitres (doc. 2).
   a. Quel constat fait la journaliste ?
   b. Qu'est-ce qui, selon elle, explique ce phénomène indéniable ?
   c. Quelles sont les réponses apportées par les intertitres à la question du titre ?

9. Par deux. Lisez les lignes 7 à 41 de l'article (doc. 2).
   a. Dites ce qui fait de la Coupe du monde de football un événement unique.
   b. Expliquez pourquoi on compare la Coupe du monde de football à « un bulldozer télévisuel et publicitaire » (l. 9).
   c. À quels besoins de la population répond ce « combat national sans armes » (l. 20-21) ?

10. Par deux. Lisez les lignes 42 à 63 de l'article (doc. 2). Repérez le parallèle établi par le professeur d'anthropologie Christian Bromberger entre le terrain de foot et la vie.

11. Par deux. Lisez les lignes 64 à 81 de l'article (doc. 2).
   a. De quel phénomène parle-t-on ? Quelles en sont les raisons ?
   b. Expliquez pourquoi la Coupe du monde énerve « ceux qui sont fâchés avec le foot » (l. 74-75).

► p. 94-95, n° 1, 2 et 4

document 2

LE FIGARO

« On est en finale ! » : pourquoi le foot nous rend-il si heureux (ou malheureux) ?

Qu'on trouve cela fabuleux ou idiot n'y change rien : peu d'autres événements suscitent une telle euphorie collective que la Coupe du monde de football. En face, ceux qui haïssent ce sport affichent un rejet tout aussi hors-norme. Un phénomène qui s'explique par les caractéristiques du foot et notre besoin d'effusion[1] partagée.

Certes, ceux que la vue du gazon ou les cris délirants des fans insupportent s'agaceront. Eux, la Coupe du monde et son bulldozer télévisuel et publicitaire les rendent malheureux. Mais qu'on soit pro ou anti-crampons[2], un phénomène reste indéniable : peu d'autres événements sont à même de rassembler une telle masse de personnes dans une ferveur collective. « Il n'y a pas d'égal », résume Christian Bromberger, professeur d'anthropologie à l'université d'Aix-Marseille. « La Coupe du monde, c'est presque quelque chose où l'on se confronte à l'humanité entière, puisque tous les pays connaissent et pratiquent ce sport. »

« *On a gagné !* » : un combat national sans armes

Là-dessus, tous les passionnés du sujet s'accordent : l'une des raisons d'un tel engouement, c'est l'identification aux couleurs nationales. « Les compétitions où chacun a à perdre et à gagner ne sont plus très courantes », explicite Gilles Vervisch, auteur de *De la tête aux pieds – Philosophie du football*. Or la volonté de s'identifier à une nation subsiste. « À l'échelle du pays, le domaine politique, par exemple, est un des lieux où l'on peut s'enthousiasmer collectivement. Mais c'est toujours une partie de la population contre une autre. Il n'y a jamais d'union nationale. » Dans le foot, en revanche, comme dans le sport en général, l'enjeu est suffisamment important tout en étant limité pour rassembler largement. « La Coupe du monde permet d'avoir le sentiment d'appartenir à un ensemble. C'est ce qu'on entend dans "On a gagné !" : l'identification à un pays, aux couleurs nationales. » On retrouve ainsi « l'idée d'un combat cathartique[3] », autrement dit, qui permet de ressentir des émotions passionnelles pour mieux les évacuer, car « il vaut mieux se battre sur un terrain de foot qu'avec des armes ».

« L'universalité du foot puise dans sa simplicité »

L'envie de communion nationale se conçoit. Mais pourquoi le foot est-il le seul sport à drainer une telle foule ? Ses règles simples et la facilité d'y jouer presque n'importe où sont souvent évoquées. « L'universalité du foot puise dans sa simplicité », confirme Christian Bromberger, qui voit d'ailleurs dans le terrain de foot un parfait miroir de l'existence. « En 90 minutes, on peut ressentir toutes les émotions qu'on peut expérimenter dans le temps long d'une vie : la joie, la colère, l'injustice, la déception... »

Le sport le plus médiatique

Affrontement modéré, facilité d'accès, identification aisée et émotions dignes d'une tragédie : autant de caractéristiques du foot, donc, que peu de domaines partagent. Mais qui ne seraient rien sans un dernier élément : une médiatisation là encore sans égal. « Ce phénomène massif est lié à la popularité du foot, l'un des rares sports à être à la fois très pratiqué et très médiatisé », précise le philosophe Gilles Vervisch.

La même émotion au même moment

Reste un phénomène obscur : qu'on s'agite entre fans dans les tribunes d'un stade, passe encore ; mais comment expliquer les incantations et fureurs devant la télévision, même en pleine solitude ? « En réalité, dans ce phénomène télévisé, on n'est pas seul », tempère Christian Bromberger. Pour lui, l'écran est un moyen de s'intégrer dans la ferveur unanime d'un match. « On n'est pas seul à éprouver quelque chose. Et ce sentiment est encore renforcé par le fait que l'on en parle après avec d'autres. »

De quoi expliquer que dans une Coupe du monde, ceux qui sont fâchés avec le foot soient presque aussi virulents que les autres sont euphoriques. « Cet unanimisme, cette invasion du foot qu'on voit partout peut être exaspérante », souligne Paul Dietschy. Sur le plan philosophique, « on fait vite le parallèle avec l'opium du peuple, c'est-à-dire le bonheur illusoire dont parle Marx et qui permet aux classes dominées de supporter leur condition », complète Gilles Vervisch.

Blandine le Cain

1. une effusion : manifestation sincère et vive d'un sentiment.
2. des chaussures à crampons : chaussures de sports munies de petits cylindres pour empêcher de glisser.
3. cathartique : qui libère.

12. Nous rédigeons un article sur un phénomène de société.

En petits groupes.

a. Relisez les raisons qui expliquent selon vous l'engouement pour le football (act. 6a). Comparez-les avec celles de l'article relatives à la Coupe du monde de football (doc. 2).

b. Listez d'autres événements à même de rassembler les foules et/ou de susciter des émotions collectives, dans votre pays ou dans le monde.

Exemples : *événement sportif → la Ryder Cup de golf ; événement musical → un concert des Rolling Stones.*

c. Choisissez l'un de ces événements.

d. Rédigez un article qui analyse ce phénomène de société et décrit les émotions qu'il suscite. Aidez-vous de la matrice ci-dessous.

Titre de l'article (une question posant la problématique)
1. Chapeau (introduction)
2. Caractéristiques de l'événement (ce qui le distingue d'autres événements populaires)
3. Raisons (sociologiques, psychologiques, philosophiques, culturelles, etc.) expliquant l'engouement.
4. Conclusion

! N'oubliez pas les intertitres.

e. Publiez les articles sur le mur de la classe. Évaluez-les à l'aide de la matrice proposée.

Grammaire

Nuancer une comparaison

p. 174 et p. 201

1. En petits groupes.

a. Observez les trois tableaux ci-dessous (doc. 1 p. 90 et doc. 1 et 2 p. 92-93).

	Pour indiquer une progression ou une régression		
	Avec un adjectif / un adverbe	**Avec un nom**	**Avec un verbe**
+	*Malgré une défiance* ***de plus en plus*** *grande…*	*La place centrale occupée par l'État a* ***de plus en plus de*** *détracteurs.*	*Les Français se mobilisent* ***de plus en plus*** *pour les causes humanitaires.*
–	*Une mythologie issue de la Révolution française, qui est* ***de moins en moins*** *adaptée au monde actuel.*	*Les partis politiques traditionnels ont* ***de moins en moins d'****influence.*	*Les jeunes votent* ***de moins en moins*** *aux élections européennes.*

	Pour insister		
	Avec un adjectif / un adverbe	**Avec un nom**	**Avec un verbe**
+	*Aujourd'hui, les footballeurs sont* ***bien / beaucoup plus*** *médiatisés* ***que*** *les hommes politiques.*	*Aujourd'hui, les footballeurs sont* ***bien plus que / beaucoup plus que*** *des sportifs.*	*Aujourd'hui, les footballeurs gagnent* ***bien / beaucoup plus que*** *les médecins.*
=	*Ceux qui haïssent ce sport affichent un rejet* ***tout aussi*** *hors-norme.*	*Ce sport provoque* ***tout autant d'****émotions chez ceux qui le haïssent* ***que*** *chez ceux qui l'apprécient.*	*Les footballeurs méritent* ***tout autant*** *leur salaire* ***que*** *les acteurs.*
–	*Le Premier ministre est souvent* ***bien / beaucoup moins*** *critiqué* ***que*** *le président de la République.*	*Les footballeurs amateurs gagnent* ***bien / beaucoup moins d'****argent* ***que*** *les professionnels.*	*La tradition gaulliste pèse* ***bien / beaucoup moins que*** *par le passé.*

	Pour donner un ordre de grandeur		
	Avec un adjectif / un adverbe	**Avec un nom**	**Avec un verbe**
+	*Le transfert de Neymar a coûté* ***trois fois plus*** *cher* ***que*** *celui de Zinedine Zidane.*	*On recense en moyenne* ***cent-trente fois plus de*** *grèves en France* ***qu'****en Suisse.*	*Le footballeur brésilien Neymar gagne* ***quatre cents fois plus qu'****un médecin généraliste.*
–	*Le transfert de Zinedine Zidane a coûté* ***trois fois moins*** *cher* ***que*** *celui de Neymar.*	*Les autorités annoncent* ***deux fois moins de*** *manifestants* ***que*** *samedi dernier.*	*Les joueurs du Toulouse Football Club gagnent* ***dix fois moins que*** *ceux du Paris Saint-Germain.*

b. À l'aide des structures des tableaux, donnez votre point de vue sur la médiatisation des sportifs et des événements sportifs.

Le subjonctif pour exprimer une alternative

p. 175 et p. 207

2. Par deux. Relisez ces deux extraits du document 2 p. 93.

1. Qu'on trouve cela fabuleux ou [qu'on trouve cela] idiot n'y change rien : peu d'autres événements suscitent une telle euphorie collective que la Coupe du monde de football.
2. Mais qu'on soit pro ou [qu'on soit] anti-crampons, un phénomène reste indéniable : peu d'autres événements sont à même de rassembler une telle masse de personnes dans une ferveur collective.

a. **Observez les passages soulignés. Puis complétez ci-dessous le mode et l'exemple.**

Pour exprimer une alternative avec *que / ou [que]*, on utilise le mode ... .
Qu'on ... (comprendre) les règles du football ou [qu'on ne les ... (comprendre)] pas, on peut se passionner pour un match de Coupe du monde !

b. **Imaginez trois alternatives pour donner votre opinion sur un événement sportif mondial.**
Exemple : *Qu'on trouve ça passionnant ou [qu'on trouve ça] ridicule, le football est un très grand spectacle.*

Mots et expressions

Parler des institutions et de la politique

p. 175

3. En petits groupes.

a. **Associez chaque terme à sa définition (doc. 1 p. 90).**

- une démocratie
- une constitution
- un(e) citoyen(ne)
- une république

1. Texte qui détermine la forme de gouvernement d'un État, l'organisation des pouvoirs ainsi que les droits et libertés fondamentales.
2. Personne bénéficiant, dans l'État dont il relève, des droits civils et politiques.
3. Régime politique dans lequel le pouvoir est détenu par le peuple, directement ou par le biais de représentants élus.
4. Forme de gouvernement où le chef de l'État (président) n'est pas seul à détenir le pouvoir, qui n'est pas héréditaire.

b. **Proposez vos définitions pour ces termes extraits du document 1 p. 90. Puis comparez-les à la définition d'un dictionnaire unilingue.**
une élection • un scrutin • la classe politique • un gouvernement

Parler des émotions et des sentiments

p. 175

4. En petits groupes.

a. **Complétez la carte mentale à l'aide des émotions et sentiments évoqués dans le document 2 p. 93.**

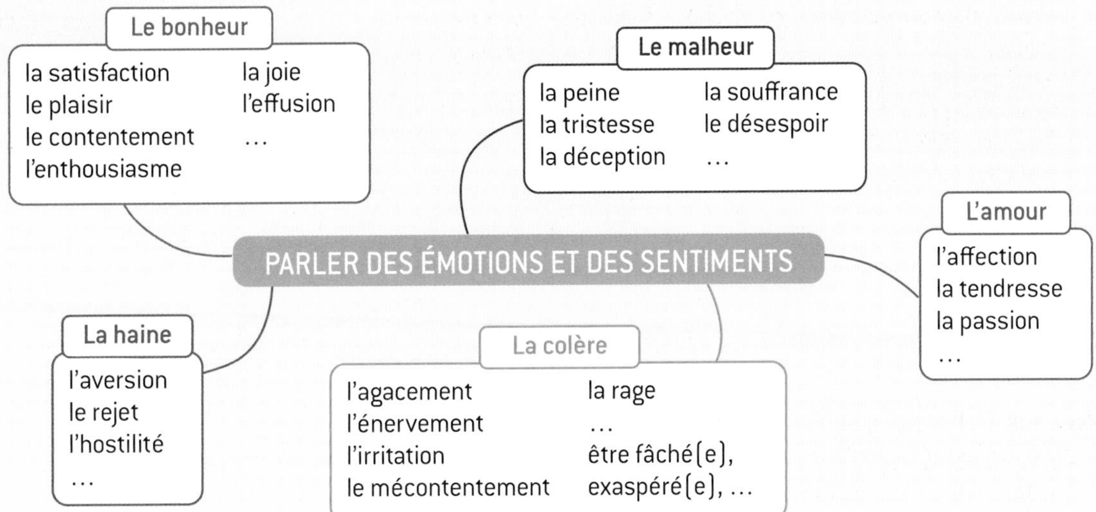

b. **Ajoutez d'autres émotions ou sentiments que vous connaissez. Partagez avec la classe.**

c. **Donnez deux émotions que vous avez ressenties lors de la dernière Coupe du monde de football et expliquez pourquoi.**

Faire un exposé à l'oral

Les footballeurs sont-ils trop payés ?

On connaît le discours, déjà entendu mille fois : toucher jusqu'à 38 millions d'euros par an juste pour jouer au football, c'est indécent, choquant et injuste. Et c'est aussi tellement simple. En France, moins de 25 % des joueurs touchent plus de 80 % du total des salaires. Plus de la moitié des joueurs sont ruinés cinq à dix ans après la fin de leur carrière. Pour la majorité, l'étape de la reconversion est très difficile.
Oublions ces éléments et regardons seulement de quoi on parle : l'utilité du ballon rond.
Admettons-le, le football est inutile et les footballeurs ne nous apportent rien. Contrairement aux médecins, aux professeurs ou aux policiers.
Selon l'économiste David Ricardo, « une marchandise utile est souvent considérée comme présente en quantité très importante et nécessite peu de travail pour la produire. [...] Inversement, un bien considéré comme naturellement peu utile sera peu présent et il faudra une importante quantité de travail pour le produire. » Parce que le football est totalement inutile, il est rare et vaut très cher. Les métiers indispensables sont eux présents en très grandes quantités et se retrouvent donc très mal dotés.
C'est indécent, peut-être incompréhensible, mais ça explique, en partie, la situation. Le football est inutile, donc les footballeurs sont des millionnaires.

D'après Pierre Rondeau, ecofoot.fr, 19/02/2018.

En petits groupes.

1. Lisez l'édito de Pierre Rondeau. Identifiez la problématique développée.

2. Lisez la fiche conseils ci-dessous.

QUELQUES CONSEILS POUR RÉUSSIR VOTRE EXPOSÉ

1. Analyse du document déclencheur

- Lisez le document puis identifiez sa source et son thème.
- Dégagez la problématique soulevée par le document.
- Listez les principaux arguments développés dans le document.

2. Préparation de l'exposé

- Rédigez une courte introduction pour présenter le document et le point de vue qui y est développé.
  Le texte que je vais commenter est extrait d'un article publié… Il s'agit d'un article qui traite de… Selon l'auteur…
- Décidez quel point de vue vous allez défendre.
- Rédigez le plan de votre exposé :
  - introduction ;
  - argument n° 1 ;
  - argument n° 2 (etc.) ;
  - conclusion (*Je vais maintenant conclure… En conclusion… Pour finir…*).
- Pensez aux transitions et mots de liaison entre vos différents arguments.
  Tout d'abord, je pense que… Ensuite, je trouve étonnant que… Par ailleurs, il est anormal que… Cependant, je doute que…
  À mon sens… Selon moi… À mon avis… Plus exactement…
  Non seulement… mais aussi… C'est pourquoi…

3. Passage devant la classe

- Vous disposez de 5 à 7 minutes pour votre exposé.
- N'oubliez pas d'annoncer votre plan et de formuler clairement votre avis.
- Gardez vos notes sous les yeux pour vous guider, mais ne les lisez pas.

3. 51 Écoutez l'exposé de Matias, étudiant argentin, au sujet de l'édito de Pierre Rondeau. Dites si Matias a respecté les conseils de la fiche.

4. Préparez votre propre exposé à partir de l'édito et présentez-le à la classe.

PROJETS

Projet de classe

 **Nous organisons un *World Café** sur des questions de société.**

* *World Café* : café collaboratif.

En groupe.

1. Observez le dessin. Connaissiez-vous le concept de *World Café* ? Qu'en pensez-vous ? À votre avis, est-ce un moyen efficace pour débattre ?

2. Lisez la fiche conseils. À votre avis, quels sont les trois conseils les plus importants pour réussir un *World Café* ?

Pour réussir votre *World Café*...

1 Créez un espace accueillant
Aménagez la pièce. Disposez les tables (voir le dessin). Mettez une nappe en papier sur chaque table. Pensez aux boissons et aux gâteaux.

2 Abordez des questions qui comptent
Choisissez un thème pour votre *World Café*. Élaborez plusieurs questions abordant différents aspects de ce thème. Veillez à ce que les questions soient claires et susceptibles de concerner tout le monde.

3 Encouragez chacun à contribuer
Maximisez le nombre de contacts entre les gens. Programmez une sonnerie toutes les quinze minutes pour indiquer le changement de table.

4 Reliez différentes perspectives
Chaque table choisit un « hôte » qui ne change pas de table et dont le rôle est de noter (sur la nappe en papier) les points abordés dans la discussion. À chaque changement, l'hôte communique ce qui a déjà été évoqué à sa table.

5 Soyez à l'écoute
- Écoutez celui qui parle avec la conviction qu'il a quelque chose d'important à dire.
- Admettez qu'un autre point de vue est tout aussi valable que le vôtre.
- Soyez clair et succinct. Ne monopolisez pas la parole.

6 Partagez les résultats
À la fin de la séance, fixez toutes les nappes au mur et/ou faites un tour de table. Chaque hôte résume les principaux points de la discussion à sa table.

3. Choisissez une question de société qui vous semble importante puis préparez quatre ou cinq questions en lien avec cette question.

Exemple : *le système de santé (de notre pays) → Le système de santé à la française est-il un exemple à suivre ? Faut-il rembourser tous les médicaments ? Est-ce une bonne idée de limiter la prescription d'antibiotiques ? Doit-on faire des économies sur certains soins et/ou traitements ?*

En petits groupes.

4. Attribuez une question par table et une table à chaque groupe.

5. Pour chaque table, choisissez un hôte qui dirige les débats.

6. Commencez les discussions à partir de la question donnée. Changez de table à chaque sonnerie.

7. Mettez en commun : chaque hôte restitue les discussions et débats de sa table.

Projet ouvert sur le monde

▸ GP

Nous réagissons à des articles sur une question de société.

DELF 5

I Compréhension de l'oral

Vous allez entendre une émission de radio. Lisez les questions, écoutez le document puis répondez.

1. Sur quoi porte l'étude dont il est question ?

2. Quelle tranche d'âge ont les enfants concernés par cette étude ?

3. Pour réaliser leur étude, les chercheurs ont utilisé...
a. un objet amusant.
b. un récit imaginaire.
c. un questionnaire simple.

4. L'étude a permis de constater que l'intelligence est plus spontanément associée aux hommes par...
a. les filles.
b. les garçons.
c. les deux sexes.

5. Éric Fannin affirme que les stéréotypes de genre...
a. sont présents dès la naissance.
b. se transmettent progressivement.
c. disparaissent parfois à l'âge adulte.

6. Sur quels éléments Évelyne Daroux s'appuie-t-elle pour affirmer que les personnages masculins ont plus d'importance que les personnages féminins dans les livres pour enfants ? *(Plusieurs réponses possibles, 3 réponses attendues)*

7. Selon Évelyne Daroux, quelle qualité caractérise systématiquement les filles dans les contes ?
a. La beauté.
b. La douceur.
c. La gentillesse.

8. D'après Éric Fannin, pour éviter de transmettre des stéréotypes de genre au sein du système scolaire, il faut...
a. modifier les livres utilisés en cours.
b. mieux former les enseignants.
c. mettre en place une nouvelle politique éducative.

9. Quel reproche Évelyne Daroux fait-elle aux manuels scolaires ?

10. Richard Hermond estime que les intervenants précédents...
a. partagent
b. complètent
c. contredisent
} les idées qu'il défend dans son livre.

11. Quelle décision prise par l'Académie française a choqué Richard Hermond ?

12. Selon Richard Hermond, pour quelle raison la règle de grammaire selon laquelle le masculin l'emporte sur le féminin a-t-elle été mise en place ?

13. Que nous invite à faire Richard Hermond à la fin de son intervention ?

II Production écrite

Vous travaillez depuis quelques mois dans une entreprise francophone et vous constatez qu'il existe des inégalités entre hommes et femmes. Vous décidez d'écrire un rapport à votre supérieur(e) pour faire un compte rendu de la situation, en vous appuyant sur des exemples précis pour illustrer votre point de vue. Puis vous proposez des solutions afin d'améliorer la situation. Votre texte sera organisé et argumenté. ***(250 mots minimum)***

III Production orale

Choisissez un des deux sujets suivants. Dégagez le problème soulevé et présentez votre opinion sur le sujet de manière claire et argumentée.

SUJET 1

Se soigner grâce aux plantes, une alternative aux médicaments ?

Les plantes sont utilisées depuis des millénaires pour se soigner dans de nombreuses régions du monde : Afrique, Asie, Amérique centrale et du Sud… En Chine, les autorités sanitaires prévoient même de fusionner médecine moderne et médecine traditionnelle à base de plantes dans le système public de santé. Les pays occidentaux montrent, eux aussi, un véritable intérêt pour la phytothérapie. En effet, une étude récente révèle que 90 % de la population allemande utilise des médicaments à base de plantes et que 63 % des Français font confiance à ce type de médecine.

Les plantes aux vertus thérapeutiques semblent donc avoir un bel avenir devant elles. Encore faut-il être bien conseillé, afin que leur toxicité et les contre-indications éventuelles soient bien prises en compte lors du traitement.

D'après sciencesetavenir.fr

SUJET 2

Faut-il rendre le vote obligatoire ?

En France, l'abstention est un phénomène de plus en plus important et préoccupant, même si son ampleur varie beaucoup selon le type d'élection.

Ce phénomène s'explique, en partie, par le fait que le vote est considéré en France comme un droit. Ainsi, tout citoyen est libre de participer à un scrutin électoral. À défaut de constituer un devoir légal, le vote reste toutefois considéré par les institutions comme un devoir civique, comme le rappelle d'ailleurs l'inscription figurant sur les cartes électorales : « Voter est un droit, c'est aussi un devoir civique. »

C'est pourquoi certains hommes politiques français ont proposé de rendre le vote obligatoire.

De nombreux pays comme l'Italie, les Pays-Bas ou encore le Luxembourg ont abandonné le système du vote obligatoire qu'ils pratiquaient auparavant. Il demeure néanmoins en vigueur en Belgique, où cette pratique, assortie de sanctions administratives et financières, se révèle efficace puisqu'à chaque élection, le taux de participation avoisine les 90 %.

D'après lesechos.fr

DOSSIER 6

Nous faisons évoluer la société

AGIR AU QUOTIDIEN ✓

Pour que chacun puisse vivre dignement dans un monde plus juste et plus solidaire.
Que peut-on faire ?

- ☑ S'intéresser et prendre part à la vie de la cité, exercer ses droits civiques.
- ☑ S'informer pour être un citoyen averti, développer son esprit critique.
- ☑ Donner du temps ou de l'argent à une association.
- ☑ Défendre une cause.
- ☑ Manger local, de saison et équitable.
- ☑ S'habiller responsable, s'informer sur les conditions de production des vêtements et de travail des salariés.
- ☑ Signer une pétition.

1

a. Observez l'affiche. Quel est son objectif ?

b. Par deux. Classez les actions de l'affiche dans les catégories suivantes.
Coopération et solidarité • Écologie • Lutte contre la surconsommation • Participation citoyenne

c. En petits groupes.
1. Associez chacun des exemples suivants à une action de l'affiche.
   - Acheter des vêtements d'occasion
   - Voter
   - Participer à des cafés citoyens
   - Acheter des produits issus de l'agriculture biologique
   - Être bénévole pour l'UNICEF
   - Participer à une manifestation en faveur de l'école pour tous
2. Proposez d'autres exemples d'actions. Partagez avec la classe.

https://www.pacte-climat.eu/fr/l-appel-detail/ 

PACTE
FINANCE-CLIMAT
LE PACTE QUI PEUT TOUT CHANGER

L'Appel · Actus · Qui Sommes-Nous ? · Presse · Agir · Je fais un Don · Français

APPEL POUR UN PACTE FINANCE-CLIMAT EUROPÉEN

Nous ne pouvons pas rester sans rien dire. Nous ne pouvons pas rester sans agir. Nous, Citoyens d'Europe et Citoyens du monde associés dans une même communauté de destins, n'acceptons pas que l'humanité se dirige, sans réagir, vers le chaos climatique.

Nous, signataires de cet Appel, demandons solennellement aux chefs d'État et de Gouvernement européens de négocier au plus vite un Pacte Finance-Climat, qui assurerait pendant 30 ans des financements à la hauteur des enjeux pour accompagner la transition énergétique sur le territoire européen et muscler très fortement notre partenariat avec les pays du Sud.

Convaincus que nous ne parviendrons pas à reprendre en main notre destin si chaque nation reste isolée, nous demandons instamment aux chefs d'État et de Gouvernement de mettre en œuvre au plus vite une politique européenne qui mette la finance au service du climat et de la justice sociale, et nous permette de regarder sans rougir l'héritage que nous laisserons à nos enfants.

je signe l'appel · je fais un don

2

a. Lisez le document. À quelle action de l'affiche (doc. 1) correspond-il ?

b. Par deux. Qui s'exprime dans ce document ? À qui ce document s'adresse-t-il ? Quel est son objectif ?

c. En petits groupes.
   1. Accepteriez-vous de signer cette pétition ? Pourquoi ?
   2. Signez-vous habituellement des pétitions ? Si oui, pour défendre quelle(s) cause(s) ? Si non, pour quelles raisons ?

PROJETS

Un projet de classe

Rédiger le recueil des propositions de la classe pour agir au quotidien.

Et un projet ouvert sur le monde

Concevoir un projet original au service de la communauté.

Pour réaliser ces projets, nous allons :

- dresser un bilan
- provoquer une prise de conscience et faire des recommandations
- comprendre et proposer une action
- dénoncer un problème de société
- proposer des solutions

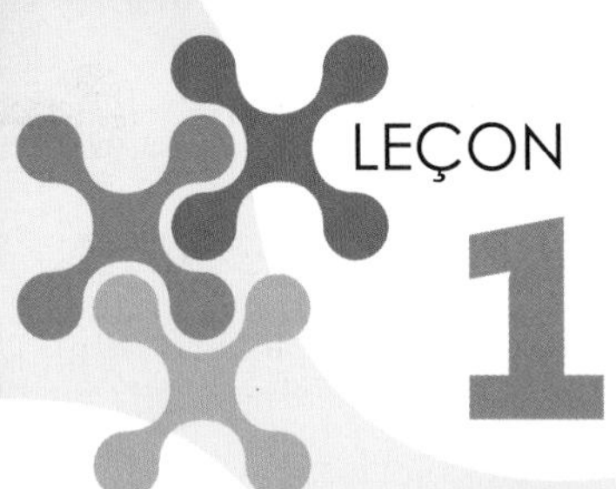

LEÇON 1 Coopératifs et solidaires

document **1**

Panorama de l'ESS en France : quel bilan ?

Forte de résultats remarquables en temps de crise, riche de perspectives prometteuses, l'Économie sociale et solidaire (ESS) est un atout majeur que peut jouer la France, sur le front de l'emploi et de la performance économique d'une part, mais aussi sur la question essentielle du sens donné au travail.

L'ESS : un secteur (enfin) reconnu

Si l'Économie sociale et solidaire s'est développée au cours des XIXe et XXe siècles, la loi relative à celle-ci a véritablement consacré le secteur. En effet, elle a permis de donner une définition claire de l'ESS qui « recouvre les associations, coopératives, mutuelles et fondations mais aussi désormais les entreprises classiques, à condition qu'elles poursuivent un but social autre que le seul partage des bénéfices et que leur "lucrativité" soit encadrée ; autrement dit, les bénéfices ne doivent pas être intégralement reversés aux actionnaires et leur gouvernance doit être démocratique ». Et à y regarder de plus près, le secteur est bien ancré dans notre quotidien : protection de l'environnement, banque, assurance, tourisme, enseignement… L'ESS s'immisce quasiment dans tous les secteurs d'activité.

Un salarié sur huit dans l'ESS

En prime, le secteur crée aujourd'hui deux fois et demie plus d'emplois pérennes que la moyenne de l'économie traditionnelle. L'ESS concerne déjà un salarié sur huit en France. L'ESS, un secteur d'avenir pour l'emploi ? Cette économie de service et de proximité répond à des besoins sociaux au plus près des territoires. Et la demande sociale ne baisse pas. Elle n'a même jamais été aussi grande.

Le cercle vertueux du sens donné au travail

C'est peut-être là le point le plus important que soulève l'ESS, alors que le concept de « *Brown-out* » (qui concerne les personnes qui ne trouvent pas de sens à leur métier) émerge sur le marché du travail. Car aujourd'hui, cette quête de sens dans la sphère professionnelle guide de nombreux Français. Ces derniers entendent inscrire leur travail dans un projet plus large, en faveur de l'intérêt général. Pas étonnant donc que ces derniers viennent grossir les rangs de l'ESS, qui propose une dimension citoyenne.

C'est la démarche initiée par les opticiens Optic 2000, qui se définissent comme des « opticiens citoyens ». Ces derniers mènent ainsi de concert une politique militante et engagée en faveur de l'accès aux soins, le réseau étant organisé de façon à couvrir l'ensemble du territoire français : il contribue à fournir à tous les Français les services d'un opticien de proximité. De plus, la coopérative Optic 2000 s'est engagée dans de nombreuses actions de prévention et de sensibilisation en santé visuelle et auditive sous l'égide de la fondation Optic 2000.

Ces pratiques vertueuses se développent à tous les niveaux, comme en témoigne le succès de la « consommation collaborative », manière de réduire les intermédiaires, de créer du lien social, de redonner du sens à l'acte d'achat, au besoin en se servant de ce que la technologie permet, comme les applications de mise en relation. Pour accompagner les investissements en ce sens, la MAIF[1], autre grande coopérative de l'ESS, a créé récemment une société filiale d'investissement, MAIF Avenir. L'entreprise a déjà investi 4 millions d'euros dans GuestToGuest[2], 2,6 millions dans Koolicar[3] et 1,7 million dans mesdepanneurs.fr[4]. « *Nous ne sommes pas les seuls à nous positionner sur le sujet ; mais notre ambition*, affirme Dominique Mahé, directeur de la MAIF, *c'est de devenir l'assureur de référence de l'économie collaborative.* » Il est vrai que les initiatives de l'ESS doivent pouvoir être assurées et ont aussi besoin de trouver des sources de financement, sachant qu'elles n'obéissent pas aux mêmes impératifs de rentabilité financière.

Mais loin d'être un handicap, cette logique de fonctionnement fait des émules. Et non seulement ce modèle résiste mieux, progresse plus, mais il se répand en bénéficiant de l'optimisme qu'il engendre. Il s'agit bien de penser l'économie « *autrement que par la concurrence, la compétition et la financiarisation à outrance. Soit privilégier une approche plus vertueuse, intégrant transparence, intérêt général, coopération, solidarité, équité, circuits courts, proximité et financement participatif* », résume Françoise Bernon, déléguée générale du Laboratoire de l'ESS. Ambitieux, probablement, mais possible, certainement.

1. MAIF : société d'assurance mutuelle française.
2. GuestToGuest : plateforme d'échange de maisons et d'appartements entre particuliers.
3. Koolicar : site de location de voitures entre particuliers.
4. mesdepanneurs.fr : application spécialisée dans le dépannage d'urgence à domicile.

1. Observez la page Internet (doc. 1). Que propose le site notre-planete.info ?

2. Lisez le titre de l'article et le chapeau (doc. 1).

a. Identifiez l'objectif de l'article.

b. Qu'est-ce que l'économie sociale et solidaire (ESS) ? Faites des hypothèses.

c. D'après les informations du chapeau, l'article va-t-il présenter un bilan positif ou négatif de l'ESS ? Justifiez.

3. Par deux. Lisez la première partie de l'article (doc. 1, l. 4 à 11).

a. Vérifiez vos hypothèses (act. 2b).

b. À quelle condition une organisation peut-elle relever de l'ESS ?

c. Expliquez l'intertitre : « L'ESS, un secteur (enfin) reconnu ».

4. Par deux. Lisez la deuxième partie de l'article (doc. 1, l. 12 à 16). Relevez les éléments qui montrent l'essor de l'ESS.

5. Par deux. Lisez la troisième partie de l'article (doc. 1, l. 17 à 39). Expliquez pourquoi de plus en plus de Français souhaitent travailler dans l'ESS.

6. Par deux. Relisez la troisième partie de l'article (doc. 1, l. 17 à 39).

a. Pour quelles raisons les entreprises Optic 2000 et MAIF relèvent-elles de l'ESS ?

b. Reformulez l'explication de Françoise Bernon avec vos propres mots.

7

En petits groupes. Échangez. L'ESS se développe-t-elle dans votre pays ? Donnez quelques exemples de réussite. Faites des recherches si nécessaire. Partagez avec la classe.

document 2 53 à 55

france culture — Programmes — Podcasts

CHOIX DE LA RÉDACTION par Rédaction

DU LUNDI AU JEUDI DE 7H35 À 7H40

Les coopératives d'habitants : phénomène de mode ou véritable alternative au logement social ?

27/06/2018

8. 53 Observez la page Internet et écoutez la présentation de l'émission (doc. 2).

a. Identifiez la radio, le type d'émission et son thème.

b. Qu'est-ce qu'une coopérative d'habitants ? Où ce modèle se développe-t-il ? Quelle est la situation en France ?

9. 54 Par deux. Écoutez le premier extrait de l'émission (doc. 2). Qui est Adrien Poullain et pourquoi est-il interviewé ?

10. 54 Par deux. Réécoutez le premier extrait de l'émission (doc. 2).

a. Selon la journaliste Annabelle Grelier, quel est l'état d'esprit nécessaire pour faire partie d'une coopérative d'habitants ?

▸ p. 106, n° 1

b. Relevez les informations données par Annabelle Grelier et Adrien Poullain. Classez-les en deux catégories : les principes du concept et le fonctionnement pratique.

Exemples : *« La coopérative d'habitat, c'est une autre façon de penser la propriété. » → Principe.*

« On va amener une part acquisitive qui équivaut à peu près à 6 % du coût de l'appartement. » → Fonctionnement pratique.

11. 55 Par deux. Écoutez le deuxième extrait de l'émission (doc. 2).

a. Listez les services proposés dans les coopératives d'habitants.

b. Comparez la conclusion de Catherine Duthu avec le constat fait en introduction (act. 8b).

▸ p. 107, n° 5

À NOUS !

12. Nous dressons le bilan « ESS » de la classe.

En petits groupes.

a. Choisissez un exemple de réussite de l'économie sociale et solidaire (act. 7).

b. Présentez son concept et son mode de fonctionnement. Exposez les raisons de son succès.

c. Rédigez une présentation.

d. En groupe. Mettez en commun pour réaliser le bilan « ESS » de la classe.

LEÇON 2 Écologies

▪ Provoquer une prise de conscience et faire des recommandations ▸ Doc. 1 et 2

document 1

https://www.franceculture.fr/ecologie-et-environnement/pourquoi-la-biodiversite-est-en-danger

france culture — LE DIRECT Entendez-vous l'éco ? — Programmes — Podcasts

Pourquoi la biodiversité est en danger

L'heure est grave. Il est peut-être même déjà trop tard pour sauver la biodiversité. Depuis plusieurs années, des scientifiques alertent sur l'extinction de masse des animaux. Un phénomène qui ne cesse de s'accélérer et dont les effets pourraient être irrémédiables.

La situation est telle que notre planète vivrait une sixième extinction de masse de la biodiversité. Mais cette fois, la cause n'est pas à chercher du côté d'une activité volcanique exceptionnelle ou des météorites. L'homme est le responsable. L'impact de notre activité ne date pas d'hier. Selon une étude récente, l'influence de l'être humain sur la nature s'exerce depuis 125 000 ans.

Mais la tendance s'est nettement accélérée ces dernières décennies, provoquant des réactions catastrophiques sur la biodiversité.

Agriculteur répandant dans son champ des produits phytosanitaires (herbicides, fongicides, insecticides).

Un recours aux pesticides nocifs pour les insectes et la chaîne alimentaire

Selon Nicolas Hulot*, on compte 80 % d'insectes en moins en Europe. Ces espèces, abeilles en tête, sont les victimes directes de l'utilisation massive de pesticides. La disparition des abeilles a un impact direct pour la biodiversité. Sans abeilles, il n'y a plus de légumes, il n'y a plus de fruits. Elles fécondent 80 % des plantes à fleurs.

En plus de la pollinisation qui se retrouve perturbée, c'est la chaîne alimentaire qui est bouleversée. Ainsi, les campagnes sont vidées de leurs oiseaux qui ne trouvent plus d'insectes pour se nourrir.

L'artificialisation des terres et la destruction des milieux naturels

Un sol artificialisé est une terre qui supporte l'activité humaine en dehors de l'agriculture et de la sylviculture (forêts et boisements). Cela concerne 9,3 % du territoire français, selon le ministère de l'Agriculture. Cette artificialisation des sols ne cesse de gagner du terrain en France. + 0,8 % de terres bétonnées chaque année depuis 2010, soit l'équivalent d'un terrain de football toutes les cinq minutes. Le grignotage des terres se fait, pour les deux tiers, au détriment des espaces agricoles, pour laisser la place à des logements, des zones économiques et commerciales, des routes et autres réseaux de transports. Ces zones, une fois bétonnées, deviennent imperméables, ce qui peut donner des crues ou des inondations en cas de fortes pluies, et elles peuvent devenir des déserts biologiques. Le Plan biodiversité de Nicolas Hulot, qui considère que la gestion des sols doit être sobre et durable, consisterait au minimum à compenser les surfaces artificialisées en « désartificialisant » des surfaces équivalentes. Cette approche de compensation systématique aurait par exemple pour objectif de végétaliser des toitures, des trottoirs, ou des parkings en zones urbaines.

Par ailleurs, la déforestation a aussi des conséquences directes sur certaines espèces. C'est le cas des singes. Sur les 504 espèces de singes recensées à travers le monde, les trois quarts sont en déclin et 60 % en risque d'extinction. Avec une disparition qui pourrait être rapide, d'ici 25 à 50 ans, pour ces proches parents biologiques concentrés majoritairement dans quatre pays : le Brésil, l'Indonésie, la république démocratique du Congo et Madagascar.

Plastique, engrais et surexploitation des ressources bouleversent les océans

Il n'est pas question (pour le moment) de parler de risque d'extinction de la biodiversité marine. Mais l'activité humaine a un impact considérable sur nos espaces marins. Les produits en plastique utilisés massivement se retrouvent dans les océans, et sont ingurgités par la faune marine.

Tout aussi grave, le Centre national de la recherche scientifique relève dans une étude récente qu'au cours des cinquante dernières années la proportion de zones de haute mer dépourvues de tout oxygène a plus que quadruplé. Tandis que les sites à faible teneur en oxygène situés près des côtes, y compris les estuaires et les mers, ont été multipliés par dix depuis 1950. Ces zones mortes s'expliquent par l'augmentation de la température des océans due aux émissions de gaz à effet de serre et à l'utilisation d'engrais dans les champs qui se retrouvent dans les fleuves puis dans les océans.

Dans son plan pour la biodiversité, le ministre de l'Écologie a annoncé la suppression progressive de 12 produits en plastique. Il vise également 100 % de plastiques recyclés d'ici 2025.

Si on ne fait rien, « 40 % des espèces vivantes auront disparu au milieu du siècle prochain », prévient Nicolas Hulot. Et ce n'est pas la première fois que le ministre essaie de mobiliser autour de cette question, tout aussi importante selon lui que celle du réchauffement climatique. « Plus on réduit la biodiversité, plus on réduit nos options pour faire face à l'avenir. Mais, sincèrement, tout le monde s'en fiche. »

Abdelhak El Idrissi

* Nicolas Hulot : journaliste et homme politique français engagé dans la protection de l'environnement. Ministre de la Transition écologique et solidaire de mai 2017 à septembre 2018.

1. Observez l'article (doc. 1). Quel lien pouvez-vous faire entre le titre de l'article et la photo ?

2. Par deux. Lisez le chapeau de l'article (doc. 1).

a. Identifiez le problème, sa cause et ses conséquences possibles.

b. Repérez comment le journaliste souligne la gravité de la situation.

3. Par deux. Parcourez l'article (doc. 1) sans le lire en détail. Trouvez le plus vite possible les trois activités de l'homme qui menacent la biodiversité.

4. Par deux. Relisez l'article (doc. 1).

a. Pour chacune des trois menaces identifiées (act. 3) :
– expliquez la situation et ses conséquences ;
– précisez les éventuelles données chiffrées et les experts cités ;
– donnez le cas échéant les solutions envisagées par le Plan biodiversité.

b. Relevez les expressions utilisées pour souligner la gravité de la situation.

c. Partagez avec la classe.

5. Par deux. Relisez la conclusion de l'article (doc. 1). Quel cri d'alarme lance Nicolas Hulot ? A-t-il des chances d'être écouté ? Justifiez.

► p. 107, n° 6

6

En petits groupes. Échangez. La biodiversité est-elle un sujet important pour vous ? Quelle est la situation dans votre pays ? Listez les thèmes liés à l'écologie que vous estimez prioritaires. Partagez avec la classe.

document 2 56 et 57

Le Club Europe 1 | Europe 1 vous écoute | Le JDD | Newsletter | Fréquences

Europe 1 | Programmes et podcasts | Replay | Actu | En direct | Menu

Politique | International | Sport | Médias | Culture | Économie | Société | Développement personnel | Santé

ACCUEIL / TOUTE L'INFO DU WEEK-END / L'ÉDITO ÉCO

Chaque samedi et dimanche, Nicolas Beytout, directeur du journal *L'Opinion*, donne son avis sur l'actualité de la semaine.

Par Nicolas BEYTOUT

7. Observez la page Internet (doc. 2). Repérez et listez toutes les informations qu'elle contient.

8. 56 Par deux. Écoutez la première partie de l'édito économique (doc. 2). Quel est le mot que Nicolas Beytout n'aime pas ? Pour quelles raisons ?

9. 56 Par deux. Réécoutez la première partie de l'édito économique (doc. 2).

a. Expliquez la formule « écologie punitive ».

b. Repérez l'exemple donné par Nicolas Beytout pour illustrer cette formule.

10. 57 Par deux. Écoutez la deuxième partie de l'édito économique (doc. 2).

a. Selon Nicolas Beytout, quel autre exemple illustre l'écologie punitive ?

b. Qu'est-ce qui différencie ce type de mesures de celles concernant l'artificialisation ?

c. Pourquoi ce type de mesures déplaisent-elles autant à Nicolas Beytout ?

d. Que reproche-t-il à la loi sur les voitures de 2040 ? Selon lui, quelle serait la meilleure solution ?

► p. 106, n° 2 à 4

À NOUS !

11. Nous faisons des recommandations pour des mesures écologiques.

En petits groupes.

a. Choisissez un problème lié à l'écologie (act. 6). Posez clairement le problème, recherchez des données chiffrées et des avis d'experts.

b. Cherchez des solutions à ce problème. Proposez différents types de mesures : des mesures punitives (exemple : taxes) ou des mesures incitatives (exemple : campagnes de prévention).

c. Présentez le problème et exposez vos recommandations à la classe. La classe réagit.

Grammaire

Exprimer la condition

p. 176 et p. 210

1. Par deux. Relisez ces extraits des documents 1 et 2 p. 102-103 puis complétez la règle.

a. L'ESS « recouvre les associations, coopératives, mutuelles et fondations mais aussi désormais les entreprises classiques, à condition qu'elles poursuivent un but social autre que le seul partage des bénéfices et que leur "lucrativité" soit encadrée ».

b. Une coopérative d'habitation, c'est vivre mieux et moins cher si tant est que l'on n'ait pas peur de l'engagement et de la collectivité.

Pour exprimer la condition, on peut utiliser les conjonctions *à condition que* et *si tant est que** suivies du mode … .

* nuance de doute

! Quand le sujet des deux actions est le même, on utilise *à condition de* + infinitif.
Notre coopérative va se développer à condition de trouver des sources de financement.

! On peut également utiliser :
- *si* + indicatif ;
  C'est une coopérative si elle poursuit un but social et que sa lucrativité est encadrée.
- *pourvu que*** + subjonctif.
  Tout se passera bien pourvu que les occupants de l'immeuble communiquent régulièrement.

** seule condition suffisante

Le conditionnel pour atténuer ou exprimer des faits hypothétiques

p. 176 et p. 206

2. Par deux. Relisez ces extraits des documents 1 et 2 p. 104-105. Classez-les dans le tableau en fonction de ce qu'ils expriment.

a. La situation est telle que notre planète **vivrait** une sixième extinction de masse de la biodiversité.
b. Le Plan biodiversité **consisterait** au minimum à compenser les surfaces artificialisées.
c. Cette approche **aurait** par exemple pour objectif de végétaliser des toitures.
d. Une disparition [des singes] qui **pourrait** être rapide.
e. Donc la solution, ce **serait** quoi ?

Le conditionnel pour exprimer…	Exemples
une affirmation atténuée ou une suggestion	…
des faits hypothétiques ou probables	*Un phénomène dont les effets pourraient être irrémédiables.* … ; … ; …
une information non confirmée*	…

* usage fréquent dans le discours journalistique

Le conditionnel passé pour exprimer un reproche ou un regret

p. 177 et p. 206

3. Observez ce reproche exprimé par Nicolas Beytout (doc. 2 p. 105). Puis complétez les phrases proposées avec le verbe au conditionnel passé.

La loi sur les voitures **aurait dû** fixer des objectifs.
a. Les politiques (pouvoir) mettre en place des mesures préventives.
b. Nicolas Beytout (préférer) que les politiques ne pratiquent pas l'écologie punitive.
c. Il (falloir) prévenir au lieu de punir.

Pour exprimer un reproche ou un regret, on peut utiliser les verbes *devoir, pouvoir, falloir, vouloir* et *préférer* au conditionnel passé.

4. En petits groupes. Donnez votre avis sur la préservation de la biodiversité et sur l'écologie punitive en exprimant des faits hypothétiques, des regrets ou des reproches.

Mots et expressions

Parler d'économie et de finance

p. 177

5. En petits groupes. Observez le tableau (doc. 1 et 2 p. 102-103).

L'économie	…	La finance	…	Achats et crédit
la crise la performance un secteur d'avenir …	la consommation collaborative une coopérative un financement participatif un modèle alternatif …	un investissement une source de financement la rentabilité la financiarisation la spéculation spéculatif, spéculative …	un emploi la création d'emploi un(e) salarié(e) la lucrativité un bénéfice un(e) actionnaire la gouvernance la concurrence …	un coût une acquisition une mensualité un prêt / un emprunt un remboursement …

a. Complétez les titres manquants.

b. Complétez chaque rubrique avec des termes que vous connaissez. Puis partagez avec la classe.

Parler de la biodiversité

p. 178

6. Par deux. Observez la carte mentale (doc. 1 p. 104).

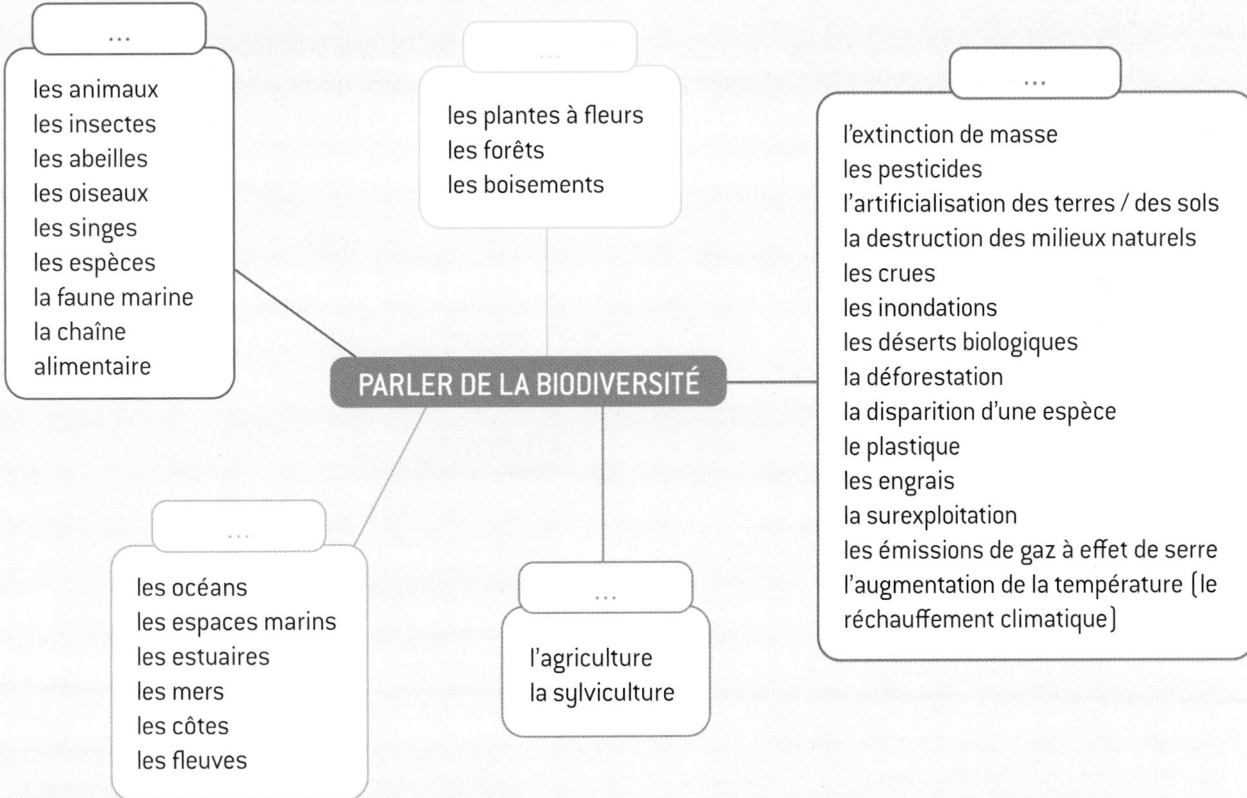

a. Placez les titres suivants au bon endroit.
L'exploitation de la terre • Le monde aquatique • La flore • Les dangers et menaces • La faune

b. Par deux. Associez les verbes ci-dessous à des mots de la carte pour parler de la biodiversité.
féconder • végétaliser • polliniser
Exemple : *Les abeilles fécondent 80 % des plantes à fleurs.*

LEÇON 3 Participation citoyenne

document **1** 58 à 60

LANCEURS D'ALERTE
COMMENT PROTÉGER CEUX QUI PARLENT ?

1. Observez le document 1.

a. Identifiez le thème de l'émission de France 24.

b. Qu'est-ce qu'un lanceur d'alerte ? Faites des hypothèses.

2. 58 **Par deux. Écoutez la première partie de l'entretien (doc. 1).**

a. Vérifiez vos hypothèses.

b. Qui est interviewé et pourquoi ?

c. Dans quel domaine cette personne a-t-elle lancé l'alerte ? Pour quelles raisons ?

d. Quel autre domaine est cité ? Connaissez-vous un lanceur ou une lanceuse d'alerte dans ce domaine ?

3. 58 **Par deux. Réécoutez la première partie de l'entretien (doc. 1). Comment les lanceurs d'alerte sont-ils perçus ?**

4. 59 **Par deux. Écoutez la deuxième partie de l'entretien (doc. 1).**

a. Comment les lanceurs d'alerte se considèrent-ils ?

b. Résumez en une phrase le bilan dressé par Stéphanie Gibaud concernant la liberté d'expression dans le monde.

5. 60 **Par deux. Écoutez la troisième partie de l'entretien (doc. 1).**

a. Reformulez avec vos propres mots la situation vécue par Stéphanie Gibaud depuis qu'elle a lancé l'alerte.

b. Relevez les termes qu'elle emploie pour décrire sa souffrance au travail.

c. Quelle conviction exprime-t-elle en conclusion ?

▸ p. 112, n° 1

6 

En petits groupes. Qu'ont dénoncé les lanceurs d'alerte cités par le présentateur (Manning, Snowden, Assange, Deltour) ? Faites des recherches si nécessaire. Y a-t-il des lanceurs d'alerte dans votre pays ? Si oui, expliquez ce qu'ils dénoncent.

7. Observez la page Internet et lisez l'encart « Bilan » (doc. 2). Quelle action a été menée à Paris et dans quel but ?

8. Par deux. Lisez les témoignages de Lucas et de Swann (doc. 2). Relevez :

a. l'intérêt de la Nuit de la Solidarité selon eux ;

b. ce qu'ils nous apprennent sur l'organisation pratique de l'action ;

c. quelle conclusion ils retirent de cette expérience.

9. Par deux. Relisez les deux témoignages (doc. 2). Qu'est-ce qui différencie le ton du témoignage de Lucas de celui de Swann ?

10. Par deux. Lisez les deux derniers témoignages (doc. 2).

a. Qui sont les deux personnes interviewées ?

b. Quelles sont, de leur point de vue, les conséquences positives de cette opération ?

11. Nous réalisons un recueil d'initiatives solidaires.

En petits groupes.

a. Choisissez un problème de société que vous souhaiteriez dénoncer.

b. Expliquez pourquoi ce problème vous touche.

c. Imaginez une opération à mettre en place pour aider à le résoudre et expliquez précisément votre action (objectifs, organisation pratique, conséquences positives attendues).

d. Réalisez le recueil des initiatives solidaires de la classe. Publiez-le sur le mur de la classe.

document 2

https://www.paris.fr/nuitdelasolidarite#a-la-rencontre-de-ceux-qui-ont-participe-a-la-nuit-de-la-solidarite_8

PARIS — SERVICES ET INFOS PRATIQUES — ACTUALITÉS — PROFESSIONNELS — MUNICIPALITÉ — PARTICIPEZ ! — MON COMPTE

Nuit de la Solidarité : les besoins identifiés et des annonces concrètes

BILAN

Les premiers résultats de la Nuit de la Solidarité ont été présentés : près de 3 000 personnes en situation de rue ont été dénombrées dans la nuit du 15 février par les 350 équipes déployées à Paris et par les partenaires de la ville. L'objectif de ce décompte, mené avec les signataires du Pacte de lutte contre la grande exclusion et 2 000 personnes (300 professionnels et 1 700 bénévoles parisiens), était de mesurer le nombre de personnes à la rue et d'améliorer la connaissance de leurs profils et de leurs besoins pour adapter les réponses proposées.

À la rencontre de ceux qui ont participé à la Nuit de la Solidarité

Salariés d'associations, bénévoles, citoyens, ils se sont engagés pour la Nuit de la Solidarité.

Témoignage de Lucas Mars, volontaire

La Nuit de la Solidarité est une opération coup de poing qui vise à mobiliser et fédérer les gens autour de la grande exclusion. Je pense aussi qu'elle est très importante car nous avons besoin d'avoir des données claires pour coordonner les actions et la politique de la ville.

Je suis en charge du développement de « Lulu dans ma rue », une entreprise sociale et solidaire, et je participe à des maraudes* en tant que bénévole. Je me suis porté volontaire car je donne de mon temps pour ce en quoi je crois. Nous avions rendez-vous à la mairie de notre arrondissement à 19 h 30 avant de partir pour l'opération de décompte. L'idée était de présenter le déroulé de l'action et de nous exposer un rapide guide méthodologique: quelle posture adopter, comment réagir aux différentes situations, savoir expliquer le but de l'opération... J'avais déjà quelques bases, mais c'est toujours intéressant d'apprendre ! Je suis fier de ma ville et de mon pays quand je vois que plus de 1 500 personnes ont répondu présentes et que les gens se mobilisent. Je crois que beaucoup de choses se passent à Paris, localement dans chaque quartier et à l'échelle globale.

Swann S., volontaire, 31 ans

Qu'évoque pour vous cette première Nuit de la Solidarité à Paris ?

Pour moi, cette première Nuit de la Solidarité est le reflet d'un nouvel espoir pour qu'une véritable prise de conscience naisse auprès des pouvoirs publics et des citoyens sceptiques, sur l'urgence à mettre en place un vrai plan d'actions afin de lutter contre l'exclusion et le sans-abrisme.

Quel a été le moteur de votre motivation ?

Aujourd'hui, il y a une réelle crise et il faut agir rapidement ! D'un point de vue personnel, rencontrer au quotidien autant de personnes sans-abri et dans le besoin me touche profondément. Je me sens démunie de ne pouvoir agir que dans l'urgence en aidant des associations pour des maraudes et des soupes populaires. Alors participer à la Nuit de la Solidarité est peut-être le premier maillon d'une chaîne qui pourrait aboutir à une solution viable.

Quelles étaient les missions que vous deviez effectuer ?

J'étais le « Mappy » de mon équipe ! Je veillais à ce que chaque rue / impasse / coin de notre secteur soit couvert lors de notre marche.

Que retirez-vous de cette expérience ?

Une belle expérience humaine ! C'est le 19e arrondissement de Paris qui a recueilli le plus de propositions de bénévoles pour l'opération. Nous étions réunis tous ensemble pour la même cause, le même combat, quels que soient notre âge, notre situation sociale et professionnelle.

Question à Éric Pliez, président du Samu Social et directeur de l'association Aurore

Que vous inspire l'engagement des Parisiens, qui a été important ?

Cette Nuit permet en effet d'impliquer les Parisiens d'une autre façon et peut-être que cela pourra aider à mieux lier les personnes dans leur quartier, pourquoi pas ! Pour nous, en tant qu'association, c'est très important d'avoir des relais parmi le public car nous avons besoin en permanence de personnes volontaires et de citoyens qui s'engagent.

Question à Florent Gueguen, directeur de la Fédération des acteurs de la solidarité

La grande mobilisation des Parisiens, en quoi cela vous inspire ?

Je trouve cela très positif ! La Nuit de la Solidarité est un moyen fort de sensibiliser les Parisiens aux dangers de la rue et de la grande exclusion. La participation citoyenne est importante car il arrive que certains habitants refusent l'ouverture de structures d'hébergement pour les personnes sans-abri.

* une maraude : recherche des sans domicile fixe (SDF) pour leur prêter assistance.

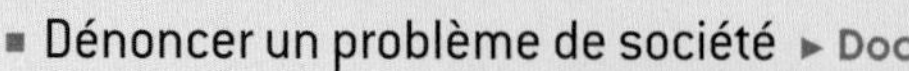

- Dénoncer un problème de société ▸ Doc. 1
- Proposer des solutions ▸ Doc. 2

LEÇON 4 Contre la surconsommation

document 1

Extraits *99 francs*, Frédéric Beigbeder, éditions Grasset, 2000.

« Je me prénomme Octave et je m'habille chez APC[1]. Je suis publicitaire : eh oui, je pollue l'univers. [...] Quand, à force d'économies, vous réussirez à vous payer la bagnole de vos rêves, celle que j'ai shootée dans ma dernière campagne, je l'aurai déjà démodée. J'ai trois *Vogue*[2] d'avance, et m'arrange toujours pour que vous soyez frustré. Le Glamour, c'est le pays où l'on n'arrive jamais. Je vous drogue à la nouveauté, et l'avantage avec la nouveauté, c'est qu'elle ne reste jamais neuve. Il y a toujours une nouvelle nouveauté pour faire vieillir la précédente. Vous faire baver, tel est mon sacerdoce[3]. Dans ma profession, personne ne souhaite votre bonheur, parce que les gens heureux ne consomment pas.
Votre souffrance dope le commerce. Dans notre jargon, on l'a baptisée « la déception post-achat ». Il vous faut d'urgence un produit, mais dès que vous le possédez, il vous en faut un autre. »

« Les hommes politiques ne contrôlent plus rien ; c'est l'économie qui gouverne. Le marketing est une perversion de la démocratie : c'est l'orchestre qui gouverne le chef. Ce sont les sondages qui font la politique, les tests qui font la publicité, les panels[4] qui choisissent les disques diffusés à la radio, les *sneak previews*[5] qui déterminent la fin des films de cinéma, les audimats qui font la télévision. [...] On ne veut plus vous proposer quoi que ce soit qui puisse RISQUER de vous déplaire. C'est ainsi qu'on tue l'innovation, l'originalité, la création, la rébellion. [...]
Picasso est un nom de bagnole Citroën, Steve McQueen conduit une Ford, Audrey Hepburn porte des mocassins Tod's ! Tu crois qu'ils se retournent pas dans leur tombe, ces gens-là, d'être transformés en VRP[6] posthumes ? [...]
Toutes ces marques sont rigoureusement inattaquables. Elles ont le droit de vous parler mais vous n'avez pas le droit de leur répondre. Dans la presse, vous pouvez dire des horreurs sur des personnes humaines mais essayez un peu de descendre un annonceur et vous risquez très vite de faire perdre à votre journal des millions de francs de rentrées publicitaires. À la télévision, c'est encore plus retors[7] : une loi interdit de citer des marques à l'antenne pour éviter la publicité clandestine ; en réalité, cela empêche de les critiquer. Les marques ont le droit de s'exprimer tant qu'elles le veulent (et paient ce droit très cher), mais *on ne peut jamais leur répondre.* »

1. APC : marque de prêt-à-porter branchée.
2. *Vogue* : célèbre magazine de mode américain diffusé dans le monde entier.
3. un sacerdoce : une mission.
4. un panel : groupe de personnes, représentatif d'une population, que l'on interroge périodiquement sur leurs opinions ou comportements.
5. *sneak preview* : avant-première.
6. un VRP : un représentant de commerce.
7. retors : malin, rusé.

1. Observez la couverture du roman (doc. 1). Dites ce que vous évoque le titre. Faites des hypothèses sur le thème du roman ainsi que l'époque à laquelle il a été écrit.

2. Par deux. Lisez le premier extrait du roman (doc. 1).
a. Qui est le narrateur et à qui s'adresse-t-il ? Commentez la manière dont il se présente.
b. Quelle logique de la publicité et de la consommation met-il en évidence ?

3. Par deux. Relisez le premier extrait du roman (doc. 1).
a. Dites comment le narrateur souligne le caractère artificiel du monde idéal vendu par la publicité.
b. Relevez par quels moyens il provoque constamment le lecteur (termes familiers, anglicisme, cynisme...).

▸ p. 113, n° 4

4. Par deux. Lisez le deuxième extrait du roman (doc. 1).

a. Qu'est-ce qui le différencie du premier extrait ?

b. Que dénonce le narrateur ?

5. Par deux. Relisez le deuxième extrait du roman (doc. 1).

a. Quelles sont, selon le narrateur, les conséquences néfastes du marketing ?

b. Qu'est-ce qui rend les marques inattaquables dans les médias ? Justifiez. ► p. 112, n° 2 et 3

En petits groupes. Échangez. Que pensez-vous de l'omniprésence de la publicité ? Êtes-vous plutôt en accord ou en désaccord avec le narrateur (doc. 1) ? Pourquoi ? Pensez-vous que des solutions existent pour combattre ce phénomène ? Si oui, lesquelles ? Partagez avec la classe.

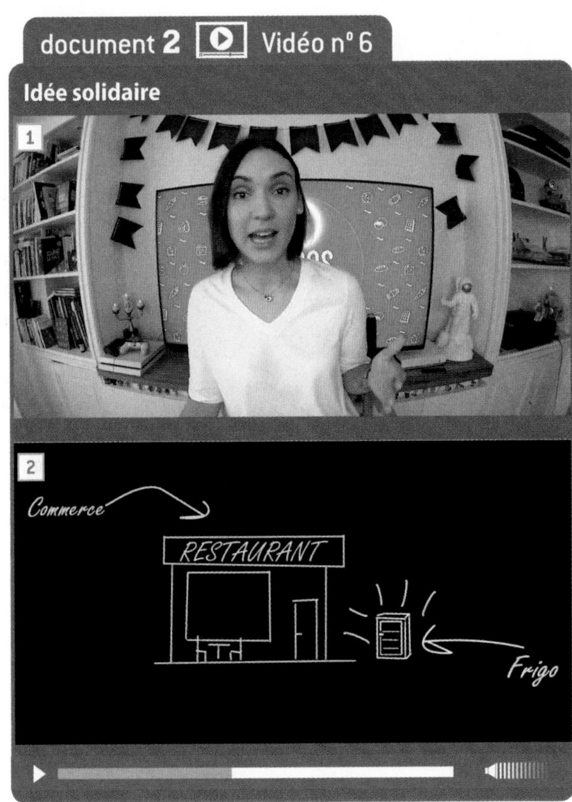

7. Observez ces images extraites d'une vidéo postée sur YouTube (doc. 2). Faites des hypothèses sur l'identité de la personne à l'écran et le thème de la vidéo.

8. En petits groupes. Regardez la première partie de la vidéo jusqu'à 0'46" (doc. 2).

a. Vérifiez vos hypothèses. Légendez l'image 2.

b. Comment Natoo a-t-elle découvert le projet ?

c. Relevez les deux avantages du frigo solidaire cités par la journaliste de la radio.

9. Par deux.

a. Regardez la deuxième partie de la vidéo jusqu'à 1'19" (doc. 2), sans le son. Faites des hypothèses sur l'explication de Dounia.

b. Regardez à nouveau la deuxième partie de la vidéo jusqu'à 1'19", avec le son. Vérifiez vos hypothèses.

10. Par deux.

a. Regardez la troisième partie de la vidéo (doc. 2).

1. Listez les produits achetés par Baptiste et Natoo. Expliquez pourquoi ils les choisissent.
2. À quelle loi mentionnée dans l'extrait littéraire (doc. 1) Natoo fait-elle allusion ?

b. Pour quelle raison les youtubeurs se rendent-ils au Bar commun ?

c. Résumez les avantages du frigo solidaire selon Natoo. ► p. 113, n° 5

11. Nous réagissons à une vidéo.

En petits groupes.

a. **Rendez-vous sur la page YouTube de Natoo.**

b. **Prenez connaissance des commentaires des internautes.**

Exemple :

W Il y a 10 heures

L'idée est incroyable, c'est vrai ! Malheureusement, comme l'ont souligné beaucoup de gens dans les commentaires, trop de problèmes se posent… Quelqu'un peut empoisonner la nourriture, des abrutis peuvent prendre de la nourriture alors qu'ils n'en ont pas besoin, les SDF risquent de se battre pour la nourriture. C'est un projet qu'il faut concrétiser parce qu'il est vital que nous nous aidions les uns les autres, mais il faut vraiment penser à tous les aspects du concept, quitte à créer de nouveaux métiers liés à ces frigos solidaires car il faudrait que quelqu'un les surveille, les gère, etc.

c. **À votre tour, rédigez un commentaire sur la vidéo. Expliquez pourquoi vous trouvez la solution proposée pertinente ou pas, ce qui vous plaît / déplaît dans le concept. Proposez d'autres solutions pour lutter contre le gaspillage alimentaire et aider les plus démunis.**

d. **Partagez avec la classe et mettez-vous d'accord sur un commentaire unique. Postez le commentaire de la classe.**

Grammaire

Les adjectifs et les pronoms indéfinis pour préciser une identité ou une quantité p. 178 et p. 199

1. Par deux.

a. Lisez ces extraits du document 1 p. 108. Associez chaque adjectif ou pronom indéfini souligné à ce qu'il exprime.

1. On était peut-être un autre type d'humains.
2. Certains lanceurs d'alerte ont dénoncé des médicaments.
3. Tous les hommes et toutes les femmes disent la même chose.
4. Ça concerne chaque citoyen.
5. Chacun d'entre nous peut être lanceur d'alerte.
6. Vous êtes tous dans un état un peu difficile.
7. Qui est protégé ? Personne.

- totalité
- quantité imprécise
- similitude
- différence
- quantité nulle

b. Lisez les énoncés suivants. Associez chaque adjectif ou pronom indéfini souligné à ce qu'il exprime.

1. La plupart sont de simples citoyens.
2. Plusieurs d'entre eux s'intéressent aux scandales médicaux.
3. Aucun lanceur d'alerte ne se considère comme un héros.

- quantité imprécise
- quantité nulle
- majorité

L'accord du participe passé avec le COD placé avant le verbe p. 179 et p. 204

2. Observez ces extraits du document 1 p. 110.

1. Quand vous réussirez à vous payer **la bagnole** de vos rêves, celle que j'ai shootée dans ma dernière campagne, je l'aurai déjà démodée.
2. **Votre souffrance** dope le commerce. Dans notre jargon, on l'a baptisée « la déception post-achat ».

a. Lisez la règle.

Aux temps composés (passé composé, plus-que-parfait, futur antérieur...), le participe passé employé avec le verbe *avoir* s'accorde avec le complément d'objet direct si ce dernier est placé avant le verbe.

b. Par deux. Proposez deux énoncés personnels liés au thème de la publicité.
Exemple : Ces vêtements, *je les ai achetés parce que j'ai vu beaucoup de publicités pour la marque à la télévision.*

Mots et expressions

Les locutions et verbes prépositionnels pour parler d'une action p. 179

3. Par deux.

a. Observez les verbes suivants. Dites s'ils sont suivis de la préposition *à* ou de la préposition *de*.
aider • aboutir • droguer • empêcher • participer • permettre • réagir • réussir • risquer • sensibiliser • viser • veiller

b. Retrouvez ces verbes dans le document 2 page 109 et le document 1 p. 110. Puis réemployez-les dans des énoncés personnels.

Parler de la publicité

p. 180

4. **En petits groupes. Lisez ces termes extraits du document 1 p. 110. Complétez le champ lexical de la publicité avec d'autres termes que vous connaissez. Faites des recherches si nécessaire.**
un(e) publicitaire • une campagne (de publicité) • une nouveauté • un sondage • un test • un annonceur • une marque • l'audimat (*m.*) • le marketing • un produit • consommer

Parler de la solidarité

p. 180

5. a. **Observez le nuage de mots (doc. 2 p. 109 et doc. 2 p. 111).**

la solidarité la participation citoyenne
l'exclusion l'urgence
le lien social les plus démunis
s'engager le besoin
un projet un(e) bénévole
les sans-abri aider l'espoir
se mobiliser
un combat une action
les SDF
une prise de conscience
lutter contre impliquer
partager sensibiliser fédérer
une association la soupe populaire
une structure d'hébergement

b. **En petits groupes. Employez cinq ou six de ces termes dans des énoncés liés au thème de la solidarité. Partagez avec la classe.**

Phonétique

p. 180

Les liaisons

6. a. **Par deux. Prononcez les deux extraits suivants du document 2 p. 109 et dites si vous faites la liaison aux endroits indiqués.**
1. Nuit de la Solidarité : les besoin**s i**dentifié**s e**t de**s a**nnonces concrètes.
2. Les premiers résultats de la Nuit de la Solidarité on**t é**té présentés.

b. 61 **Écoutez pour vérifier (lectures a et b). Identifiez les trois possibilités concernant la liaison.**

c. 62 **Écoutez ces autres extraits et dites si vous entendez une liaison aux endroits indiqués. Parmi les liaisons réalisées, dites si la liaison est obligatoire ou facultative. Trouvez les deux items où la liaison est interdite.**
1. Elle est trè**s im**portante car nou**s a**vons besoin d'avoir des données claires.
2. Je sui**s en** charge du développement de « Lulu dans ma rue ».
3. C'est toujour**s in**téressant d'apprendre.
4. Plus de 1 500 personne**s on**t répondu présentes.
5. Beaucoup de choses se passen**t à** Paris.

Argumenter à l'écrit

La « révolution verte* » et la mondialisation n'ont pas tenu leurs promesses. Toutes les deux sont des idéologies qui ne tiennent pas compte de la réalité et de sa complexité. Ainsi, le modèle de la révolution verte a rendu l'agriculture polluante, destructrice de l'environnement, productrice de malbouffe et, de plus, incapable d'assurer la sécurité alimentaire de la France et la survie économique de ses agriculteurs. Le modèle de la mondialisation a, par ailleurs, créé une inégalité insupportable entre les mégalopoles qui s'enrichissent et les campagnes qui se désertifient et s'appauvrissent.
Les citoyens français protestent maintenant contre ce modèle absurde et demandent à l'agriculture d'évoluer en devenant durable, en produisant des aliments de qualité et en assurant leur sécurité alimentaire. Les paysans, eux, demandent simplement à pouvoir vivre dignement de leur métier. Les politiques ont abandonné depuis trop longtemps le développement agricole à l'agro-industrie, qui produit de la nourriture médiocre et à bas prix pour nourrir le plus grand nombre et garantir ainsi une paix sociale.
Présenter l'agriculture durable comme une solution pour cette France qui maltraite son agriculture et son industrie, en important sa nourriture et ses produits manufacturés de pays à bas salaires, peut paraître totalement irréaliste. Pourtant, à bien y réfléchir, l'agriculture durable a deux atouts fondamentaux que l'humanité, hypnotisée qu'elle est par les hautes technologies, a totalement oubliés : premièrement, nous pouvons nous passer de bien industriels, mais pas de nourriture. Deuxièmement, l'agriculture est la seule source durable de richesse des nations.

D'après *Manifeste pour une agriculture durable*, Lydia et Claude Bourguignon, Actes Sud, 2017.

* la révolution verte : politique de transformation de l'agriculture fondée principalement sur l'intensification par l'utilisation de variétés de céréales à hauts rendements, d'engrais, de pesticides et d'irrigation.

1. En petits groupes. Lisez cet extrait de l'essai *Manifeste pour une agriculture durable*.

a. Identifiez :
– l'idée défendue au début de l'extrait ;
– les principaux arguments qui soutiennent cette idée ;
– la solution proposée par les auteurs et les arguments correspondants.

b. Relevez les connecteurs utilisés pour structurer l'argumentation.

Idées	Arguments développés	Connecteurs
1. La révolution verte est une idéologie dépassée.	– Elle a rendu l'agriculture polluante et destructrice de l'environnement. – … – …	… *de plus*
2. …	…	*par ailleurs*
3. Conséquence / solution proposée : …	L'agriculture durable est une solution réaliste parce que : – … – …	*pourtant* … …

2. Par deux. Lisez la fiche conseils ci-dessous.

QUELQUES CONSEILS POUR RÉUSSIR UN ÉCRIT ARGUMENTÉ

1. Poser le cadre de la situation de communication.
> Déterminer à quel titre on intervient ou au nom de qui on parle.
> Déterminer à qui on s'adresse.
> Poser la problématique.

2. Construire l'argumentation.
> Bien définir la ou les idées défendues.
> Organiser les arguments selon un ordre logique. Les illustrer si possible à l'aide d'exemples.
> Prévoir les contre-arguments que les lecteurs pourraient opposer afin de démontrer qu'ils ne sont pas valables.

3. Ne pas oublier :
> d'introduire le propos ;
> de structurer le texte à l'aide de connecteurs (*en effet, de plus, pourtant…*) ;
> de conclure ;
> de relire soigneusement le texte.

3. Choisissez une cause liée à l'écologie que vous souhaitez défendre.
Exemple : *interdire la pêche à la baleine.*

a. Rédigez une argumentation pour justifier votre point de vue et exposer les actions à mener (250 mots environ).

b. Partagez avec la classe. La classe évalue les argumentations à l'aide de la fiche conseils.

Projet de classe

Nous rédigeons le recueil des propositions de la classe pour agir au quotidien.

https://wearereadynow.net/agirauquotidien/

AGIR AU QUOTIDIEN

**TU TROUVES QUE PERSONNE NE BOUGE ET QUE LES GOUVERNEMENTS N'AVANCENT PAS ?
IL NE TE RESTE PLUS QU'À T'Y METTRE AVEC NOUS TOUS !**

1

On s'est tous demandé un jour si agir à son niveau avait un impact. 90 jours est une application qui te propose des défis écologiques quotidiens et qui t'indique pour chaque défi le nombre de kilos de CO_2 évités et de litres d'eau économisés par an. Plus de 100 000 personnes ont déjà adopté cette appli ☺

2

Le guide des meilleures adresses pour consommer responsable et facilement près de chez toi. Construire le monde dont nous rêvons et permettre à chacun de devenir un véritable acteur du changement tout en s'amusant ! Mêler l'utile à l'agréable, profiter, consommer et sortir en soutenant l'innovation sociale : c'est possible !

3

Stig est une application mobile gratuite de partage d'idées, dédiée à la politique locale et nationale. Chaque utilisateur peut y déposer des propositions qui seront votées et améliorées par les autres membres. L'objectif de Stig est de fournir aux Français un moyen d'influencer et d'aider les élus dans leurs actions.

4

Un tour du monde de 400 jours à la rencontre des acteurs de l'alimentation durable. Production, restauration, valorisation des déchets. Je souhaite sensibiliser le grand public au cycle de l'alimentation durable : je produis, je mange, je valorise mes déchets qui redeviennent engrais naturel. Embarque avec moi !

1. **Observez la page Internet. Quel est son objectif ?**

2. **Par deux. Lisez les quatre descriptifs d'actions à mener. Associez chaque commentaire d'internaute ci-dessous au descriptif correspondant.**

a. Partager des idées citoyennes et voter pour celles qu'on aime, c'est vraiment motivant.
b. Lutter contre la surconsommation en s'amusant, moi, ça me fait rêver !
c. Bienvenue dans le monde de l'alimentation durable ! Aller voir ailleurs pour de bonnes raisons, c'est top !
d. Relever un défi « écoresponsable » grâce à une application ludique, c'est parfait.

3. **En petits groupes. Choisissez une cause qui vous tient à cœur et pour laquelle vous souhaiteriez vous engager au quotidien.**

a. Rédigez un texte pour proposer des solutions et convaincre la classe de s'impliquer pour votre cause (entre 200 et 250 mots). N'oubliez pas :
– de poser le cadre de la situation de communication ;
– de construire soigneusement votre argumentation ;
– d'organiser vos idées selon un ordre logique ;
– de soigner la rédaction et de bien vous relire.

b. Illustrez votre texte avec des réalisations que vous connaissez, de votre pays ou d'ailleurs.

c. Pour aller plus loin : proposez deux sites Internet en français qui soutiennent votre cause.

4. **Partagez avec la classe. Réalisez le recueil des propositions de la classe pour agir au quotidien.**

Projet ouvert sur le monde

▶ GP

Nous concevons un projet original au service de la communauté.

Compréhension des écrits / texte informatif

Lisez l'article puis répondez aux questions.

UN JARDIN PARTAGÉ CRÉE DU LIEN EN PLEIN PARIS

Ils sont venus nombreux d'un quartier du 9e arrondissement de Paris, pour fêter l'inauguration officielle du jardin partagé L'Accueillette. Une visiteuse, la soixantaine, qui a entendu parler de l'événement dans le bulletin municipal, découvre le lieu pour la première fois mais hésite, pour sa part, à adhérer : « *Je ne sais pas si j'aurai le temps de venir régulièrement* ». D'autres ne peuvent plus se passer des rendez-vous du dimanche après-midi où ils se retrouvent pour arroser les plantes, planter des tomates, mais aussi pour déguster les produits du jardin potager et repartir avec quelques fruits et légumes bio pour leur consommation personnelle.

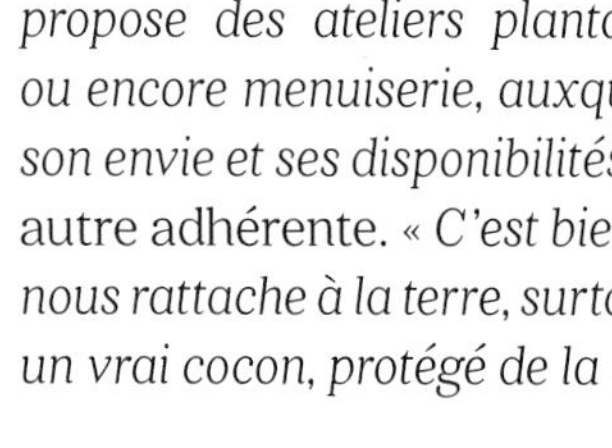

Jeunes et moins jeunes, jardiniers expérimentés ou amateurs : les habitants du quartier qui vont à L'Accueillette ont des profils variés. Et c'est précisément ce qui fait la richesse de ce lieu. « *Il y a beaucoup de familles avec enfants, mais aussi des mamies qui expliquent aux plus jeunes les différents types de fruits et légumes. Cela crée du lien intergénérationnel* », témoigne Laurent Marcoz, président de l'association.

Et dans cet arrondissement qui ne dispose que de quelques squares, les habitants aiment la verdure. « *Même cet été, nous avons trouvé sans problème des volontaires pour venir arroser tous les jours* », témoigne Francesca, secrétaire générale. Car « *l'association propose des ateliers plantation, arrosage, entretien ou encore menuiserie, auxquels chacun s'inscrit selon son envie et ses disponibilités* », explique Marina, une autre adhérente. « *C'est bien de faire connaître ce qui nous rattache à la terre, surtout dans cet endroit qui est un vrai cocon, protégé de la vie urbaine, du bruit et du vent* », considère pour sa part Sylvie, trésorière.

Mais l'ouverture de ce jardin potager s'est faite au prix d'un véritable parcours du combattant. À l'origine, il s'agissait d'un terrain à l'abandon pour lequel il existait un projet de terrain de squash. C'est alors qu'un groupe de bénévoles a eu l'idée d'en faire un jardin potager et s'est battu pour. Soutenus par les parents d'élèves d'une école maternelle voisine, ils ont proposé l'idée qui a été approuvée avec 1 100 votes, en tête de toutes les propositions !

Grâce à un permis délivré par la mairie, le jardin a finalement pris forme. La plupart de ce qui y pousse vient du compost. « *Tu vois, les tomates qui ont poussé viennent peut-être des graines des tomates que nous avons jetées il y a quelques mois dans le bac* », explique ainsi à sa fille Silvère, qui vient de s'équiper d'un bac individuel qu'il vide chaque semaine sur place. « *Et du coup, le volume de ma poubelle a considérablement baissé* », se réjouit-il.

La vocation éducative de L'Accueillette est indéniable. Les établissements scolaires du quartier ne s'y sont pas trompés qui, des crèches aux collèges, fréquentent le lieu régulièrement avec les plus jeunes. Et ces derniers n'ont pas fini d'apprendre des choses, de nombreux projets étant encore en cours, comme la récupération de l'eau de pluie provenant d'une toiture voisine ou la construction d'une serre. Grâce à la bonne volonté des uns et des autres et à la récupération du compost, l'association tourne pour l'instant avec les seuls droits d'adhésion de ses membres, soit un budget de 1 200 euros par an.

D'après lefigaro.fr

1. À quelle occasion cet article a-t-il été écrit ?

2. Que font les habitués de L'Accueillette lorsqu'ils se retrouvent au sein de l'association ? *(Plusieurs réponses possibles, 3 réponses attendues)*

3. Selon l'article, les personnes qui fréquentent L'Accueillette se caractérisent par…

a. leur diversité.
b. leur jeunesse.
c. leur engagement.

4. Vrai ou faux ? Choisissez la bonne réponse et recopiez la phrase ou la partie du texte qui justifie votre réponse.

a. L'association L'Accueillette rencontre des difficultés pour entretenir son jardin pendant certaines périodes de l'année.
☐ Vrai
☐ Faux
Justification : …

b. Les activités proposées aux adhérents de L'Accueillette ne sont pas obligatoires.
☐ Vrai
☐ Faux
Justification : …

5. Pour Sylvie, la trésorière, l'association L'Accueillette permet avant tout…

a. d'être en contact avec la nature.
b. d'avoir une alimentation équilibrée.
c. de rapprocher différentes générations.

6. Vrai ou faux ? Choisissez la bonne réponse et recopiez la phrase ou la partie du texte qui justifie votre réponse.

Les membres fondateurs de l'association ont eu des difficultés à concrétiser leur idée de jardin partagé.
☐ Vrai
☐ Faux
Justification : …

7. Grâce à l'association L'Accueillette, Silvère…

a. passe du temps avec sa fille.
b. donne des cours de jardinage.
c. recycle une partie de ses déchets.

8. Quels nouveaux projets l'association L'Accueillette va-t-elle bientôt faire découvrir aux enfants ?

9. Vrai ou faux ? Choisissez la bonne réponse et recopiez la phrase ou la partie du texte qui justifie votre réponse.

L'association L'Accueillette fonctionne essentiellement grâce aux financements de la mairie.
☐ Vrai
☐ Faux
Justification : …

DOSSIER 7

Nous agissons au travail

ET
EN PLUS,
JE PARLE
FRANÇAIS !
MOHAMEDIN
Ingénieur
dans l'industrie pétrolière

Le français facilite l'accès aux carrières de l'industrie

Cours de français (particuliers ou collectifs)
Cours en entreprises et dans les administrations
Préparation aux diplômes DELF et DALF
Renseignements : 01 83 79 80 36
cours.ifkhartoum@gmail.com
Facebook : Institut français de Khartoum Soudan

www.institutfrancais.com

1

a. Observez ces deux affiches de la campagne « Et en plus, je parle français ! ».

1. À votre avis, quelle image de la langue française l'Institut français souhaite-t-il transmettre ? Quel message veut-il faire passer ? Pourquoi et comment ?
2. Que pensez-vous de cette campagne de promotion du français ?

b. En petits groupes. Imaginez, pour la campagne de l'Institut français, une affiche mettant en scène un(e) francophone de votre pays. Qui choisiriez-vous ? Quel secteur professionnel ? Quel métier ? Partagez avec la classe.

c. En petits groupes. Échangez. Quels « plus » représente le français pour vous, sur le plan personnel et professionnel ?

Ce nouveau logiciel va révolutionner la gestion des RH[1] dans l'entreprise.

Il permet d'analyser les profils en interne pour pouvoir faire évoluer les salariés, même de façon transversale...

... et ainsi éviter les recrutements extérieurs systématiques qui sont onéreux[2].

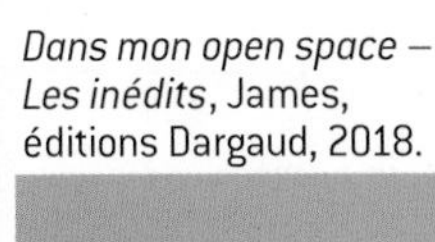
Dans mon open space – Les inédits, James, éditions Dargaud, 2018.

Un contrôleur de gestion peut très bien évoluer en chef de produit...
... et si je tape DRH[3] comme poste à pourvoir, par exemple...

J'obtiens 25 profils en interne qui collent à votre poste !

Merci, mais nous allons nous passer de vos services...
James

1. RH : ressources humaines.
2. onéreux : coûteux.
3. DRH : directeur des ressources humaines.

2 En petits groupes.

a. Lisez la planche de bande dessinée. À quoi sert le logiciel présenté par le personnage de droite ? Quelle est la réaction du personnage de gauche ? Pourquoi ?

b. Relisez la planche. À votre avis, quelle évolution des ressources humaines cette scène illustre-t-elle ?

c. Quels sont les différents modes de recrutement des entreprises dans votre pays (recrutement en interne, par annonce…) ? Selon vous, quelles sont les compétences requises pour un DRH ? Échangez.

PROJETS

Un projet de classe

Réaliser l'interview d'une personne qui travaille en français dans notre pays.

Et un projet ouvert sur le monde

Réaliser une enquête sur les entreprises de notre pays qui valorisent la pratique du français dans le recrutement.

Pour réaliser ces projets, nous allons :

- comparer des pratiques professionnelles
- présenter des parcours et expliquer des choix de vie
- identifier et décrire des compétences professionnelles
- communiquer en contexte professionnel
- comprendre un métier et un environnement professionnel
- exprimer un point de vue argumenté sur une question liée au travail

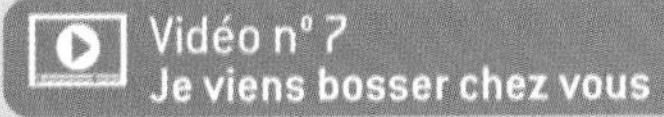
Vidéo n° 7
Je viens bosser chez vous

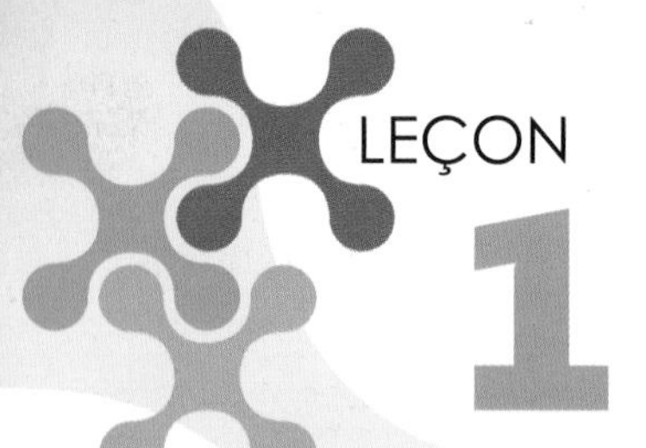

- Comparer des pratiques professionnelles ▸ Doc. 1
- Présenter des parcours et expliquer des choix de vie ▸ Doc. 2

1 Cultures professionnelles

document 1

Originaire du Midwest, aux États-Unis, mariée à un Français, Erin Meyer est professeure en comportement organisationnel[1], spécialisée en management interculturel, à l'Institut européen d'administration des affaires de Fontainebleau. Cela fait plus de quinze ans qu'elle étudie les effets des différences culturelles sur la performance et le succès des entreprises. Donc, quand on lui demande ce qui distingue les Français des Américains, celle qui habite l'Hexagone depuis 2001 avoue ne pas savoir par où commencer, « tant il y a de choses à dire »...

Harvard Business Review : En termes de management, comment s'exprime cette différence culturelle ?

Erin Meyer : C'est particulièrement frappant lors des feed-back[2] négatifs et positifs. En France, lorsqu'on n'est pas d'accord avec quelqu'un ou que l'on n'est pas satisfait de son travail, on va plutôt le dire avec un « intensificateur », comme *totalement, complètement, pas du tout*... : « Cela ne va pas du tout marcher. » Alors qu'un Américain va commencer par des commentaires positifs – aux États-Unis, on apprend qu'il faut trois remarques positives pour une remarque négative – et, lorsqu'il abordera la source du mécontentement, il utilisera au contraire des atténuateurs, qui minimiseront sa désapprobation, pour rendre la critique moins abrupte : « Tu pourrais "peut-être", "éventuellement" faire différemment... » Un salarié français pensera que son manager américain est globalement content, même s'il y a un léger point à améliorer, alors qu'il y a de fortes chances pour que ce dernier ne soit pas satisfait de son travail. Quand il le découvrira, il sera surpris et lui reprochera d'avoir une attitude pas très authentique. Ce qui, en réalité, n'est pas le cas. Les Américains ne mentent pas, ils pensent sincèrement les choses positives qu'ils disent – et qu'ils développent en général de manière précise et détaillée – mais, pour eux, l'essentiel du message n'est pas là. C'est ce qui suit, la remarque négative, qui est importante. En cas de feed-back positif, on assiste au phénomène inverse. Les managers français, s'ils sont contents, ne le disent pas – ils se plaignent seulement lorsque ça ne va pas. D'ailleurs, pour un Français, ne pas avoir de feed-back de son supérieur signifie souvent que tout va bien. Les Américains, eux, vont avoir tendance à exprimer le positif de manière intensifiée. C'est le pays où l'on fait le plus de feed-back positifs. On y utilise en permanence des termes comme *amazing*[3], *wonderful*[4]. Alors qu'en France, si un patron dit : « Ton travail est fantastique », c'est très fort. Pour un Américain, quand quelque chose est positif, il faut le dire pour créer un climat de confiance et de bienveillance, ce qui facilitera les choses le jour où il faudra faire passer un message négatif. Dans ce contexte, le plus difficile pour un Américain sera de n'avoir jamais de remarques positives de son manager français : il aura l'impression que son travail n'est pas reconnu à sa juste valeur.

D'où cela vient-il ?

En partie du système scolaire. Aux États-Unis, dès le plus jeune âge, la maîtresse écrit sur le devoir d'un enfant : « *Fantastic work!*[5] » ; et si le travail n'est pas à la hauteur : « *You're almost there!* Tu y es presque ! » Alors qu'en France, elle n'hésitera pas à inscrire : « Pas satisfaisant. » Comment peut-on dire à un enfant que son travail n'est « pas satisfaisant » ?

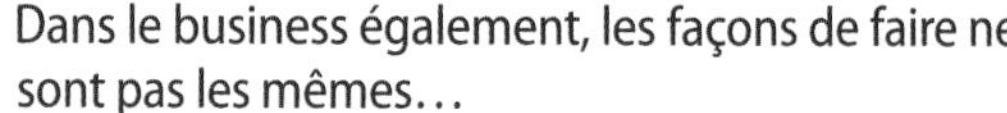

Dans le business également, les façons de faire ne sont pas les mêmes...

Les Américains marquent une distinction nette entre la confiance cognitive et la confiance affective. La culture américaine a toujours séparé l'émotionnel du pratique, car le mélange des deux risque de créer un conflit d'intérêts et n'est pas considéré comme très professionnel. C'est pourquoi les Américains gardent une certaine distance, en toutes circonstances. Si je suis stressée ou si quelque chose ne va pas, je n'en parle pas dans le cadre du travail. Pour les Américains, consacrer une heure à déjeuner et à discuter, comme les Français aiment le faire, c'est perdre du temps. Ils préfèrent manger devant leur ordinateur. À l'inverse, les managers français combinent confiance cognitive et affective, c'est pourquoi ils sont plus susceptibles de développer des liens personnels dans leurs relations de business. Pour un Français, avoir une relation privilégiée avec quelqu'un signifie que celui-ci va traiter ses e-mails ou ses demandes en priorité. Les Américains, eux, traitent leurs e-mails par ordre d'arrivée ou par sujet d'importance. Il n'y a pas de favoritisme. Ils ne comprennent pas qu'il faille déjeuner avec quelqu'un pour établir de bonnes relations. Ils sont bien plus pragmatiques.

Propos recueillis par Caroline Montaigne.

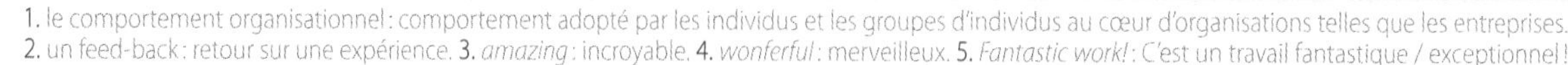

1. le comportement organisationnel : comportement adopté par les individus et les groupes d'individus au cœur d'organisations telles que les entreprises. 2. un feed-back : retour sur une expérience. 3. *amazing* : incroyable. 4. *wonferful* : merveilleux. 5. *Fantastic work!* : C'est un travail fantastique / exceptionnel !

1. Lisez le chapeau de l'interview (doc. 1). Repérez les informations personnelles et professionnelles données sur Erin Meyer.

2. Par deux. Lisez la première question de l'interview et la réponse d'Erin Meyer (doc. 1).

a. Selon Erin Meyer, dans quelle situation les différences culturelles au travail entre Français et Américains s'expriment-elles clairement ? Pourquoi ?

b. Relevez ce qui caractérise chaque style de management dans ce type de situation.

3. Par deux. Relisez la première question et la réponse d'Erin Meyer (doc. 1). Comment ces différences de management sont-elles ressenties et/ou interprétées par les salariés de chacun des deux pays ?

4. En petits groupes. Échangez. Quel style de management vous conviendrait le mieux en tant que salarié(e) ? Et en tant que manager ? Pour quelles raisons ?

5. Par deux. Lisez la deuxième question de l'interview et la réponse d'Erin Meyer (doc. 1).

a. Selon Erin Meyer, quelle est l'origine de ces différences culturelles ? Pourquoi ?

b. Que pense-t-elle de l'évaluation « à la française » ?

6. Par deux. Lisez la troisième question de l'interview et la réponse d'Erin Meyer (doc. 1).

a. Relevez pourquoi, selon Erin Meyer, « les Américains gardent une certaine distance, en toutes circonstances », puis reformulez ses explications.

b. Expliquez en quoi l'approche des managers français diffère de celle des managers américains. Précisez comment se manifestent ces différences culturelles au quotidien.

► p. 125, n° 2

En petits groupes. Comparez le management à la française avec celui de votre pays.

a. Dans votre pays, comment exprime-t-on un désaccord ou un reproche dans un contexte professionnel ? Utilise-t-on plutôt des « intensificateurs » ou des « atténuateurs » ? Donnez des exemples.

b. Sépare-t-on l'émotionnel du pratique au travail ? Comment cela se manifeste-t-il dans une journée de travail ? Donnez des exemples concrets.

document 2 63 à 65

Sandra Reinflet, née en 1981.

8. 63 Écoutez la première partie de la conférence de Sandra Reinflet (doc. 2).

a. Dites comment Sandra Reinflet débute son intervention.

b. Justifiez le choix du titre de sa conférence : *Réalisez vos rêves d'enfants.*

9. 63 Par deux. Réécoutez la première partie de la conférence (doc. 2).

a. Repérez les principaux événements du parcours scolaire et professionnel de Sandra Reinflet.

b. A-t-elle suivi les conseils de ses parents ? Du conseiller d'orientation ?

c. Expliquez quel impact a eu son accident de voiture sur son parcours.

10. 64 Par deux. Écoutez la deuxième partie de la conférence (doc. 2).

a. Selon Sandra Reinflet, pourquoi est-ce important de concrétiser ses rêves ?

b. Quelle différence culturelle entre Américains et Français souligne-t-elle ? Comment s'illustre en pratique cette différence culturelle ?

11. 65 Par deux. Écoutez la troisième partie de la conférence (doc. 2).

a. Qu'est-ce que le projet « 81 femmes » ?

b. Quel est son lien avec le message que veut transmettre Sandra Reinflet ?

► p. 124, n° 1

À NOUS !

12. Nous présentons le parcours d'une personne de notre entourage.

Seul(e).

a. Choisissez une personne de votre entourage qui a, selon vous, un parcours exceptionnel et/ou qui a réussi à réaliser un rêve (si possible en lien avec l'étranger).

b. Demandez-lui de vous parler de son parcours, de son expérience et de la manière dont elle est parvenue à concrétiser son projet. Abordez éventuellement la question des différences culturelles. Prenez des notes ou enregistrez son témoignage.

c. Préparez la restitution du témoignage à l'écrit.

En groupe.

d. Présentez vos témoignages à la classe.

e. Créez le recueil des témoignages de la classe et publiez-le sur le mur de la classe.

2 Savoir-faire, savoir être

document 1  66 à 68

La web radio de l'emploi et de l'évolution professionnelle

EMPLOI | SE FORMER | CRÉER UNE ENTREPRISE | INTERNATIONAL

1. 66 **Écoutez la première partie de l'interview (doc. 1).**

a. Dites qui est l'invité du jour.

b. Relevez un maximum d'informations sur l'entreprise AssessFirst.

c. Quelle définition des compétences comportementales (ou *soft skills*) David Bernard propose-t-il ?

2. 66 **Par deux. Réécoutez la première partie de l'interview (doc. 1).**

a. Identifiez le bouleversement technologique dont parle David Bernard.

b. Comment AssessFirst a-t-elle profité de ce bouleversement pour évoluer ?

c. Quel est l'intérêt de ces tests pour les chercheurs d'emploi et les chefs d'entreprise ?

3. 67 **Par deux. Écoutez la deuxième partie de l'interview (doc. 1).**

a. Identifiez les trois aspects à prendre en compte lors du recrutement d'une personne, selon David Bernard.

b. Expliquez le lien entre ces trois aspects et le slogan d'AssessFirst : « Recrutez des personnalités, pas des CV ».

4. 68 **En petits groupes. Écoutez la troisième partie de l'interview (doc. 1).**

a. Associez chaque questionnaire d'AssessFirst à son objectif.

Brain 1. Évaluer les facteurs de motivation.
Drive 2. Faire le point sur la personnalité.
Shape 3. Évaluer les capacités intellectuelles.

b. Choisissez (ou proposez) deux adjectifs pour caractériser les tests de personnalité de la société AssessFirst. Justifiez.

révolutionnaires • inquiétants • intelligents • incohérents • géniaux • inefficaces • dangereux • discriminants • intéressants

5

En petits groupes.

a. **Lisez le top 10 des compétences comportementales les plus recherchées par les employeurs en France.**

1. Capacité à s'organiser et à prioriser les tâches
2. Capacité d'adaptation
3. Autonomie
4. Sens des responsabilités / Fiabilité
5. Savoir travailler en équipe
6. Connaissance et respect des règles
7. Capacité à actualiser ses connaissances
8. Sens de la relation client
9. Capacité d'initiative / Créativité
10. Capacité à travailler sous pression et à gérer le stress

D'après une étude menée par Pôle Emploi.

b. **À votre avis, serait-ce similaire dans votre pays ? Proposez une liste des compétences comportementales recherchées sur le marché du travail dans votre pays.**

c. **Quelles sont les compétences maîtrisées par les membres de votre groupe ? Partagez avec la classe.**

6. Lisez le titre et le sous-titre du billet d'opinion (doc. 2). Identifiez :

a. le nom de l'auteur et sa profession ;
b. l'opinion qu'il va défendre.

7. Par deux. Lisez l'introduction du billet (doc. 2).

a. Proposez une définition pour « profil atypique ».

b. Retrouvez :
1. le profil type recherché par les recruteurs ;
2. la raison pour laquelle ils optent pour ce profil.

c. Expliquez en quoi, selon l'auteur, la société contribue à privilégier ces profils. Partagez-vous son opinion ? Échangez.

8. Par deux. Lisez la deuxième partie du billet (doc. 2).

a. Listez les compétences comportementales des profils atypiques.

b. Comparez-les avec le top 10 des compétences comportementales les plus recherchées par les employeurs en France (act. 5). Que remarquez-vous ?

document 2

https://www.lesechos.fr/idees-debats/cercle/cercle-188781-les-profils-atypiques-sont-une-chance-pour-les-entreprises-2222034.php

Les Echos.fr

POLITIQUE | ÉCONOMIE | BOURSE | MONDE | TECH-MÉDIAS | INDUSTRIE-SERVICES | FINANCE - MARCHÉS | RÉGIONS | IDÉES | I.A. | VIDÉOS | START-UP | EXECUTIVES | PATRIMOINE | WEEK-END

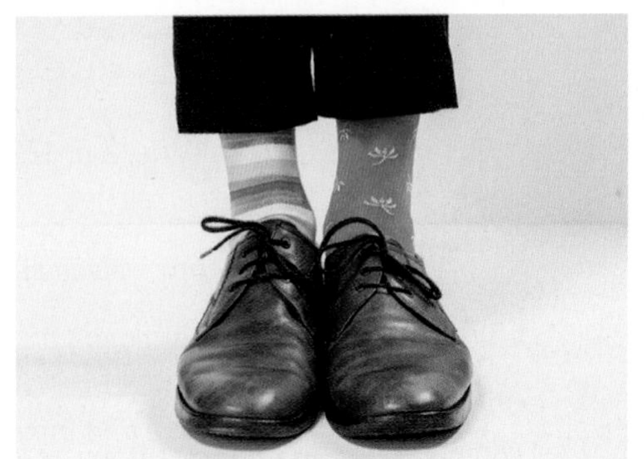

Les profils atypiques sont une chance pour les entreprises

Les actifs ayant suivi un parcours en dehors des clous présentent des avantages que les entreprises ne doivent pas ignorer.

Par Alexandre Pachulski / co-fondateur et directeur produit de Talentsoft[1]

Quand les chemins se font plus sinueux, que les personnes se cherchent, s'adonnent à des activités de différentes natures, au sein de différentes entreprises, en tant que salariés ou en indépendants, les choses se compliquent fortement. Comment justifier son parcours ? Quelle histoire raconter aux recruteurs peu enclins à prendre des risques ? On ne leur reprochera jamais d'avoir embauché un diplômé de grande école n'ayant finalement pas fait l'affaire sur le poste. En revanche, le moindre écart de la part d'un profil atypique sera perçu comme une erreur de recrutement.

Les profils atypiques doutent, culpabilisent même de tâtonner sur leur propre voie. Pourtant, dans la société telle qu'elle est bâtie aujourd'hui, rien ne nous aide à découvrir notre singularité et à aligner qui nous sommes avec ce que nous faisons. L'école nous apprend mille choses, sauf à nous connaître. Le travail ne nous autorise ensuite que très peu d'errances, nous contraignant ainsi à poursuivre la dynamique créée par notre première expérience professionnelle, souvent « subie » plutôt que choisie.

Une capacité d'adaptation plus rapide

Il se pourrait bien que cette errance se transforme en avantage pour les entreprises, tant celles-ci sont confrontées à un rythme d'apparition de nouveaux problèmes, toujours plus complexes, nécessitant un assemblage toujours plus important de compétences diverses et variées.

La force des travailleurs atypiques est de devoir en permanence faire face à des situations auxquelles ils n'ont pas été préparés puisque, par définition, ils n'ont pas suivi la voie classique les préparant aux situations concernées. Ils doivent faire preuve de créativité afin d'élaborer des solutions nouvelles, collaborer pour aller rechercher les connaissances ou compétences manquantes, rapidement développer une expertise sur un sujet donné.

Ne rien savoir pour innover

Comme l'explique un rapport de Dell et de l'Institut pour le futur (*think tank*[2] californien) paru en 2017, « la capacité à acquérir un nouveau savoir vaudra plus que le savoir déjà appris ». Puisque plus personne ne possédera les connaissances nécessaires à un projet donné, tant celles-ci deviendront de plus en plus rapidement obsolètes[3], notamment à cause de l'implantation des technologies exponentielles (intelligence artificielle, robotique, Internet des objets, etc.).

Tout le monde se retrouvera ainsi dans la même situation : devoir apprendre en faisant, conformément au modèle appelé « 70-20-10 »[4]. Pourquoi ne pas prendre un peu d'avance et accepter ce qui constituera dans très peu de temps la norme ? Rappelons-nous également que l'innovation peine à émerger au sein d'un collectif de clones quand, au contraire, elle se nourrit positivement des différences et de la singularité de chacun. Être différent, c'est toujours un peu douloureux, mais c'est la seule façon d'être unique ! Alors autant encourager chacun à l'être.

Amusant d'ailleurs d'imaginer que dans quelques années, une tribune similaire verra le jour pour se faire le porte-voix des personnes qui auront suivi un parcours sans embûche, à qui l'on dira : « Désolé, vous n'avez pas démontré votre capacité à vous singulariser et à faire la différence ».

1. Talentsoft : éditeur d'applications et de logiciels de ressources humaines. 2. un *think tank* : groupe de réflexion. 3. obsolète : démodé, dépassé.
4. le modèle 70-20-10 : 70 % = pratique et expérience (apprentissage informel) ; 20 % = échanges avec l'entourage et les collègues ; 10 % = formation, en « présentiel » ou à distance (apprentissage formel).

9. Par deux. Lisez la troisième partie du billet (doc. 2).

a. Selon l'auteur :
   1. pourquoi les profils atypiques seront-ils probablement très recherchés à l'avenir ?
   2. pour quelles raisons le modèle 70-20-10 va-t-il devenir la norme ?

b. Comment conclut-il son billet ?

► p. 125, n° 3

À NOUS !

10. Nous rédigeons un billet d'opinion sur l'apprentissage informel.

En petits groupes.

a. Relisez les compétences de la classe (act. 5c). À votre avis, quel est le meilleur moyen d'acquérir et/ou de développer ces compétences ? Par un parcours traditionnel et un apprentissage formel ? Un parcours atypique et un apprentissage informel ? Les deux ?

b. Rédigez un billet d'opinion pour expliquer votre point de vue. Illustrez-le avec des exemples concrets.

c. Affichez vos billets dans la classe. Quel est le type d'apprentissage plébiscité par la classe ? Pour quelles raisons ? Échangez.

Grammaire

Le discours indirect pour rapporter des paroles au présent ou au passé

p. 181 et p. 212

1. En petits groupes.

a. Observez le tableau (doc. 2 p. 121). Complétez les paroles rapportées de Sandra Reinflet avec *ce que, de, que* ou *si*.

	Discours direct	→	Discours indirect
Affirmation	*« On se connaît bien. »*	→	*Elle dit … ils se connaissent bien.*
Ordre ou demande	*« Dites-le tous ensemble. »*	→	*Elle leur demande … le dire tous ensemble.*
Question	*« Je peux vous poser une question un peu personnelle ? »*	→	*Elle veut savoir … elle peut leur poser une question un peu personnelle.*
	« Qu'est-ce que vous vouliez faire quand vous étiez petits ? »	→	*Elle leur demande … ils voulaient faire quand ils étaient petits.*

Rappel Quand il y a un mot interrogatif autre que *quoi / que* dans la question (*qui, quand, où, quel(le)*, etc), celui-ci ne change pas.
*« **Quelle** école il faut faire pour être chanteur ? » → Elle demande **quelle** école il faut faire pour être chanteur.*

b. Observez la transformation des verbes en bleu dans le tableau ci-dessous (doc. 2 p. 121). Puis complétez les temps dans le discours indirect au passé.

Discours direct	→	Discours indirect au passé
PRÉSENT *« C'est super, ma chérie. »*	→	… *Ses parents lui répondaient que c'était super.*
FUTUR *« Et puis tu trouveras un vrai métier aussi. »*	→	… *Ils ajoutaient qu'elle trouverait aussi un vrai métier.*
PASSÉ COMPOSÉ *« J'ai failli écouter mes parents. »*	→	… *Elle a dit qu'elle avait failli écouter ses parents.*

! Il n'y a pas de changement avec les autres modes et temps.
*Et puis un jour, on se dit : « J'**aurais pu** être pompier. » → Et puis un jour, on s'est dit qu'on **aurait pu** être pompier.*

c. Observez le tableau ci-dessous. Puis rapportez au passé les propos suivants de Sandra Reinflet.
Ils m'ont dit : « L'année prochaine, si tu veux, tu fais un autre stage chez nous et tu seras chef des vendeurs de déodorants dans le Grand Ouest. »

Modification des expressions de temps dans le discours indirect au passé		
hier	→	*la veille*
demain	→	*le lendemain*
aujourd'hui	→	*ce jour-là*
ce matin	→	*ce matin-là*
prochain(e)	→	*suivant(e)*
dernier (dernière)	→	*précédent(e)*
il y a trois jours	→	*trois jours plus tôt*
dans trois jours	→	*trois jours plus tard*

Mots et expressions

Le registre soutenu

p. 182

2. Par deux.

a. **Relisez ces deux extraits du document 1 p. 120. Par quel mot du registre courant pourriez-vous remplacer « lorsque » ? Et « également » ?**

1. En France, lorsqu'on n'est pas d'accord avec quelqu'un ou que l'on n'est pas satisfait de son travail, on va plutôt le dire avec un « intensificateur ».
2. Dans le business également, les façons de faire ne sont pas les mêmes.

b. **Relisez ces deux extraits du document 1 p. 120. Puis complétez la règle.**

1. C'est le pays où l'on fait le plus de feed-back positifs.
2. En France, lorsqu'on n'est pas d'accord avec quelqu'un ou que l'on n'est pas satisfait de son travail, on va plutôt le dire avec un « intensificateur ».

- On peut ajouter un *l'* devant *on* après *et, ou, où, pourquoi, qui, quoi* et *si*, pour éviter le rapprochement de deux … et faciliter ainsi la prononciation ou la fluidité de la phrase.
- On peut aussi ajouter un *l'* devant *on* et après …, *lorsque, puisque* ou *quoique*.

! La présence du *l'* devant *on* n'est pas obligatoire mais elle est très fréquente dans le registre soutenu.

Décrire des compétences professionnelles

p. 182

3. En petits groupes. Observez ces compétences (doc. 1 et 2 p. 122-123).

la capacité à s'organiser et à prioriser les tâches
le savoir-faire
la capacité d'initiative
les capacités intellectuelles
les compétences techniques
le sens des responsabilités
la capacité à acquérir un nouveau savoir
LES COMPÉTENCES PROFESSIONNELLES ET COMPORTEMENTALES
la fiabilité
la capacité à actualiser ses connaissances
savoir collaborer
la créativité
la capacité d'adaptation
l'autonomie
savoir travailler en équipe
la connaissance et le respect des règles
la capacité à gérer le stress
la capacité à travailler sous pression

a. **Choisissez une profession dans la liste ci-dessous.**
professeur(e) de français langue étrangère • directeur(trice) des ressources humaines • médecin généraliste • développeur(euse) informatique • boulanger(ère)

b. **Identifiez quatre compétences qui vous semblent essentielles pour la profession choisie. Partagez-les avec la classe.**

LEÇON 3 Modes de communication

document 1  69 à 71

Happy boulot : « Cordialement », « Bien à vous », « Belle journée », quelle formule pour conclure vos mails ? – 18/01

1. Observez le document 1.

a. Quel est le thème du jour de la chronique *Happy boulot* ?

b. Selon vous, parmi les trois formules proposées, quelle est la plus adaptée ?

2. 69 **Par deux. Écoutez l'introduction de la chronique (doc. 1).**

a. Résumez l'anecdote racontée par la journaliste.

b. Quel ton cette anecdote donne-t-elle à la chronique ? Quelle problématique soulève-t-elle ?

3. 70 **Par deux. Écoutez la suite de la chronique (doc. 1).**

a. Identifiez les trois critères à prendre en compte pour choisir une formule de politesse à l'écrit.

b. Relevez les formules de politesse citées. Classez-les de la plus formelle à la plus familière.

c. Pour quelle expression Michel opte-t-il finalement ?

4. 71 **Par deux. Réécoutez toute la chronique (doc. 1). Relevez les exagérations de la chroniqueuse qui ont pour but de faire rire.**

Exemple : *Michel pense qu'ils devraient aller pourrir en enfer.*

5 En petits groupes. Échangez. Quelles formules de politesse sont couramment employées dans votre langue pour conclure un mél en contexte professionnel ? Existe-t-il des équivalents en français pour ces formules ? Si oui, lesquels ?

6. Observez la couverture du livre (doc. 2).

a. Identifiez l'idée reçue sur les fonctionnaires évoquée dans le titre et le bandeau.

b. Existe-t-il des idées reçues sur les fonctionnaires dans votre pays ? Si oui, lesquelles ?

c. Par quel adjectif remplaceriez-vous « débordé(e) » pour décrire un(e) fonctionnaire de votre pays ?

7. Par deux. Lisez l'extrait du livre (doc. 2).

a. Identifiez le document administratif qui est au cœur de l'extrait.

b. Complétez le schéma ci-dessous avec la fonction des différents personnages et ce qu'ils doivent faire. Quel problème s'est posé et qui sont les responsables ?

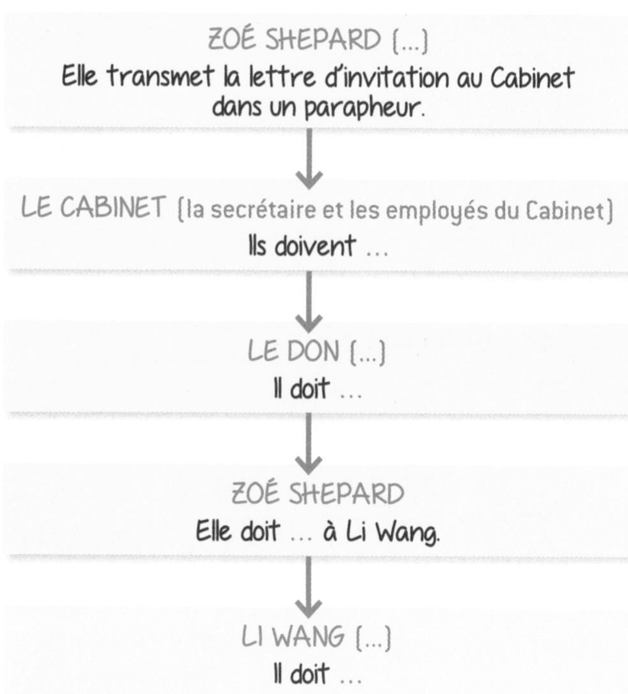

ZOÉ SHEPARD (...)
Elle transmet la lettre d'invitation au Cabinet dans un parapheur.
LE CABINET (la secrétaire et les employés du Cabinet)
Ils doivent ...
LE DON (...)
Il doit ...
ZOÉ SHEPARD
Elle doit ... à Li Wang.
LI WANG (...)
Il doit ...

8. Par deux. Relisez l'extrait (doc. 2).

a. Pourquoi Zoé Shepard abandonne-t-elle l'option A ?

b. En quoi consiste le plan B ? Que pensez-vous de la solution trouvée ?

▸ p. 130, n° 1

9. Par deux. Lisez à nouveau l'extrait (doc. 2). Relevez les passages qui montrent que Zoé :

a. critique le professionnalisme des employés du Cabinet ;

b. se moque de sa collègue Monique.

▸ p. 130-131, n° 2 et 3

document 2

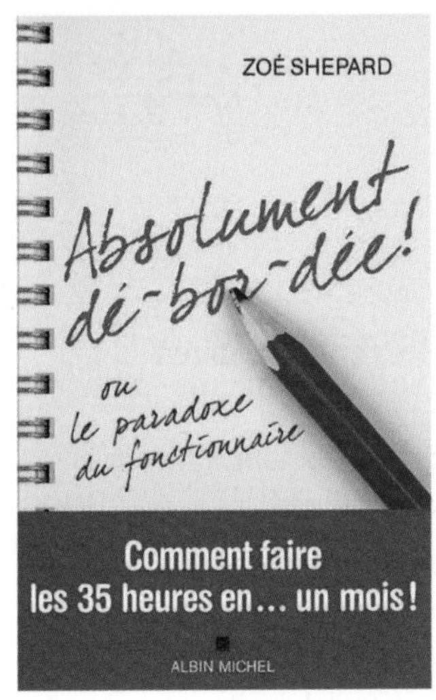

ZOÉ SHEPARD
Absolument dé-bor-dée!
ou le paradoxe du fonctionnaire
Comment faire les 35 heures en... un mois!
ALBIN MICHEL

À la fin de ses études, Zoé Shepard a occupé un poste de chargée de mission dans une mairie de province. Elle raconte cette expérience dans son récit *Absolument dé-bor-dée !*.

Mercredi 25 octobre
9 h 15

J'arrive dans mon bureau et trouve pas moins de trois messages affolés de mon homologue chinois sur ma boîte vocale. Le premier est incompréhensible, mais j'arrive à saisir le mot « visa » dans le second et « lettre » dans le troisième. J'allume mon ordinateur et me connecte directement à ma boîte mail professionnelle.

De : Li Wang
À : Zoé Shepard

Bonjour,
Nous n'avons pas reçu la lettre d'invitation de votre maire. Or, pour obtenir nos visas et sortir du territoire chinois, nous en avons impérativement besoin. Vous est-il possible de me la faxer le plus rapidement possible ?

Comment ça ? Pas encore reçu la lettre d'invitation ?! Ça fait plus de dix jours que je l'ai rédigée ! [...]

Mon portable se met à vibrer et je reconnais l'indicatif téléphonique chinois. Que faire ? L'option A : téléphoner au Cabinet pour entendre la secrétaire brandir mille excuses qui trahissent l'absence totale de regrets – le régulier « il va revenir sous peu », l'incontournable « le maire est débordé en ce moment » et son cortège de litotes, euphémismes, omissions, antiphrases et autres façons de détourner l'ire[1] des services de leur légendaire inefficacité – ne me semble pas la solution la plus productive. Il me faut un plan B immédiatement. Réfléchis, Zoé. En vitesse.
Je coupe mon portable et retourne dans mon bureau au moment où Monique débarque, téléphone portable dans une main, pain aux raisins dans l'autre.
– Ben dis donc, ça n'a pas l'air d'aller, diagnostique-t-elle en me voyant pianoter nerveusement sur mon bureau à la recherche d'une idée de génie qui se fait attendre.
– Le Cabinet a paumé le parapheur[2] dans lequel j'avais mis ma lettre d'invitation pour les Chinois. Le maire s'est barré à Katmandou ou au Népal...
– Au Havre, corrige-t-elle, démontrant une fois de plus son absence totale d'envergure imaginative.
– La lettre signée doit être faxée aujourd'hui au plus tard.
– Et où est le problème ?
– Maire pas là égale pas de signature, égale pas de validité de la lettre, égale pas de visas, égale pas de Chinois, égale la merde.
– Imprime donc ta lettre, dit Monique tout en fouillant dans son tiroir. Il faut que je me fasse un peu la main, mais ça devrait revenir.
– Comment ça, vous faire la main ?
– Zoé, la lettre, dépêche-toi de me la sortir, me coupe-t-elle avec autorité.
Diantre[3] ! Je ne l'ai jamais vue aussi animée. On dirait une gamine de douze ans avant sa première boum[4]. J'imprime la lettre et la lui tends. Elle prend une large inspiration et un stylo plume et d'un geste sûr effectue la plus belle imitation de la signature du Don[5] que j'aie jamais vue. J'en reste soufflée.
– Impressionnant ! Merci !
– Tu imagines si un jour j'arrive à mettre la main sur son carnet de chèques... répond-elle rêveusement.

Absolument dé-bor-dée ! ou le paradoxe du fonctionnaire, Zoé Shepard, Albin Michel, 2010.

1. l'ire (*fém.*) (*littéraire*) : la colère.
2. un parapheur : classeur pour les documents présentés à la signature.
3. diantre (*vieilli*) : interjection qui exprime l'étonnement.
4. une boum : fête dansante pour les enfants.
5. le Don : surnom que Zoé Shepard donne au maire dans cet ouvrage.

À NOUS !

10. Nous communiquons en contexte professionnel.

En petits groupes.

a. Vous allez aider Zoé Shepard et rédiger au choix :
- un mél adressé à Li Wang : vous vous excusez du retard pris et lui adressez la lettre d'invitation « signée » ;
- un mél adressé à la secrétaire du Cabinet : vous résumez la situation et exprimez votre mécontentement suite au problème que vous venez de résoudre.

b. Faites votre choix. Mettez-vous d'accord sur le registre de langue et les formules de politesse adaptés.

c. Rédigez votre mél puis affichez-le dans la classe.

d. Choisissez votre mél préféré et répondez-y.

LEÇON

- Comprendre un métier et un environnement professionnel ▸ Doc. 1
- Exprimer un point de vue argumenté sur une question liée au travail ▸ Doc. 2

4 L'avenir du travail

document 1 Vidéo n° 7

Je viens bosser chez vous

1. Regardez la vidéo sans le son du début jusqu'à 1'11" (doc. 1). Faites des hypothèses : où se trouve le journaliste ? Avec qui ? Pour quelle raison?

2. Regardez la vidéo avec le son du début jusqu'à 1'11" (doc. 1). Vérifiez vos hypothèses puis expliquez le concept des vidéos *Je viens bosser chez vous*.

3. En petits groupes. Regardez la suite de la vidéo jusqu'à 2'10" (doc. 1). Relevez les informations données par Sophie et présentez l'entreprise GBA.
Type de société : …
Équipe : une vingtaine de personnes
Lieux d'intervention : …
Types de clients : …
Domaines d'expertise : …
Points forts : …

4. Par deux. Regardez la suite de la vidéo jusqu'à 2'57" (doc. 1).
   a. Quel profil recherche le cabinet GBA ? Quelles seront les tâches du / de la candidat(e) recruté(e) ?
   b. Que voit-on de l'entreprise GBA dans cette vidéo ? Quelle image donne-t-elle du cabinet ?

5. Par deux. Regardez la fin de la vidéo (doc. 1).
   a. Listez les raisons extraprofessionnelles de rejoindre l'équipe de GBA.
   b. Partagez-vous l'opinion sur GBA exprimée dans le debrief du journaliste ?

6 

En petits groupes. Échangez. Aimeriez-vous voir une vidéo de ce type avant de candidater à un poste ? Pour quelles raisons ?

7. Observez le billet d'opinion (doc. 2). Lisez le titre et l'introduction.
   a. Identifiez l'auteur du billet et son thème.
   b. Quelle opinion l'auteur va-t-il défendre ? À quelle opinion va-t-il confronter son point de vue ? Pourquoi ?

8. Par deux. Lisez la première partie (doc. 2).
   a. Selon Nicolas Bouzou, quels types de métiers continueront à recruter ? Pour quelle raison ?
   b. Alexandre est-il d'accord avec lui ? Pourquoi ?

9. Par deux. Relisez la première partie (doc. 2).
   a. Relevez l'exemple donné par Alexandre pour illustrer « l'hospitalité simulée ». Expliquez et dites si vous partagez son avis.
   b. Comment l'auteur conclut-il cette partie ?

10. Par deux. Lisez la deuxième partie (doc. 2). Pour chaque affirmation de Nicolas Bouzou ci-dessous, retrouvez les réponses et objections d'Alexandre.
   a. Nicolas Bouzou : la fin du travail n'est pas souhaitable car « si le travail […] venait à disparaître, alors il ne resterait que l'oisiveté. » « Sans travail, nous serions désœuvrés, oisifs, dépressifs et malheureux. »
   → Alexandre : …
   b. Nicolas Bouzou : « il faut "désaliéner" le travail : autoriser le travail à domicile, supprimer les réunions inutiles, éviter le micromanagement. »
   → Alexandre : oui, mais …

11. Par deux. Relisez la deuxième partie (doc. 2).
   a. Selon Alexandre, quelles pourraient être les conséquences positives du développement de l'intelligence artificielle sur le travail ?
   b. Quelles sont les deux définitions du travail qui sous-tendent le raisonnement d'Alexandre ? Donnez un exemple pour chaque définition et dites si vous êtes d'accord avec cette distinction.

▸ p. 131, n° 4 et 5

La fin du travail : est-ce possible, est-ce souhaitable ?

Je pense que la fin du travail est à la fois possible et souhaitable. C'est également le cas de la plupart de mes connaissances. Cependant, il faut parfois sortir de sa « bulle idéologique » et prendre un moment pour considérer les arguments du camp d'en face. J'ai donc lu un livre intitulé *Le travail est l'avenir de l'homme*, par Nicolas Bouzou. Pour lui, la fin du travail n'est ni possible, ni souhaitable. Voyons ce qu'il a à dire sur le sujet.

Pas possible ?

Nicolas Bouzou est conscient du potentiel immense de l'intelligence artificielle, en termes d'automatisation des emplois existants. Cependant, il y a selon lui des secteurs où l'humain n'est pas entièrement remplaçable par la machine. Il y a bien sûr les métiers de « ceux qui créent l'IA[1] ». Toutefois, ils sont amenés à devenir de plus en plus élitistes, et ne peuvent fournir un emploi à la majorité de la population. Que restera-t-il donc à cette dernière ? Nicolas Bouzou cite trois exemples principaux : les soins hospitaliers, l'hôtellerie et l'art.

Pour les deux premiers, il considère que nous serons toujours demandeurs de contact humain dans ces domaines. Pourtant, aux yeux de certaines personnes, l'hospitalité simulée des emplois de service n'est pas une « valeur ajoutée » : c'est une valeur nulle, voire négative. Par exemple, mes collègues de bureau et moi préférons unanimement les caisses automatiques aux caisses « classiques » dans les supermarchés. Tout d'abord, on peut y scanner ses articles paisiblement et sans stresser, ce qui est une véritable valeur ajoutée ! Mais surtout, nous ne voyons pas l'intérêt d'un « contact humain » factice avec des employés sous-payés, dont la lassitude (compréhensible) se lit souvent sur le visage.

Il y aura sans doute toujours des métiers de contact humain. Mais pas forcément autant qu'aujourd'hui. Beaucoup de gens recherchent avant tout un service efficace et peu coûteux.

Dans ces conditions, partir du principe qu'il y aura toujours des emplois (en laissant faire la main invisible du marché) est une certitude dangereuse. Et envisager, sinon une disparition, du moins une raréfaction de l'emploi, est loin d'être délirant. Cela mérite au minimum que l'on considère cette éventualité, non ?

Pas souhaitable ?

Mais même si la fin du travail était possible, Nicolas Bouzou affirme qu'elle ne serait pas pour autant souhaitable. Selon lui, sans travail, nous serions désœuvrés, oisifs, dépressifs et malheureux.

En restant flou sur le sens du mot « travail », Nicolas Bouzou parvient à suggérer l'idée suivante : si le travail *au sens restreint* (celui effectué en échange d'un salaire) venait à disparaître, alors il ne resterait que l'oisiveté. C'est oublier toutes les activités qui ne sont pas contraintes par la nécessité de gagner de l'argent.

Nicolas Bouzou admet que certains emplois ont une dimension aliénante. Il faut donc, selon lui, « désaliéner » le travail : autoriser le travail à domicile, supprimer les réunions inutiles, éviter le micromanagement[2]... Je suis, là encore, entièrement d'accord.

Mais il oublie que pour un grand nombre de gens, l'aliénation principale réside précisément dans la nécessité de gagner de l'argent pour vivre. Certains ont la chance de gagner leur vie avec une activité qui les passionne ; mais c'est loin d'être le cas de tout le monde.

Or, si une automatisation radicale mettait fin à la nécessité de travailler pour vivre, cela ne supprimerait pas le travail *au sens large*. Au contraire : il resterait possible de faire ce que l'on fait dans les emplois « passionnants ». Mais pour les personnes qui n'ont pas la possibilité d'avoir un emploi « passionnant », ce serait une libération : elles pourraient trouver bien davantage de sens dans des activités non-contraintes financièrement (artistiques, sociales, associatives...).

Nicolas Bouzou laisse entendre que son travail consiste (entre autres) à écrire des livres et à donner des conférences. C'est en tout cas les activités qu'il met le plus en avant pour défendre l'idée de travail. Or il s'agit typiquement d'activités que l'on peut tout aussi bien réaliser sur son temps libre, sans objectif financier, par simple passion. Les plus grandes œuvres (littéraires, musicales...) n'ont pas été réalisées avec le but premier d'obtenir un salaire. Au contraire : beaucoup d'artistes, poètes, écrivains, compositeurs, scientifiques... des siècles passés étaient des rentiers, pour qui l'oisiveté complète était une option. Et pourtant, ils n'ont pas choisi l'oisiveté.

La fin du travail est souhaitable car elle ne serait que la fin du travail *contraint*. Resterait alors le travail *libre*, celui que Nicolas Bouzou encense dans son livre.

Par Alexandre, porte-parole et vice-président de l'Association française transhumaniste[3].

1. l'IA (*fém.*) : intelligence artificielle. 2. le micromanagement : contrôle excessif et en détail du travail des employés. 3. le transhumanisme : mouvement qui met en avant l'utilisation des découvertes scientifiques et techniques pour l'amélioration des performances humaines. Il est controversé et remis en cause par certains scientifiques.

12. Nous développons un point de vue argumenté.

En petits groupes.

a. Selon Nicolas Bouzou, la création artistique survivra à l'automatisation du travail. Êtes-vous d'accord avec lui ? Aura-t-on toujours besoin d'êtres humains pour créer ? Choisissez votre camp et divisez la classe en deux.

b. Listez vos arguments et contre-arguments.

c. Rédigez votre billet d'opinion.

d. Affichez vos billets d'opinion dans la classe. La classe vote pour le camp le plus convaincant.

Grammaire

La double pronominalisation pour ne pas répéter p. 182 et p. 198

1. Par deux.

a. Relisez ces trois extraits du document 2 p. 127. Dites ce que remplace *la* et observez l'ordre des pronoms.

	1	2	
Vous est-il possible de	me	la	faxer le plus rapidement possible ?
Zoé, la lettre, dépêche-toi de	me	la	sortir, me coupe-t-elle avec autorité.
J'imprime la lettre et	la	lui	tends.

b. Complétez la règle.

		1	2
• Quand il y a deux pronoms compléments dans une phrase, l'ordre est le suivant	→	…	…
• Quand les deux pronoms compléments sont à la 3e personne, l'ordre change	→	COD	COI

! Les pronoms *en* et *y* sont toujours en 2e position.
Elle me parle de la lettre. → *Elle m'en parle.*

! À l'impératif affirmatif, le COD passe en 1re position.
Faxe-moi la lettre. → *Faxe-la-moi.*

Mots et expressions

Quelques figures de style p. 183

2. En petits groupes.

a. Dans l'extrait du récit de Zoé Shepard (doc. 2 p. 127), la narratrice évoque un « cortège de litotes, euphémismes, omissions, antiphrases et autres façons de détourner l'ire des services de leur légendaire inefficacité ». Lisez les définitions ci-dessous puis associez chacune des phrases proposées à la figure de style correspondante.

Un euphémisme : atténuation dans l'expression de certaines idées ou de certains faits qui pourraient choquer ou déplaire.

Une litote : consiste à dire moins pour faire entendre plus.

Une antiphrase : consiste à faire usage d'un mot ou d'un groupe de mots signifiant le contraire de ce que l'on pense.

1. Vous avez perdu le parapheur ? C'est malin ! (= Vous avez perdu le parapheur ? C'est complément idiot !)
2. Monique n'est pas très vive. (= Monique est très lente.)
3. Nous avons pris un peu de retard dans le traitement des lettres à signer. (= Nous avons perdu le parapheur et tout est à recommencer.)

b. Lisez la définition d'une hyperbole puis trouvez-en une dans le document 2 p. 127.

Une hyperbole : désigne l'ensemble des procédés d'exagération qui touchent la syntaxe et le lexique (accumulation, intensifs, superlatifs, comparatifs).

Le registre familier

p. 183

3. Retrouvez l'équivalent en français standard des termes suivants (doc. 2 p. 127).

Français familier	Français standard
débarquer (dans un bureau)	...
paumer (un document)	...
se barrer [à Katmandou]	...
c'est la merde*	...
une gamine	...
être soufflé(e)	...

* ! grossier

Quelques expressions pour nuancer un point de vue

p. 183

4. Par deux. Relisez cette phrase extraite du document 2 p. 129.
Même si la fin du travail était possible, Nicolas Bouzou affirme qu'elle ne serait pas **pour autant** souhaitable.

a. Choisissez. Le sens de cette phrase est :
1. La fin du travail est aussi possible que souhaitable.
2. Ce n'est pas parce que la fin du travail est possible qu'elle est souhaitable.

b. Reliez les deux affirmations suivantes à l'aide de *pour autant*.
L'IA va remplacer l'homme dans de nombreux secteurs. Tous les emplois ne vont pas disparaître.

5. Par deux. Observez cette phrase extraite du document 2 p. 129.
Et envisager, **sinon** une disparition, **du moins** une raréfaction de l'emploi, est loin d'être délirant.
une disparition ↓ trop fort — une raréfaction ↓ moins fort MAIS plus probable

a. Complétez les deux exemples suivants.
1. La fin du travail est, **sinon** certaine, **du moins** ...
2. L'IA va entraîner, **sinon** un bouleversement complet de nos habitudes, **du moins** ...

b. Donnez votre opinion sur l'éventualité de la fin du travail au XXIe siècle à l'aide de cette expression.

Phonétique

p. 183

Les homonymes

6. a. 72 **Écoutez et observez ces homonymes, qui se prononcent de la même façon mais s'écrivent différemment.**
1. **C'est** [se]* bien, super travail !
2. On **s'est** [se]* beaucoup investis dans ce projet.
3. Je ne **sais** [se]* pas à quelle heure est la réunion.
4. Les congés, **ces** [se]* moments tant attendus !
5. Il a de bons rapports avec **ses** [se]* collaborateurs.

* ou [sɛ] selon le locuteur

b. 73 **Par deux. Écoutez et choisissez le mot ou l'expression qui convient, puis comparez vos réponses.**
1. Mes mails, je *l'ai fini / les finis* toujours de la même manière.
2. J'aimerais terminer *plutôt / plus tôt* que d'habitude aujourd'hui.
3. La sincérité de mon manager, je *l'aperçois / la perçois* dans sa voix.
4. *On n'a / on a* parlé à personne du plan de licenciement.
5. Je suis surpris *par ce que / parce que* mes collègues m'ont dit hier.

Prendre des notes

En petits groupes.

1. 🎧 74 **Écoutez la première partie du tutoriel.**

a. Quel est l'intérêt de prendre des notes en cours ?

b. Que faut-il noter ? Et comment repérer ces informations ?

2. 🎧 75 **Écoutez la deuxième partie du tutoriel.**

a. Listez les conseils donnés pour organiser sa prise de notes.

b. Quand faut-il relire ses notes ? Pourquoi ?

c. Rédigez un récapitulatif en cinq points des conseils donnés.

3. 🎧 76 **Écoutez le récapitulatif final.**

a. Comparez-le avec le vôtre (act. 2c).

b. Quels conseils suivez-vous déjà ? Quels conseils vous semblent essentiels et pourquoi ?

c. Que pensez-vous de ce tutoriel ? Avez-vous d'autres conseils à donner ?

4. Observez ces deux prises de notes. À votre avis, laquelle est la plus efficace ? Justifiez.

OPTIMISER SA PRISE DE NOTES

Pas d'appli. pour prendre des notes à ta place.
Prendre des notes c'est mém.
Noter uniq. les info. imp.
Conserver uniq. l'important.
Dév. sa technique : indiquer la date, la matière, le plan du cours.
Utiliser des couleurs (rouge, noir ou vert).
Simplifier l'écriture et utiliser des abréviations compréhensibles.
Ex : « L'accroissement des inégalités représente un problème mondial. »
→ En notes : inégalités = pb mdial.
Utiliser symboles et abréviations (connus ou perso).
Hab = habitant ; qd = quand ; pb = problème.
Organiser proprement ses notes avec date, matière, intitulé, plan.
Relire ses notes le soir même.
Classer ses notes.

Optimiser sa prise de notes

1 Noter slmt ce qui est IMPORTANT.
Pour le savoir : indices du prof.
⇨ Not° clés
⇨ Déf° importantes
⇨ Répétit°, récaps, reformulat°

2 S'organiser.
⇨ Date, intitulé, plan.
⇨ Aérer. Hiérarchiser. Code couleur.

3 Simplifier l'écriture.
⇨ Abréviat° (hab ; qd ; pb)
⇨ Symboles (€ ; % ; > ; <)

4 Relire le soir 20 min. → Gain tps sur révisions.

5 Classer.

5. Observez ces abréviations courantes en français et complétez les significations.

bcp → beaucoup	déf° → …	pb → …	svt → souvent
cf → se reporter à	id → idem	qq → …	tt → …
ds → …	nb → …	sté → société	

6. Choisissez sur Internet une vidéo courte (2 à 5 minutes) sur un thème qui vous intéresse. Entraînez-vous à prendre des notes en français puis comparez vos notes. Lesquelles sont les plus efficaces ? Pourquoi ?

Projet de classe

Nous réalisons l'interview d'une personne qui travaille en français dans notre pays.

En petits groupes.

1. M77 **Écoutez l'interview de Ayse Toy Par, enseignante à l'université Galatasaray d'Istanbul. Prenez des notes.**

a. Quelle est la place de la langue française dans son parcours scolaire et professionnel ?

b. Retrouvez les questions posées pendant l'interview. Puis mettez en commun avec la classe.

2. Choisissez une rubrique dans la liste ci-dessous.
nature et contenu du travail • horaires, conditions et environnement de travail • qualités et compétences requises • formation, diplômes et qualifications • évolution de carrière et perspectives d'emploi • relations avec la hiérarchie

3. Rédigez cinq questions pour la rubrique choisie. Aidez-vous des interviews traitées dans ce dossier (leçon 2, doc. 1 ; leçon 4, doc. 1).
Exemples (pour les horaires et conditions de travail) : *Travaillez-vous à temps plein ou à temps partiel ? Votre emploi du temps est-il prévisible ? Travaillez-vous la nuit, le samedi, le dimanche ou les jours fériés ?*

En groupe.

4. Mettez toutes vos questions en commun (act. 3).

5. Trouvez une entreprise qui recrute des salarié(e)s francophones dans votre pays.

6. Organisez une interview avec l'un(e) des salariés de l'entreprise. Rédigez un mél à partir de la matrice ci-dessous.

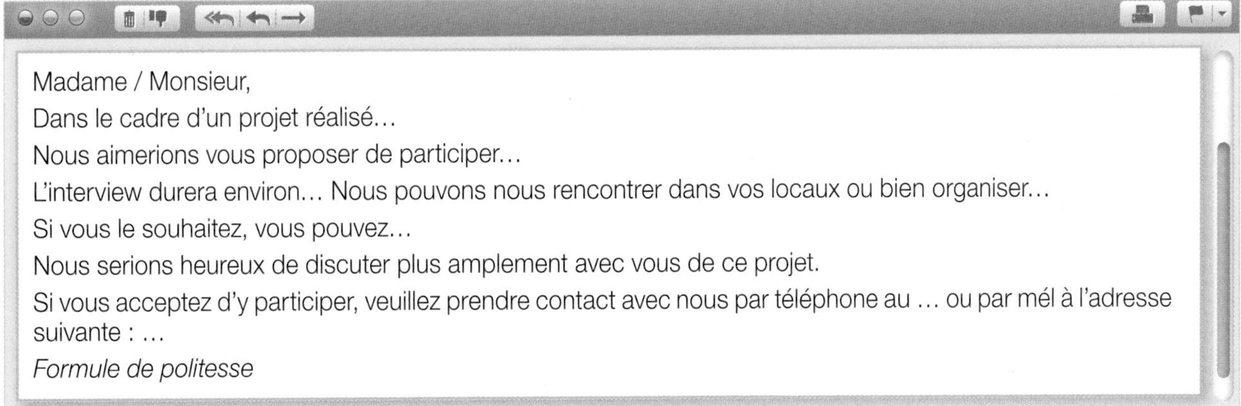
Madame / Monsieur,
Dans le cadre d'un projet réalisé...
Nous aimerions vous proposer de participer...
L'interview durera environ... Nous pouvons nous rencontrer dans vos locaux ou bien organiser...
Si vous le souhaitez, vous pouvez...
Nous serions heureux de discuter plus amplement avec vous de ce projet.
Si vous acceptez d'y participer, veuillez prendre contact avec nous par téléphone au ... ou par mél à l'adresse suivante : ...
Formule de politesse

7. Organisez l'interview du / de la salarié(e) (interview sur place ou à distance). Vous pouvez aussi organiser une interview filmée, à la manière de *Je viens bosser chez vous* (doc. 1, leçon 4).

8. Retranscrivez l'interview et proposez à l'entreprise de la diffuser sur son site ou dans ses locaux.

Projet ouvert sur le monde

Nous réalisons une enquête sur les entreprises de notre pays qui valorisent la pratique du français dans le recrutement.

DELF 7

I Compréhension de l'oral

Vous allez entendre une émission de radio. Lisez les questions, écoutez le document puis répondez.

1. Le pourcentage le plus élevé de l'enquête correspond aux personnes qui…
a. pratiquent différents types de sport sur leur lieu de travail.
b. font du sport plusieurs fois par semaine sur leur lieu de travail.
c. aimeraient avoir accès à une salle de sport sur leur lieu de travail.

2. La femme interrogée affirme que le sport l'aide à être plus…
a. motivée.
b. détendue.
c. performante.

3. Depuis qu'il fait du sport au travail, quelle habitude a changé dans la vie professionnelle de l'homme interrogé ?

4. D'après l'enquête, quel bénéfice le sport apporte-t-il aux salariés ?

5. Selon Hélène Rocard, quelqu'un qui fait du sport pendant sa pause déjeuner est aujourd'hui considéré comme une personne qui…
a. est sérieuse.
b. sait s'organiser.
c. prend soin d'elle.

6. Les grandes entreprises aménagent des espaces pour faire du sport car elles ont…
a. des locaux spacieux.
b. des salariés exigeants.
c. des moyens importants.

7. D'après Édouard Cos, que peuvent proposer à leurs employés les entreprises qui n'ont pas de salle de sport ? ***(2 réponses possibles, 1 réponse attendue)***

II Production écrite

Vous lisez cet appel à discussion sur un forum.

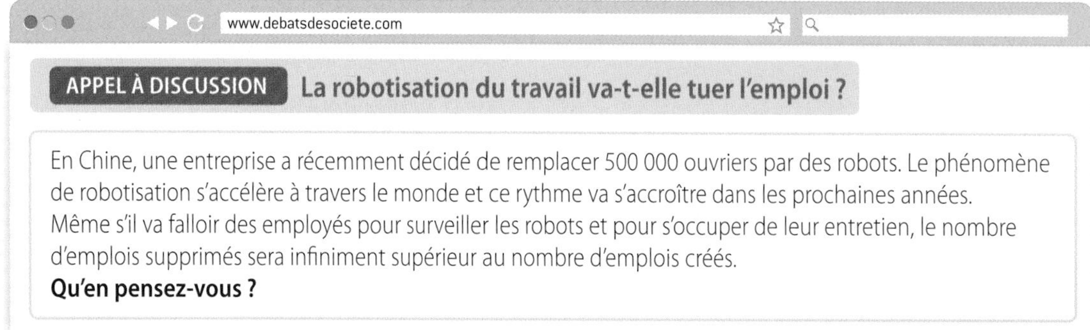
www.debatsdesociete.com

APPEL À DISCUSSION **La robotisation du travail va-t-elle tuer l'emploi ?**

En Chine, une entreprise a récemment décidé de remplacer 500 000 ouvriers par des robots. Le phénomène de robotisation s'accélère à travers le monde et ce rythme va s'accroître dans les prochaines années.
Même s'il va falloir des employés pour surveiller les robots et pour s'occuper de leur entretien, le nombre d'emplois supprimés sera infiniment supérieur au nombre d'emplois créés.
Qu'en pensez-vous ?

Vous décidez de participer au débat. Vous rédigez un message où vous donnez votre opinion sur la question de la robotisation du travail, de manière claire et argumentée, tout en vous appuyant sur des exemples précis pour illustrer votre point de vue. ***(250 mots minimum)***

III Production orale

Choisissez un des deux sujets suivants. Dégagez le problème soulevé et présentez votre opinion sur le sujet de manière claire et argumentée.

SUJET 1

Le sens du travail, plus important que le salaire ?

Pendant ses études, Aymeric Marmorat a créé avec deux amis une association baptisée *Entrepreneurs sans frontières*. Son objectif est de mettre en relation de jeunes créateurs d'entreprises dites sociales et des étudiants en école de commerce. Les binômes ainsi formés travailleront ensemble dans le but de décrocher des subventions pour créer toutes sortes de projets solidaires : une entreprise qui développe une soie éthique et écologique, ou encore un projet de location de véhicules pour personnes à mobilité réduite.

Tout comme Aymeric, les jeunes sont de plus en plus nombreux à se poser des questions sur le rôle qu'ils peuvent jouer dans la société. « *Pour ma part, il était important que mon métier rejoigne mes convictions personnelles*, explique le jeune homme. *J'appartiens à une génération qui ne peut plus se contenter d'un travail qui lui apporte uniquement un salaire.* » Pour être épanoui au travail, faut-il exercer une profession qui ait du sens ?

D'après letudiant.fr

SUJET 2

Faudra-t-il bientôt obtenir une certification en langue française pour pouvoir travailler ?

« *La certification Bescherelle permet d'évaluer la capacité à comprendre, restituer et répondre à un message* », explique Mélanie Viénot, l'une des créatrices de cet outil. « *On peut constater que les compétences rédactionnelles des salariés sont vues comme un enjeu majeur pour 90 % des entreprises sondées,* ajoute-t-elle. *Avec ce certificat, il n'est pas seulement question d'être bon en orthographe. Pour convaincre un interlocuteur, il faut savoir rédiger correctement.* »

Dès l'obtention de son certificat, Marion Toussaint a rapidement ajouté l'information sur son CV. « *Tout le monde considère que les jeunes ne savent pas écrire donc il est important de montrer que l'on maîtrise la langue française* », confie la jeune fille, consciente que « *même un mauvais usage de la ponctuation peut décrédibiliser un message professionnel* ». Et si, dans quelques années, un entretien d'embauche se jouait en partie sur l'obtention d'un bon résultat au certificat Bescherelle ?

D'après 20minutes.fr

DOSSIER 8

Nous échangeons sur des modèles éducatifs

Antiquité et Moyen Âge (jusqu'en 1492)	Renaissance et époque moderne	XIXe siècle	XXe siècle

Antiquité et Moyen Âge (jusqu'en 1492)

En Gaule romaine puis dans le royaume de France, l'enseignement est réservé à une petite élite.

Renaissance et époque moderne

L'enseignement, souvent prodigué par des religieux, reste réservé à quelques enfants.

Pour beaucoup, la seule source d'enseignement est l'apprentissage d'un métier.

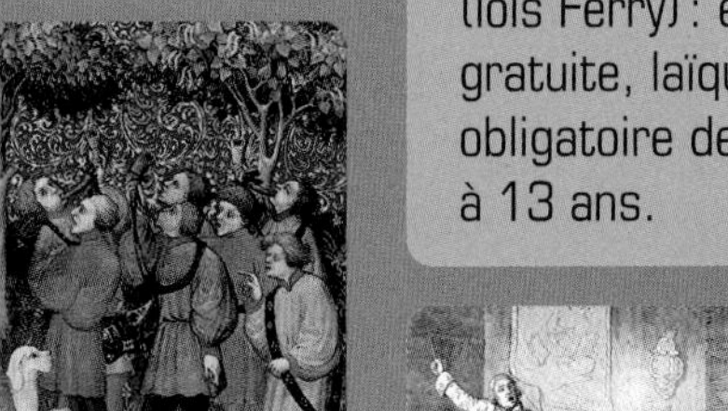

XIXe siècle

1833 (loi Guizot) : création d'un enseignement primaire public.

1850 (loi Falloux) : une école primaire de filles par commune.

1881-1882 (lois Ferry) : école gratuite, laïque et obligatoire de 6 à 13 ans.

XXe siècle

1936 : école obligatoire jusqu'à 14 ans.

1959 : école obligatoire jusqu'à 16 ans.

1975 : création du collège unique* de la 6e à la 3e.

* le collège unique : regroupement de tous les élèves de la 6e à la 3e (de 11 à 14 ans) dans un même établissement. Auparavant, il existait trois types de collèges différents, avec des enseignements distincts, dont une filière professionnelle.

1

a. Observez la frise. Donnez-lui un titre.

b. Par deux. Lisez la frise. Quelle évolution met-elle en évidence ? Justifiez.

c. En petits groupes. Comparez avec l'évolution du système éducatif de votre pays. Relevez les similitudes et les différences. Échangez.

La Finlande offre un beau paradoxe pour les chercheurs en éducation. Le modèle finlandais vient à l'encontre de tous les systèmes basés sur la performance et la compétition, qui préconisent une scolarité précoce et de longues heures d'étude. Pourtant, les Finlandais obtiennent les meilleurs résultats lors d'épreuves internationales.

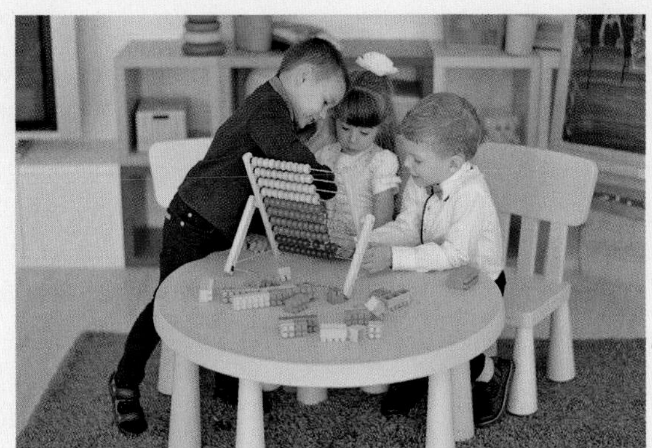

En Finlande, le jeu est roi durant la petite enfance. Les jeunes commencent l'école seulement à sept ans, et ils ne sont notés que vers l'âge de treize ans. Les journées de classe sont courtes, et les vacances sont nombreuses. Les enseignants préfèrent l'autoévaluation aux examens. Pour eux, il est plus important de transmettre aux jeunes la passion d'apprendre plutôt que de les obliger à se conformer à des études strictes qui ont pour seul objectif d'obtenir de bonnes notes.

Heureusement pour nos enfants, le modèle finlandais attire une telle attention des experts qu'il fait son chemin partout sur la planète. De plus en plus, le monde de l'éducation reconnaît qu'il est préférable de former des jeunes qui sauront interagir entre eux et apporter des solutions créatives plutôt que réciter par cœur certaines notions. Les enseignants (et les parents !) doivent d'abord et avant tout insuffler une soif d'apprendre aux enfants.

Cynthia Brunet, www.canalvie.com, 2019.

2

a. Lisez l'article. Identifiez son thème.

b. Par deux. Relisez l'article.
1. Listez les caractéristiques du système éducatif finlandais.
2. Pourquoi la journaliste qualifie-t-elle ce système de « paradoxal » ?

c. En petits groupes. Que pensez-vous de ce modèle éducatif ? Quelles caractéristiques vous étonnent ? Lesquelles trouvez-vous plutôt positives ? Plutôt négatives ? Pourquoi ? Échangez.

PROJETS

Un projet de classe

Imaginer un modèle éducatif idéal.

Et un projet ouvert sur le monde

Comparer différents modèles éducatifs.

Pour réaliser ces projets, nous allons :

- exposer des objectifs à atteindre
- présenter des expériences novatrices
- donner des explications
- parler de l'apprentissage des langues
- questionner l'utilité des diplômes
- comprendre un fait de société
- présenter une initiative éducative
- analyser des différences

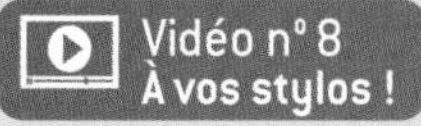

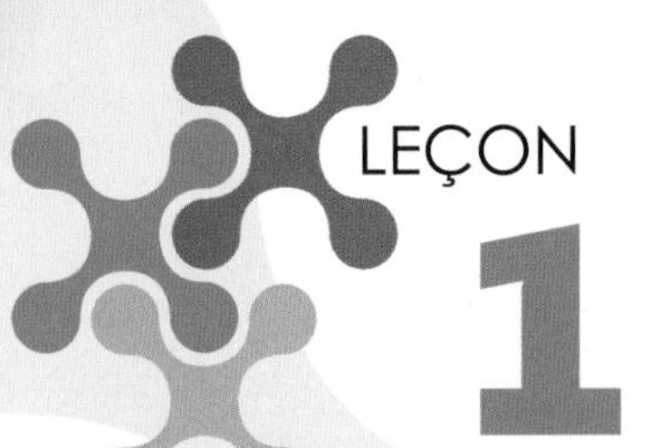

LEÇON

1 Modèles éducatifs

- Exposer des objectifs à atteindre ▸ Doc. 1
- Présenter des expériences novatrices ▸ Doc. 2

document 1 79 à 81

1. 79 **Écoutez la première partie de l'interview (doc. 1).**

a. Qui est Jean-Michel Blanquer ? Faites des recherches si nécessaire. Pour quelle raison est-il interviewé ?

b. Reformulez la question du journaliste au sujet du système scolaire français.

c. Jean-Michel Blanquer est-il d'accord avec le diagnostic posé par le journaliste ? Quel est selon lui le vrai problème ?

d. Relevez les pistes qu'il propose pour pallier ce problème.

2. 80 **Par deux. Écoutez la deuxième partie de l'interview (doc. 1).**

a. Sur quoi porte la question du journaliste ?

b. Relevez les deux principaux objectifs à atteindre selon Jean-Michel Blanquer.

c. Repérez les trois piliers sur lesquels il s'est appuyé pour faire ses propositions.

3. 81 **Par deux. Écoutez la troisième partie de l'interview (doc. 1).**

a. Quel est le lien entre le thème développé dans cette partie et ce qui a été dit précédemment ?

b. Relevez les caractéristiques des deux principaux modèles cités par Jean-Michel Blanquer.

c. Listez les axes d'amélioration proposés par Jean-Michel Blanquer pour le système scolaire français.

▸ p. 142, n° 1 et 2

4

En petits groupes. Échangez. Quelles sont les caractéristiques du modèle éducatif de votre pays ? À quelle « famille » éducative pourrait-on l'associer ? Selon vous, est-il efficace ? Justifiez.

5. Lisez le titre de l'article ainsi que le chapeau et observez la photo (doc. 2). Sur quoi porte l'enquête de Thibaut Sardier ?

6. Par deux. Lisez la première partie de l'article (doc. 2).

a. Identifiez les caractéristiques de l'école de Ferry.

b. Selon certains chercheurs, de quelle manière l'école d'aujourd'hui devrait-elle se distinguer de l'école d'hier ?

7. Par deux. Lisez la deuxième partie de l'article (doc. 2). Retrouvez les deux propositions faites par Laurent Jeannin et Patricia Pichon ainsi que leurs conséquences sur la pédagogie.

8. Par deux. Lisez la troisième partie de l'article (doc. 2).

a. Expliquez pourquoi l'arrivée du numérique devrait entraîner un aménagement de la salle de classe.

b. Quel est l'objectif de la plateforme Archiclasse ?

9. Par deux. Lisez la dernière partie de l'article (doc. 2).

a. Quel point de vue partagent Laurent Jeannin et Jean-Michel Blanquer (doc. 1) ?

b. Quelle est la crainte de Claude Lelièvre ? À votre avis, est-elle justifiée ?

▸ p. 142-143, n° 3 et 4

À NOUS !

10. Nous présentons le modèle éducatif de notre pays.

En petits groupes.

a. Décrivez le modèle éducatif en vigueur dans votre pays aujourd'hui et ce qui a changé par rapport au modèle d'autrefois.

b. Proposez des pistes d'amélioration inspirées par des spécialistes de l'éducation de votre pays ou d'autres pays que vous connaissez. Précisez les objectifs visés. Faites des recherches si nécessaire.

c. Cherchez deux photos pour illustrer l'évolution de votre modèle éducatif (autrefois, aujourd'hui).

d. Partagez avec la classe.

e. Échangez sur la meilleure manière d'apprendre et de progresser.

document 2

ENQUÊTE Libération

Salles de classe : balance ton banc !

Par Thibaut Sardier

Tableau noir, estrade, chaises et tables alignées... Depuis Jules Ferry[1], l'image semble immuable. Pourtant, pousser la porte d'une salle de classe aujourd'hui, c'est peut-être découvrir des élèves travaillant, chacun de leur côté, sur des tablettes numériques. Ou d'autres, en petits groupes, écrivant sur des murs convertis en tableaux géants.

Créer des scénarios

En ligne de mire : l'école de Ferry. Dominée par le cours magistral, elle favoriserait la passivité et donc l'échec des élèves. Enseignant-chercheur en éducation, Laurent Jeannin explique : « À l'époque, l'école était un refuge coupé du monde, et cette idée était en phase avec l'état de la société : pensez par exemple à la difficulté des relations entre Église et État, qui justifiait une séparation. Aujourd'hui encore, il faut que l'école soit adaptée aux évolutions sociales. » Appelant à mieux prendre en compte les besoins des élèves, il conclut : « L'espace conditionne la pratique : changer de modèle implique donc de modifier l'organisation matérielle des salles. »

Mais avant d'envoyer valser tables et chaises, encore faut-il avoir des raisons de le faire. D'où l'intérêt porté aux pédagogies actives. Recouvrant des réalités très diverses, elles considèrent que les élèves doivent être actifs dans l'apprentissage, à travers la réalisation de projets individuels et collectifs qui leur permettent non seulement d'acquérir des connaissances, mais aussi d'élaborer des raisonnements pour y parvenir. Plutôt que de délivrer des connaissances « d'en haut », l'enseignant doit créer jeux et scénarios permettant aux élèves de réfléchir par eux-mêmes.

Introduire des continuités

À Cergy-Pontoise, Laurent Jeannin accueille des enseignants en formation dans une salle expérimentale. « Nous nous intéressons à la proxémie, c'est-à-dire la distance optimale entre les élèves pour faciliter le débat, l'argumentation. Cela permet d'identifier les dispositifs matériels les plus pertinents. » Inspectrice de l'Éducation nationale dans la Loire, Patricia Pichon rappelle que les méthodes actives sont présentes depuis longtemps dans les « petites classes », où l'on ne passe pas ses journées assis. La maternelle serait donc une source d'inspiration pour toute l'école : « Les besoins moteurs et physiologiques des élèves y sont pris en compte dans les aménagements de l'espace et du temps. Souvent, l'entrée au CP[2] est une rupture car l'élève se retrouve assis la plupart du temps. Il est important d'introduire des continuités. »

Le « feu de camp »

L'irruption des équipements numériques alimente les réflexions : « Quand on utilise une tablette, on a parfois besoin de s'isoler. Quand on travaille collectivement avec un ordinateur portable, il peut être utile de se regrouper. On ne peut le faire dans une classe "en autobus"[3]. Il faut repenser l'aménagement », explique Christophe Caron. Chef de projet à la Direction du numérique pour l'Éducation, il anime la plateforme Archiclasse, qui recense les expérimentations numériques à l'école et fournit des fiches pratiques élaborées avec la Cité du design de Saint-Étienne. Ces documents recensent des formes spécifiques d'occupation de l'espace : le « feu de camp » regroupe cinq à quinze élèves pour un mini-cours ou une réflexion collective autour d'un ordinateur, tandis que la « grotte », petite et isolée, permet un travail individuel sur tablette.

Modèle de l'entreprise ?

Responsabilité, autonomie, adaptabilité... Les mots de cette nouvelle école évoquent l'open space et la start-up. L'école se calquerait-elle sur le modèle de l'entreprise ? Laurent Jeannin évoque une hypothèse en ce sens : « Nous devons travailler autour du concept d'équipe éducative conceptrice : de son bâtiment, de ses espaces, de ses partenariats, de son budget, mais aussi de son équipe, fédérée autour d'un projet pédagogique et d'un contrat d'objectifs et de moyens conclus avec l'État et les collectivités. » L'historien Claude Lelièvre s'en inquiète : « L'école fondée sur les pédagogies actives est en phase avec notre économie, où les savoirs relationnels tiennent une grande place. Quelles relations de pouvoir y trouvera-t-on ? Le travail collectif peut produire des rapports de domination comme des rapports de coopération. »

1. Jules Ferry : ministre de l'Instruction publique et des Beaux-Arts entre 1879 et 1883. Promoteur de l'école laïque, gratuite et obligatoire.
2. CP = cours préparatoire, première classe de l'école élémentaire.
3. une classe en autobus : une classe dans laquelle les tables sont alignées les unes derrière les autres face au professeur, comme les rangées de sièges dans un autobus.

LEÇON

2 Ouverture sur le monde

- Donner des explications ▸ Doc. 1
- Parler de l'apprentissage des langues ▸ Doc. 1 et 2

document **1**

LE FIGARO·fr
langue française

Ateliers d'écriture | L'actu des mots | Forum | Expressions | Testez vos connaissances | Francophonie | Dictionnaire

« Nous ne sommes pas égaux devant l'apprentissage d'une langue »

INTERVIEW – Contrairement à ses voisins européens, la France est à la traîne en matière d'apprentissage des langues, selon la dernière enquête SurveyLang. Comment expliquer ce retard ? Claire Pillot-Loiseau, maître de conférences en phonétique à l'université Sorbonne-Nouvelle Paris 3, analyse la question pour *Le Figaro*.

LE FIGARO.

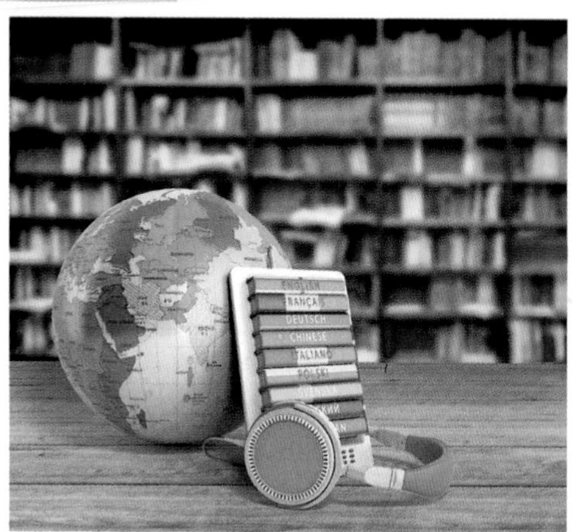

Claire PILLOT-LOISEAU. En France, nous sommes, dans la plupart de nos régions, dans une culture monolingue, c'est-à-dire dans un phénomène de centralisation autour de la langue française. Et puis, il y a globalement le français de Paris et celui de partout ailleurs. Dans l'histoire de la diction, on observe dans les manuels scolaires du début du XXe siècle une insistance sur la façon, et non pas les façons, de prononcer le français. Il est donc probable, entre autres facteurs, que dans l'inconscient collectif français, appréhender une langue étrangère n'aille pas autant de soi que dans des pays plurilingues comme la Suisse.
Un Belge flamand, lui, appréhende la langue anglaise plus facilement parce que l'apprentissage est précoce et l'anglais, plus présent au quotidien. Aux Pays-Bas, tous les films sont sous-titrés en anglais. Nous ne sommes pas tous égaux devant l'apprentissage d'une langue. Il faut comprendre qu'apprendre une langue, et en particulier sa prononciation, c'est s'ouvrir à d'autres sonorités. Il est important, en l'occurrence, d'aimer les sons de la langue étrangère qu'on étudie.

Il y a des études qui montrent que les lèvres sont très utilisées en français. J'ai beaucoup d'apprenants asiatiques qui m'ont dit : « Vous savez, quand j'ai vu des Français parler pour la première fois, j'avais l'impression qu'ils faisaient des bisous toute la journée. » C'est anecdotique, mais révélateur. Cela s'explique notamment par le fait que sur treize de nos voyelles, il y en a huit qu'on prononce avec les lèvres arrondies. D'autres facteurs comme la phonétique du français (accentuation, manière de regrouper les mots…) peuvent aussi expliquer la difficulté d'apprendre la prononciation du français pour les étrangers.

Ce n'est pas parce qu'on est français qu'on est nuls dans l'apprentissage de nouvelles langues. Comprendre la phonétique de sa propre langue et de celle qu'on étudie peut aider à l'appréhender. Mais surtout, il faut avoir envie d'affronter les différences phonétiques. On a aussi peur d'être ridicules. Quand on parle anglais, par exemple. Ce n'est pas pour autant qu'il faut céder à un certain déterminisme : quelqu'un dont la langue maternelle est le français peut très bien parler anglais, notamment s'il est motivé et s'il s'affranchit de cette centralisation linguistique que nous avons en France.

Ça peut arriver. J'ai mené une enquête auprès de 600 personnes bilingues. Les trois quarts m'ont dit qu'ils avaient en effet l'impression que la tonalité de leur voix changeait quand ils passaient de leur langue maternelle à une autre. Il faut comprendre que lorsqu'on communique dans une autre langue que la nôtre, nous adoptons un geste plus contrôlé. Cela peut expliquer les changements vocaux.
Mais cela peut aussi être le reflet d'un changement d'identité. Les sujets que j'ai interrogés disaient : « J'ai l'impression de changer de personnalité. » Le changement de la voix peut enfin être lié à des situations de parole particulières comme les conférences, les discours politiques et formels.

Oui. Il est vrai que la plasticité cérébrale est plus importante lorsqu'on est enfant. Quand on fait de l'orthophonie, on préconise aux parents bilingues de garder leur langue maternelle pour s'exprimer avec leur enfant. Mais on observe que le bébé atteint déjà une maturité auditive au bout du sixième mois de grossesse. L'enfant perçoit déjà au bout de quelques jours de naissance la distinction entre les sons « p » et « b ». Il est donc vrai qu'ils entendent des langues tôt, mais il y a plein de cas de figure différents. D'autres facteurs que l'âge interviennent dans l'apprentissage d'une langue : motivation, désir de parler et d'être ouvert aux sonorités étrangères, besoins professionnels ou personnels, obligation pour le sujet ou non d'apprendre cette langue, stratégies et environnement d'apprentissage, nature de la langue maternelle…

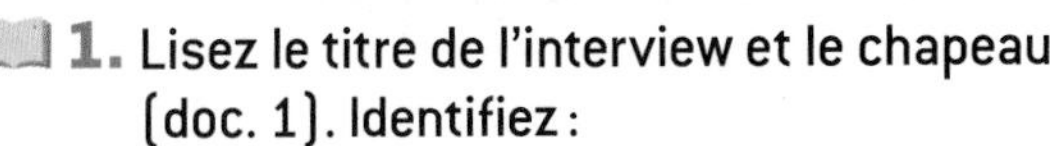

1. Lisez le titre de l'interview et le chapeau (doc. 1). Identifiez :
a. la problématique posée ;
b. la personne interviewée à ce propos.

2. Par deux. Parcourez l'interview sans la lire en détail (doc. 1). Associez les questions ci-dessous aux réponses de la phonéticienne.
a. Peut-on apprendre une nouvelle langue à un âge avancé ?
b. On dit que le français est difficile à apprendre pour les étrangers. Est-ce vrai ?
c. Pourquoi nous, Français, avons plus de mal à apprendre d'autres langues ?
d. Ces particularismes rendent-ils plus difficile l'apprentissage d'une langue étrangère ?
e. Est-il vrai que la tonalité de notre voix change quand on passe d'une langue à l'autre ?

3. Par deux. Lisez la première question et la réponse de la phonéticienne (doc. 1).
a. Selon elle, pour quelles raisons les Français rencontrent-ils des difficultés dans l'apprentissage des langues étrangères ?
b. Faites la liste des autres pays cités. Dites pourquoi les habitants de ces pays rencontrent moins de difficultés que les Français.
c. Quel facteur peut, selon la phonéticienne, faciliter l'apprentissage d'une langue étrangère ?

4. Par deux. Lisez les deux questions suivantes et les réponses de la phonéticienne (doc. 1).
a. Listez les difficultés rencontrées par les étrangers dans leur apprentissage des sons du français.
b. Quelle crainte peut freiner les Français dans leur apprentissage d'une langue étrangère ?

5. Par deux. Lisez les deux dernières questions et les réponses de la phonéticienne (doc. 1).
a. Pour chaque réponse donnée, résumez l'idée principale développée.
b. Pour chacune de ces réponses, dites sur quoi s'appuie la phonéticienne pour justifier son propos.
c. Votre expérience personnelle de l'apprentissage du français confirme-t-elle ses remarques sur la tonalité de la voix ?

► p. 143, n° 5

6

En petits groupes. Échangez. Que pensez-vous de l'analyse de la phonéticienne (doc. 1) ? Avez-vous rencontré des difficultés dans votre apprentissage du français ? Si oui, lesquelles ?

document 2 82 et 83

7. 82 **Par deux. Écoutez la première partie de l'interview (doc. 2).**
a. Quel est son lien avec l'article du *Figaro* (doc. 1) ?
b. Pour quelle raison Chantal Manes-Bonnisseau est-elle interviewée ?
c. Relevez :
1. l'objectif du rapport ;
2. les progrès réalisés ;
3. ce qui a permis ces progrès.

8. 83 **Par deux. Écoutez la deuxième partie de l'interview (doc. 2).**
a. Identifiez le thème commun avec l'article du *Figaro* (doc. 1).
b. Retrouvez :
1. le niveau du système scolaire concerné ;
2. les solutions envisagées pour remédier aux difficultés rencontrées.

9. 83 **Par deux. Réécoutez la deuxième partie de l'interview (doc. 2). Sur quel aspect porte l'une des recommandations du rapport ? Que disent les études à ce sujet ?**

À NOUS !

10. Nous réalisons notre biographie langagière.

En petits groupes.
a. Faites la liste des langues apprises dans votre groupe.
b. Précisez l'âge auquel vous avez appris ces langues, le nombre d'années d'apprentissage ainsi que les situations de contact linguistique qui ont pu influencer votre motivation et votre apprentissage (famille, voyages, films…).
c. Pensez à vos difficultés et à vos succès (passés ou actuels) liés à ces apprentissages.
– Essayez, le cas échéant, de déterminer pourquoi vous avez échoué. Expliquez comment vous progressez le mieux, ce que vous aimez et n'aimez pas faire.
– Choisissez une activité, un exercice ou un projet réalisé dans le cadre de l'apprentissage d'une langue étrangère. Souvenez-vous de ce qui vous a particulièrement plu et pourquoi.
d. Rédigez la biographie langagière de votre groupe et publiez-la sur le mur de la classe.

Grammaire

Les propositions relatives pour exprimer un souhait ou un but

p. 184 et p. 208

1. Par deux. Lisez ces extraits du document 1 p. 138.

1. On doit pouvoir revaloriser le lycée professionnel pour en faire quelque chose qui **soit** tout à fait valorisant pour ceux qui le font.
2. Les grands principes, c'est premièrement une politique pédagogique à l'école primaire qui **permette** d'ancrer les fondamentaux.
3. On doit libérer le système, notamment les collèges et les lycées, en leur donnant une autonomie d'établissement qui **permette** aux équipes de décider sur le terrain.

a. Choisissez. Dans ces trois extraits, Jean-Michel Blanquer :

1. fait une constatation ;
2. exprime un objectif à atteindre.

b. Observez les éléments en gras et repérez le mode utilisé dans les propositions relatives.

c. Exprimez un souhait ou un objectif pour le système éducatif de votre pays au moyen d'une proposition relative.

Exemple : *On doit créer des filières d'excellence qui puissent être accessibles à tous.*

La valeur du subjonctif dans l'expression de l'opinion

p. 184 et p. 207

2. Par deux. Lisez cet autre extrait de l'interview de Jean-Michel Blanquer (doc. 1 p. 138).

Le fait que le lycée professionnel n'ait pas bonne réputation est une très mauvaise chose.

a. Quel est le mode utilisé après « le fait que » ?

b. Exprimez cette même opinion en utilisant l'indicatif. À votre avis, quelle nuance de sens le changement de mode entraîne-t-il ?

c. Donnez votre opinion sur l'image des filières professionnelles dans votre pays. Utilisez les structures suivantes : *le fait que, je pense que, je ne pense pas que*.

Exemple : *Je ne pense pas que les filières professionnelles soient suffisamment valorisées par les enseignants.*

Mots et expressions

La nominalisation pour synthétiser et mettre en valeur des informations

p. 185

3. a. Par deux. Observez les tableaux des différents suffixes. Complétez-les avec des noms extraits du document 2 p. 139.

Suffixe	Nom (base verbale)
-ation / -tion	la sépar**ation** (← séparer) l'évolu**tion** (← évoluer) ...
-ion / -xion	...
-ment	...
-ance	...

! Cas particuliers :

– nominalisation par suppression de la terminaison verbale : *pratiquer → la pratique ; intéresser → ... ; débattre → ...*
– modification du radical : *rompre → la rupture ; apprendre → ...*

Suffixe	Nom (base adjectivale)
-ité	la passivité (← passif, passive) ...
-té	...
-ie	...

b. Proposez des exemples personnels de noms (base verbale ou adjectivale) pour les suffixes suivants.
-ion / -sion • -ence • -ure • -ée • -ie • -ise • -tude • -esse • -eur • -isme • -age

c. Partagez avec la classe.

Parler de scolarité et de pédagogie p. 186

4. Observez la carte mentale (doc. 1 et 2 p. 138-139). Placez les titres suivants au bon endroit.
Le système scolaire français • Les méthodes et pédagogies actives • Les fondamentaux et l'approche traditionnelle

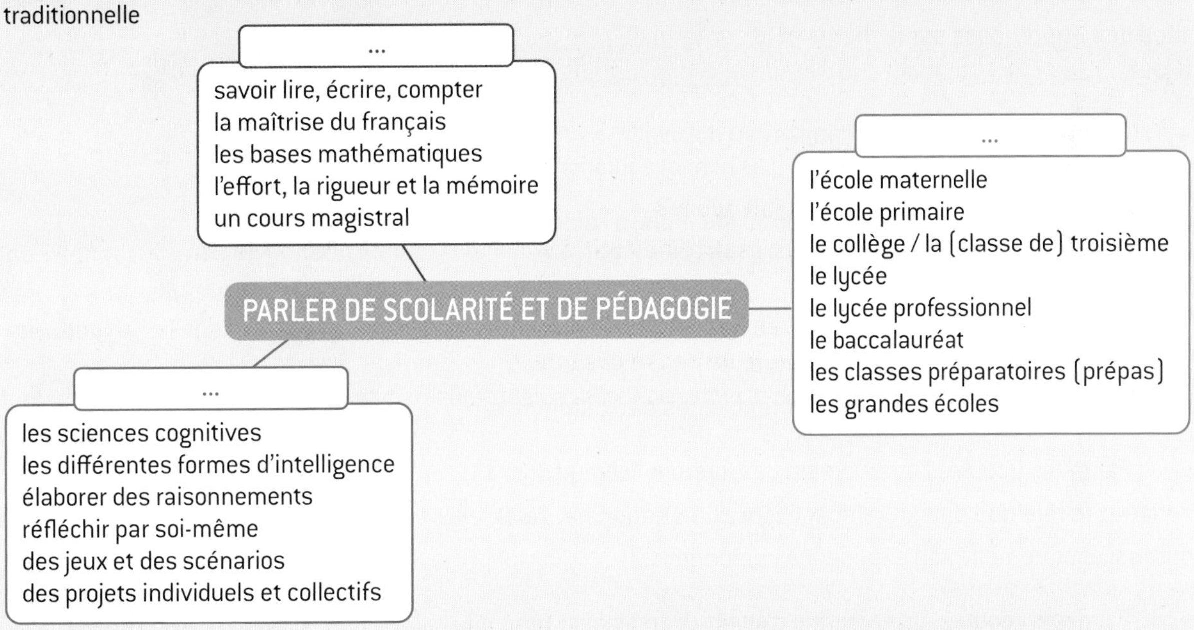

PARLER DE SCOLARITÉ ET DE PÉDAGOGIE

...
savoir lire, écrire, compter
la maîtrise du français
les bases mathématiques
l'effort, la rigueur et la mémoire
un cours magistral

...
l'école maternelle
l'école primaire
le collège / la (classe de) troisième
le lycée
le lycée professionnel
le baccalauréat
les classes préparatoires (prépas)
les grandes écoles

...
les sciences cognitives
les différentes formes d'intelligence
élaborer des raisonnements
réfléchir par soi-même
des jeux et des scénarios
des projets individuels et collectifs

Parler de l'apprentissage des langues p. 186

5. a. Observez le nuage de mots (doc. 1 p. 140).

une langue étrangère la diction bilingue les sons la phonétique la prononciation les sonorités l'apprentissage précoce la tonalité les voyelles les changements vocaux l'orthophonie monolingue la langue maternelle plurilingue

b. Complétez le nuage de mots avec d'autres termes que vous connaissez. Partagez avec la classe.
Exemple : *les consonnes.*

c. En petits groupes. Échangez sur le thème de l'apprentissage des langues. Utilisez le plus possible de termes du nuage de mots. Partagez avec la classe.

LEÇON 3 Un diplôme, pour quoi faire ?

- Questionner l'utilité des diplômes ▸ Doc. 1
- Comprendre un fait de société ▸ Doc. 2

document 1 84 à 87

france culture — LE DIRECT — Du Grain à moudre

ACTUALITÉS

DU GRAIN À MOUDRE par Hervé Gardette

DU LUNDI AU VENDREDI DE 18H20 À 19H

PODCAST — </> EXPORTER

26/06

Intervenants

Caroline Letellier, responsable du développement et des formations de la Wild Code School[1]
Albert-Jean Mougin, délégué général du Syndicat national des lycées et collèges
Florence Poivey, présidente de la commission éducation, formation et insertion du Medef[2]

1. Wild Code School : école de formation aux métiers du numérique.
2. Medef (Mouvement des entreprises de France) : syndicat patronal représentant des entreprises françaises.

1. Observez la page Internet (doc. 1).

a. Qui sont les invités de l'émission du 26 juin ?

b. Faites des hypothèses sur le thème et le contenu de l'émission du jour.

2. 84 Écoutez l'introduction de l'émission (doc. 1).

a. Vérifiez vos hypothèses.

b. Listez les questions posées par le journaliste. Puis, à l'aide de ces questions, formulez la problématique traitée dans l'émission.

3. 84 Réécoutez l'introduction (doc. 1).

a. Quels sont les deux diplômes mentionnés ?

b. Selon le journaliste, qu'est-ce qui différencie ces deux diplômes ?

4. 85 Par deux. Écoutez l'intervention de Florence Poivey (doc. 1).

a. Expliquez le rôle que devrait remplir l'Éducation nationale, selon elle.

b. Pourquoi évoque-t-elle son expérience personnelle ?

5. 86 Par deux. Écoutez l'intervention d'Albert-Jean Mougin (doc. 1).

a. Expliquez son point de vue sur la fonction et l'utilité des diplômes.

b. Repérez le nom du « diplôme pour autodidactes » dont il parle.

6. 87 Par deux. Écoutez l'intervention de Caroline Letellier (doc. 1).

a. Identifiez le point de vue qu'elle partage avec Albert-Jean Mougin.

b. Qu'est-ce qui caractérise les formations de la Wild Code School ?

c. À partir des éléments donnés par Caroline Letellier, proposez une définition de l'autodidaxie.

7 En petits groupes. Échangez.

a. Quelle est la place accordée aux diplômes dans votre pays ? Sont-ils déterminants pour trouver un emploi ?

b. L'autodidaxie est-elle valorisée ? Si oui, dans quels secteurs ?

document 2

Si vous ne l'avez pas été vous-même, vous vous souvenez au moins du premier de la classe, cet élève avec une trousse bien rangée, des cahiers impeccablement tenus, une calculette scientifique clignotant comme un arbre de Noël. Son parcours semblait déjà tout tracé. Pendant que vous étiez occupé à sniffer de la colle UHU, ce dernier cochait sans bruit, une à une et avec méthode, les cases d'un accomplissement méritocratique qui devait le conduire à devenir cadre de banque ou ingénieur dans l'industrie agrochimique.

1. un tourneur-fraiseur : ouvrier mécanicien en usine. 2. un bagnard : un prisonnier. 3. un lépreux : personne atteinte de la lèpre et, par extension, personne rejetée.

8. Lisez le titre du texte et parcourez la première partie sans la lire en détail (doc. 2, l. 1 à 33). Trouvez le plus vite possible l'explication du titre.

Quant à vous, votre scolarité était si pitoyable que le système vous donnait de grands coups de coude énergiques pour vous orienter vers une voie de garage : boulanger, plombier, tourneur-fraiseur[1]. À l'époque, ces filières suffisaient à faire de celui qui y était expédié un bagnard[2] de l'intelligence, pour ne pas dire un lépreux[3] social. Puis le vent a tourné. Si vous vivez actuellement dans un centre urbain en proie à la gentrification[4], il y a de grandes chances pour que votre boulanger, votre charcutier ou votre petit restaurateur de quartier soit plus diplômé que vous.
Le type qui, sous les néons, tranche le Serrano[5] a peut-être fait HEC et un MBA à la Harvard Business School avant de se retrouver là, à débiter avec application des copeaux de jambon quasi translucides. Aujourd'hui, un nouvel artisan commerçant sur quatre est diplômé de l'enseignement supérieur, et un sur dix affiche un bac + 5 au compteur.

Dans son livre-enquête *La Révolte des premiers de la classe*, le journaliste Jean-Laurent Cassely explore avec minutie cette fièvre de la reconversion qui s'est emparée de l'époque. Préférer ouvrir un bar à fromages plutôt que de continuer à travailler dans le conseil à la Défense[6] s'explique en partie par un sentiment d'absurde largement partagé, accompagnant l'explosion de ce que l'anthropologue David Graeber a appelé « les métiers à la con ».
Au classement des utopies, caresser la croûte d'un maroilles[7] odorant est aujourd'hui bien plus valorisant que de mettre la dernière main à un PowerPoint que personne ne lira.
À cela s'ajoute un mouvement de déclassement généralisé où le diplôme, si rutilant soit-il, ne garantit plus l'accès à un poste à la hauteur des attentes. Le contrat tacite qui réservait aux premiers de la classe une reconnaissance sociale moulée à la louche et des émoluments[8] obligatoirement importants est devenu caduc[9]. Ces surdiplômés, devenus néoartisans des villes, bâtissent en réaction une nouvelle mythologie autour de ce qu'ils ont toujours su faire de mieux : exceller. Lorsqu'il devient microbrasseur ou boucher bohème, l'ex-premier de la classe ne perd pas son goût de la performance, bien au contraire. S'il fait du pain, ça sera logiquement avec une farine plus bio et plus traçable que celle de son concurrent, cet indécrottable cancre[10].

Le Syndrome de la chouquette ou la tyrannie sucrée de la vie de bureau, Nicolas Santolaria, Anamosa, 2018

4. la gentrification : embourgeoisement d'un quartier populaire. 5. le Serrano : jambon espagnol. 6. la Défense : quartier d'affaires au nord de Paris.
7. le maroilles : fromage du Nord de la France. 8. les émoluments : le salaire.
9. caduc : périmé, obsolète. 10. un cancre : très mauvais élève, dernier de la classe.

9. Par deux. Lisez la première partie du texte (doc. 2).

a. Repérez les deux types d'élèves présentés. Comment sont-ils décrits ?

b. Quel effet cette description produit-elle ?

10. Par deux. Relisez la première partie du texte (doc. 2).

a. Listez les professions qui étaient auparavant réservées à chaque catégorie d'élèves.

b. Quelle image était alors associée aux professions réservées aux mauvais élèves ?

c. Expliquez en quoi « le vent a tourné » (l. 23-24). ▸ p. 148, n° 1

11. Par deux. Lisez la deuxième partie du texte (doc. 2, l. 34 à 59). Relevez les deux causes qui expliquent, selon Jean-Laurent Cassely, ces envies de reconversion. Reformulez.

12. Relisez la deuxième partie du texte (doc. 2). Qu'est-ce qui, en définitive, n'a pas changé selon Nicolas Santolaria ?

À NOUS !

13. Nous réalisons le portrait-robot « éducatif » de la classe.

En petits groupes.

a. À quoi ressemblent les premiers de la classe et les cancres dans votre pays ?

b. Faites la liste des professions traditionnellement réservées aux premiers de la classe et aux cancres. Certaines professions sont-elles uniquement accessibles à des personnes diplômées ?

c. À quelle catégorie apparteniez-vous ? Qu'êtes-vous devenus ? Quel a été le rôle des diplômes dans votre parcours ? Et la part d'autodidaxie ?

d. Dressez le portrait-robot « éducatif » de votre groupe.

LEÇON

- Présenter une initiative éducative ▸ Doc. 1
- Analyser des différences ▸ Doc. 2

4 Tellement français !

document 1 Vidéo n° 8

1. Observez ces images extraites d'un reportage de France 3 (doc. 1) et faites des hypothèses. Où se trouvent ces personnes ? Que font-elles ?

2. En petits groupes. Regardez le reportage (doc. 1).

a. Vérifiez vos hypothèses.

b. Listez un maximum d'informations sur l'événement organisé. (Quoi ? Qui ? Où ? Combien de personnes ? Combien de temps ?)

3. En petits groupes. Regardez à nouveau le reportage (doc. 1).

a. Quel texte a été choisi pour la dictée ? Quelles difficultés ce texte pose-t-il aux participants ?

b. Quelle est la finalité de cette initiative, selon son organisateur Rachid Santaki ?

4 En petits groupes. Échangez.

a. D'après vous, qu'est-ce qui explique cet enthousiasme pour la « dictée géante » ? Pensez-vous que ce type d'initiative contribue à faire évoluer les idées reçues des élèves sur les difficultés de la langue française ?

b. Dans votre pays, pratique-t-on la dictée en classe ? Une « dictée géante » pourrait-elle être mise en place ? Si non, pourquoi ?

c. Partagez avec la classe.

5. Lisez le titre et le chapeau de l'article (doc. 2).

a. Qui sont les deux étudiants mentionnés dans le titre ? Listez leurs similitudes et leurs différences.

b. Repérez l'expression qui exprime leur étonnement par rapport à la vie en France.

6. Par deux. Lisez la première partie de l'article (doc. 2).

a. Listez ce qui différencie, selon Jacques et Liliana, les études supérieures en France et les études supérieures aux États-Unis, dans les deux domaines suivants :
– les relations professeurs-étudiants ;
– les types de cours.

b. Dites comment l'expérience personnelle de Jacques et de Liliana vient nuancer leurs propos.

▸ p. 148, n° 2

7. Par deux. Lisez la deuxième partie de l'article (doc. 2).

a. Sur quel exercice d'argumentation porte cette partie ?

b. Retrouvez les caractéristiques de cet exercice.

8. Par deux. Relisez la deuxième partie de l'article (doc. 2). Expliquez :

a. en quoi les avis de Jacques et Liliana diffèrent sur la dissertation à la française ;

b. pourquoi l'argumentation à l'américaine donne plus de liberté.

9. Par deux. Lisez la dernière partie de l'article (doc. 2).

a. Quelle différence culturelle et sociale décrit Liliana ? Est-ce un point positif selon elle ?

b. Identifiez le point commun entre les étudiants de Duke et ceux de Sciences Po. Que pense Liliana de cette catégorisation ?

▸ p. 148-149, n° 3 et 4

À NOUS !

10. Nous présentons une initiative éducative.

En petits groupes.

a. Choisissez une initiative éducative innovante développée dans l'enseignement primaire, secondaire ou supérieur, dans votre pays ou dans un autre pays. Faites des recherches si nécessaire.

b. Décrivez cette initiative.
Exemple : *L'école primaire espagnole Els Alocs, située près de Barcelone en Espagne, préconise une éducation lente. Ainsi, au lieu de décider pour l'enfant de ses activités (dessin, judo, piano…), on lui laisse le choix, y compris de ne rien faire.*

c. Présentez l'initiative éducative choisie à la classe.

d. Comparez chaque initiative avec les pratiques de votre pays et échangez vos points de vue.

document 2

https://www.nouvelobs.com/rue89

L'OBS avec Rue89

Deux étudiants américains à Paris

Par Hélène Crié-Wiesner

Deux Américains à Paris, en échange universitaire pour un semestre à Sciences Po[1]. Ils parlent bien le français mais, ici, ils découvrent la lune, ou presque ! J'ai vu Jacques fin mars à Montparnasse, entre deux cours. «Senior» à Duke[2], c'est-à-dire en quatrième et dernière année, il a suivi un «double major» en français et en histoire. Joueur de la redoutable équipe de football (américain) de l'université, il a attendu le second semestre de l'année universitaire pour partir en France, sa saison sportive étant terminée.
Liliana, rencontrée dans un café de Duke fin avril, juste avant ses examens, est une «junior» en fin de troisième année qui étudie les sciences politiques, le français et les civilisations sud-américaines. Elle était à Paris au premier semestre universitaire, d'août à décembre.

Des profs moins accessibles

Jacques est déçu par la qualité de la relation étudiant-professeur :
« *Le prof français est un maître qui a peu d'interactions avec les étudiants. Déjà, contrairement à l'université américaine, on n'a pas besoin de se préparer au cours à l'avance par des lectures, dans l'objectif de participer. Ici on doit écouter, à la rigueur poser des questions à la fin. Mais pas intervenir avec ses propres idées. Cela dit, mes profs sont bons, j'apprends plein de choses, notamment dans mon cours d'histoire politique délivré avec une perspective française. Mon prof a un point de vue socialiste, un angle pas fréquent aux États-Unis*. »
Comme Jacques, Liliana constate que les profs français sont moins accessibles que leurs homologues américains : pour leur parler en dehors des cours, il faut prendre rendez-vous.
« *Les profs de Sciences Po n'ont pas, dans leur planning, d'heures fixes dédiées à la rencontre avec les étudiants. Et quand ils se présentent à nous, ils ne nous donnent ni leur e-mail, ni leur numéro de téléphone.* »
Mais Liliana précise qu'elle est personnellement tombée sur deux profs super, exerçant un autre métier en plus d'enseigner à Sciences Po, avec qui elle a bu des cafés et correspond toujours.

Drôle de dissert'

« Chez nous, on écrit plus librement. »
Tous les étudiants américains passés par la case «France» évoquent cette stupéfiante singularité de la dissertation à la française, confite dans le célèbre moule cartésien introduction-développement-conclusion, ou dans sa variante du plan dialectique, hypothèse-thèse-antithèse-synthèse.
L'exercice est si spécifique que Sciences Po propose un cours d'entraînement à la dissertation à ses étudiants étrangers, lors de leur semaine d'intégration. Jacques est réservé sur la formule :
« *Je comprends la valeur de la synthèse, mais c'est une méthode ancienne. Tous les sujets ne comportent pas forcément deux ou trois approches à examiner successivement avant d'en arriver à la conclusion. C'est comme si la forme l'emportait sur le fond, je ne sais pas si c'est typique de Sciences Po. Chez nous, on met davantage l'accent sur la critique, laquelle, en France, est éventuellement tolérée en conclusion. Moi, j'ai plus l'habitude d'interroger, d'ajouter quelque chose au débat auquel l'auteur n'aurait pas pensé ou [qu'il aurait] peu développé. En France, on insiste plus sur l'analyse objective.* »
Au contraire, Liliana a aimé les règles strictes de la dissertation :
« *Cela m'a aidée à organiser mes idées, à ne rien oublier de ce qui était contenu dans la question. C'est vrai que chez nous, on écrit plus librement, avec plus de fluidité et de créativité. Mais cela ne convient pas à tous les sujets.* »

Pas de clubs sociaux

Liliana a été surprise par l'absence à Sciences Po de ce qu'elle appelle les «clubs sociaux». Les fraternités, sororités, ligues d'athlètes, tous ces groupes quasi communautaires qui structurent et animent la vie des campus américains n'existent pas ici.
« *Sans doute parce que les étudiants français ne vivent pas ensemble au même endroit à longueur d'année. Je trouve super qu'on n'ait pas besoin d'être affilié à une communauté pour avoir une existence. Ici, à Duke, si on n'appartient pas à un groupe, c'est difficile d'avoir une vie sociale.* »
J'émets l'hypothèse que les étudiants de Sciences Po se satisfont d'appartenir à une école dite d'élite, étiquette suffisant à les situer sur le prisme social. Mais la supposition ne tient pas, car les étudiants de Duke sont triés sur le même volet de l'excellence scolaire. À propos de cette étiquette, Liliana grimace : « *Ce sens de l'élite qu'on nous reproche de ressentir, nous de Duke et ceux de Sciences Po, on n'en est pas seuls responsables. C'est ce que la société, les autres, nous renvoient constamment : "Vous êtes l'élite." C'est réducteur !* »

1. Sciences Po : Institut d'études politiques. 2. Duke : université américaine renommée (Caroline du Nord).

FOCUS LANGUE

Grammaire

Le subjonctif pour exprimer la probabilité

p. 186 et p. 207

1. Par deux. Lisez ces extraits des documents 1 et 2 p. 144-145.

1. Il y a **peu de chances que** sur leur CV, plus tard, les titulaires du brevet le **mentionnent**.
2. Il y a **de grandes chances pour que** votre boulanger, votre charcutier ou votre petit restaurateur de quartier **soit** plus diplômé que vous.

a. Observez les éléments en gras et complétez ci-dessous le mode utilisé.

Pour exprimer une **probabilité plus ou moins forte** avec *il y a de fortes chances / peu de chances / de grandes chances / il est peu probable que*, on utilise le mode … .

Rappel **Le mode indicatif** exprime des actions **réelles** (ou présentées comme réelles) ou **certaines**.

b. Exprimez deux probabilités sur l'évolution de la valeur des diplômes dans votre pays.
Exemple : *Il est peu probable que les diplômes soient valorisés à l'avenir.*

La négation *ne… ni… ni…*

p. 186 et p. 214

2. Par deux.

a. Observez cet extrait (doc. 2 p. 147) où la négation porte sur deux termes.
Et quand ils se présentent à nous, ils ne nous donnent ni leur e-mail, ni leur numéro de téléphone.

b. Transformez les affirmations suivantes en phrases négatives. La négation doit porter sur les deux termes soulignés.

1. Ils nous enseignent le français et l'anglais.
2. Jacques et Liliana trouvent les profs de Sciences Po très accessibles.
3. D'après Jacques, pendant les cours de Sciences Po, il faut participer et intervenir avec ses propres idées.

c. Proposez deux différences entre Sciences Po ou Duke et une université renommée de votre pays. Utilisez la négation *ne… ni… ni…*
Exemple : *À l'université du Cap, en Afrique du Sud, les cours ne sont ni ennuyeux, ni difficiles !*

Mots et expressions

Parler des études et du système éducatif

p. 187

3. En petits groupes. Observez la carte mentale (doc. 1 et 2 p. 144-145 et p. 146-147).

PARLER DES ÉTUDES ET DU SYSTÈME ÉDUCATIF

Les parcours
- un parcours scolaire / universitaire
- une filière
- un cursus classique
- une voie de garage
- l'autodidaxie
- un(e) autodidacte
- …

…
- un bachelier, une bachelière
- être titulaire du brevet, du baccalauréat
- avoir bac + 3, + 4…
- faire un MBA (*Master of Business Administration*)
- être diplômé(e) de l'enseignement supérieur
- être surdiplômé(e)
- un bagage académique
- une VAE (Validation des Acquis de l'Expérience)
- …

…
- la dictée
- la dissertation
- …

a. Complétez les titres manquants.

b. La VAE existe-t-elle dans votre pays ? Si oui, sous quelle forme ?

c. Complétez chaque rubrique avec d'autres mots ou expressions que vous connaissez. Partagez avec la classe.

4. **En petits groupes. Observez ce schéma du système éducatif français.**

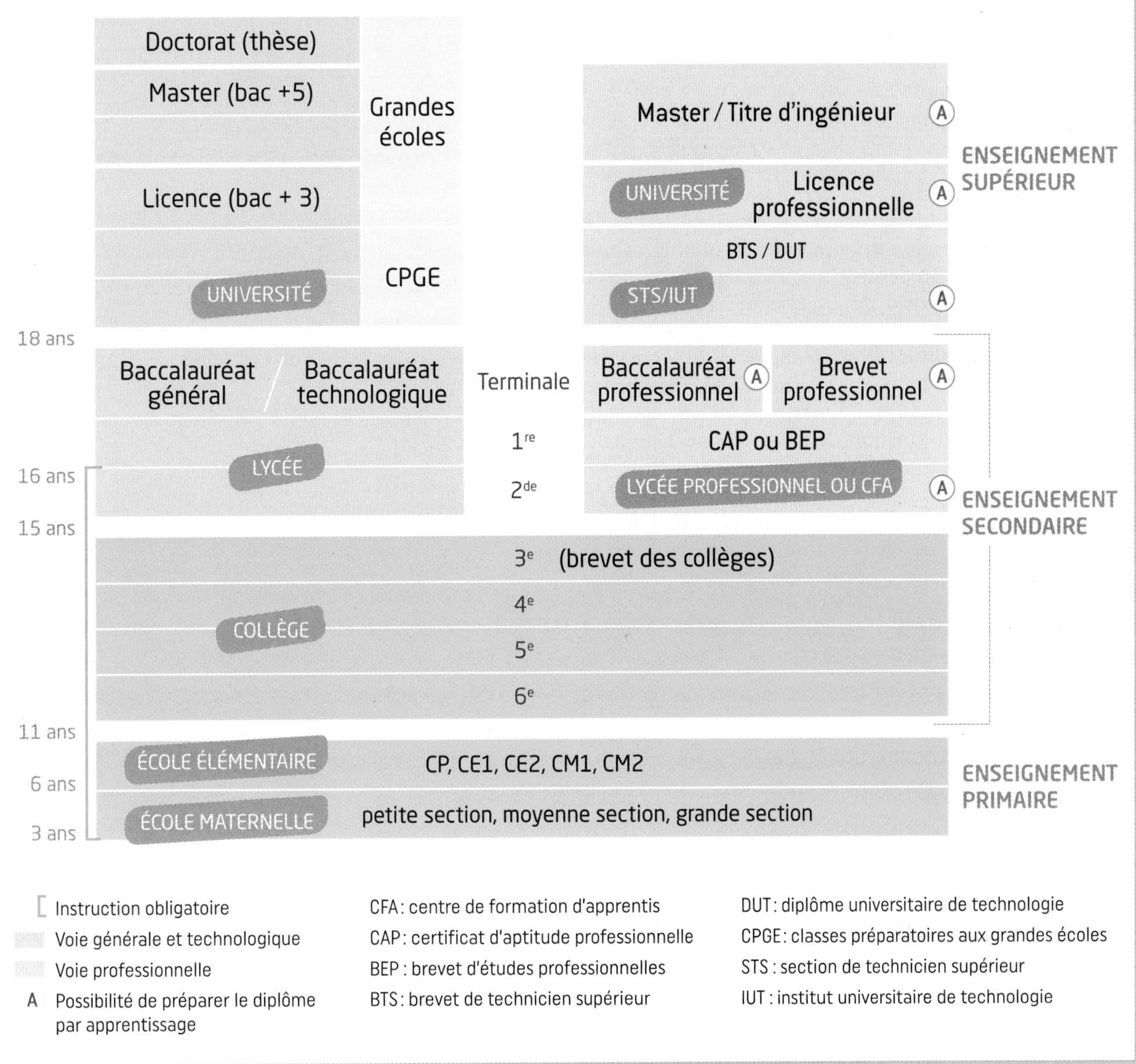

a. **Donnez des exemples de grandes écoles françaises.**

b. **Comparez l'organisation du système éducatif français avec celle de votre pays. Quelles sont les différences et les similitudes ? Partagez avec la classe.**

Phonétique

► p. 187

Adopter le ton juste

5. a. 88 **Écoutez les différentes interprétations d'une même phrase. Pour chacune, soyez attentifs aux changements de hauteur de voix, d'intonation et de rythme. Puis répétez.**

Je n'ai aucun diplôme et tu trouves que ce n'est pas un problème ?

1. **Ton neutre** → peu de variation de hauteur de voix, courbe mélodique régulière, rythme normal.
2. **Ton agacé** → voix forte et plutôt aiguë, courbe mélodique montante, rythme rapide.
3. **Ton moqueur** → voix basse et plutôt aiguë, courbe mélodique plutôt montante, rythme rapide.
4. **Ton triste et découragé** → voix basse et grave, courbe mélodique régulière, rythme lent.

b. 89 **Écoutez. Dites si le ton est neutre, agacé, moqueur ou découragé. Puis prononcez chaque phrase sur un autre ton de votre choix.**

Faire une synthèse de documents écrits

1 **Les meilleurs systèmes éducatifs dans le monde**

Que ce soit l'Algérie, le Maroc ou la Tunisie, chaque pays met en place des mesures pour améliorer la qualité de l'enseignement et rendre les apprentissages plus performants. Ces changements concernent aussi bien la formation des enseignants, l'évaluation des élèves que l'intégration des nouvelles technologies en classe. Pour le moment, aucun des trois pays n'a en revanche entrepris une réforme en profondeur de son système d'éducation (modification des programmes, changement des rythmes scolaires…). Existe-t-il une recette miracle pour améliorer le secteur de l'enseignement ? A priori, la réponse est non. La performance d'un système éducatif dépend de divers paramètres qui diffèrent d'un pays à l'autre en fonction de l'histoire, de la culture et de diverses expérimentations passées. Cependant, si on se réfère au classement PISA*, il existe des modèles de réussite. Même si chacun a ses propres spécificités, ces modèles peuvent certainement constituer une base de réflexion, voire d'inspiration, pour une évolution positive des systèmes éducatifs maghrébins.

edupronet.com, Karim Elouardani, 10 janvier 2016

* PISA : Programme international pour le suivi des acquis des élèves (de l'anglais *Programme for International Student Assessment*).

2 **ÉCOLE : EST-CE VRAIMENT MIEUX AILLEURS ?**

PISA* nous donne d'excellentes pistes de réflexion… à condition de ne pas s'arrêter au simple classement comme le font majoritairement médias et politiques. Comment ? La France n'est pas première ? Passe encore que des pays tels que la Corée ou le Japon soient mieux classés. Dans ces pays, l'école et la compétition qu'elle entraîne sont devenues souvent inhumaines pour les élèves. Mais des pays comme la Finlande, ou d'autres encore, sont devant ! Impensable !

Et au lieu d'en faire une lecture prenant en compte tous les paramètres, regardant les points faibles et les points forts, prenant une distance raisonnable quand il s'agit de comparer des pays très peuplés ou à plus faible densité, des pays socialement homogènes ou beaucoup moins, des pays à forte immigration entraînant des difficultés de maîtrise de la langue avec d'autres linguistiquement homogènes, le classement est souvent devenu le prétexte pour « jeter le bébé avec l'eau du bain » : le système est tout d'un coup devenu nul, à bout de souffle et indigne d'un pays comme la France.

Jean Cassou, *École : est-ce vraiment mieux ailleurs ?*, « Les Impliqués », L'Harmattan, 2015

3 Document écrit p. 137

Par deux.

1. Parcourez les documents 1, 2 et 3.

a. Identifiez les documents : nature, date de publication, titre, auteur, source.

b. Dites quel est leur thème commun.

2. Lisez les trois documents.

a. Résumez leurs idées principales. Identifiez leurs similitudes et leurs différences.

c. Dégagez une problématique commune aux trois documents.

3. Rédigez votre synthèse des trois documents (200 mots maximum). Suivez le plan proposé.

! La synthèse doit être objective : pas de « je » ni d'avis personnel.

! Ne recopiez pas les textes : pensez à reformuler.

PLAN

> **Introduction : présentation des documents et du thème commun.**
__Parmi les trois textes qui nous sont proposés__, deux sont des extraits d'articles (le premier provient du site Canalvie et le second…). Le troisième est tiré d'un essai intitulé…

> **1re partie : existe-t-il un modèle éducatif « idéal » ?**
__Les trois textes questionnent la réussite des différents modèles éducatifs__. Mais existe-t-il un modèle éducatif idéal ?
Le modèle Finlandais, __par exemple__, semble…
__En effet__… __contrairement aux__ modèles éducatifs traditionnels…
__À l'image de__ nombreux chercheurs, Karim Elouardani…
__Cependant, tout comme Jean Cassou__, il met en avant les spécificités…

> **2e partie : que faut-il retenir du PISA ?**
__Alors__, que faut-il retenir des classements internationaux comme le PISA ?
__Selon__ Jean Cassou, les résultats du classement PISA… __Par ailleurs__… __Enfin__, ces résultats…

> **Conclusion : quelle est la meilleure manière de faire évoluer un système éducatif ?**
__Que ce soit__ dans les pays du Maghreb ou en France, la meilleure manière de faire évoluer un système éducatif…

4. Partagez avec la classe. La classe vote pour la meilleure synthèse et justifie son choix.

PROJETS

Projet de classe

 Nous imaginons un modèle éducatif idéal.

L'école idéale vue par des élèves français

Margaux, 15 ans.
Mon école idéale : mes professeurs seraient moins préoccupés par les notes et les moyennes. Ils n'enfonceraient* pas les mauvais élèves et ne valoriseraient pas trop les excellents. Un professeur qui aime ce qu'il enseigne, ça doit se sentir à chaque instant, il sait trouver les mots justes et imaginer des situations d'apprentissage motivantes.

Kady, 15 ans.
Mon école idéale : ce que j'attends de mes profs, c'est qu'ils soient plus à notre écoute et qu'ils nous fassent plus travailler à l'oral. Dans mon école idéale, on continuerait d'être notés car c'est un bon moyen de se repérer. Ça permet de progresser. Sans les notes, je ne saurais pas où j'en suis.

Cyrielle, 15 ans.
Mon école idéale : tous les profs ressembleraient à mon prof d'histoire. Il fait attention à nous, il nous respecte. Il est strict mais juste. Parfois il nous engueule, mais il sait aussi rigoler avec nous. Concernant les enseignements, j'aimerais qu'il y ait plus d'histoire, de disciplines artistiques, et surtout des cours où l'on étudierait ce qui se passe dans le monde d'aujourd'hui. Et puis, dans mon école idéale, il n'y aurait plus de notes du tout. C'est tellement décourageant d'avoir une sale note alors qu'on a vraiment fait des efforts.

Anna, 15 ans.
Mon école idéale : avant tout, j'aimerais sentir que mes professeurs ont envie d'être là, de retenir notre attention, pas uniquement en nous enseignant des choses élémentaires et en nous punissant, mais en enrichissant notre culture. L'art, la musique et la technologie seraient enseignés, tout comme la danse, le chant et le théâtre. Le sport aussi. Ainsi qu'un cours sur la manière de vivre en société, un genre de cours de psychologie, pour nous aider à comprendre les rapports humains et nous armer pour l'avenir. L'école serait ainsi plus proche de la vraie vie.

Christophe, 15 ans.
Mon école idéale : j'aimerais que l'école nous permette d'explorer de nouvelles possibilités, plus en phase avec l'époque. En Norvège, par exemple, les élèves apprennent la cuisine. Ce qui paraît logique : ça nous apprend à vivre sainement et ça raconte qui nous sommes. Je pense également qu'il faudrait que notre emploi du temps soit plus léger, comme en Allemagne. Nous aurions du temps pour une vie sociale, culturelle, sportive ou familiale. Je suis également pour un enseignement de la philosophie très tôt, pour aiguiser la réflexion et le sens critique.

D'après lexpress.fr

* enfoncer (*fam.*) : aggraver l'état, dévaloriser.

Par deux.

1. Lisez les témoignages de ces élèves français.

a. Classez leurs préoccupations dans les thèmes suivants.
l'évaluation • le rôle de l'enseignant(e) • les enseignements et leur utilité

b. Relevez dans ces témoignages les idées et propositions qui vous paraissent les plus intéressantes. Classez-les de la plus importante à la moins importante pour vous.

En petits groupes.

2. Faites des recherches sur les préoccupations et les propositions des élèves de votre pays (témoignages, articles, sondages, etc.). Comparez avec celles des cinq élèves français.

3. À partir des concepts évoqués dans le dossier, des préoccupations des élèves et de vos propres points de vue, imaginez un modèle éducatif idéal.

a. Faites des propositions dans les domaines suivants.
état d'esprit et attitude des enseignants • domaines d'apprentissage • modes d'évaluation • organisation du temps • matières enseignées

b. Exposez les objectifs visés par votre modèle et les moyens à mettre en œuvre pour les atteindre.
Exemple : *Nous souhaitons une école qui soit… / une société qui valorise…*

c. Listez les conséquences positives de vos propositions sur les élèves et sur la société en général.

4. Partagez avec la classe puis synthétisez les différentes propositions pour élaborer le modèle éducatif idéal de la classe.

Projet ouvert sur le monde

▸ GP

Nous comparons différents modèles éducatifs.

DELF 8

Compréhension des écrits / texte argumentatif

Lisez l'article puis répondez aux questions.

Et si on permettait aux étudiants d'évaluer la qualité des universités ?

S'il est légitime de garantir l'accès à l'enseignement supérieur des bacheliers, il est tout aussi important de se préoccuper de l'objectif suivant : garantir la qualité de l'enseignement supérieur auquel on permet d'accéder. Sans quoi la bataille pour ce droit perd de sa pertinence.

C'est l'objet du processus de Bologne* que de s'assurer de la qualité du fonctionnement des établissements. Les inspecteurs peuvent y veiller grâce aux évaluations qu'ils mènent, et de manière plus efficace que des classements plus centrés sur la recherche, qui n'analysent qu'un nombre restreint d'établissements d'enseignement supérieur.

Par ailleurs, une conférence organisée à Beyrouth par l'Agence universitaire de la Francophonie (AUF) concernant le défi de la qualité des universités a souligné une certaine diversité des pratiques, en particulier en ce qui concerne la place donnée aux étudiants dans les mécanismes d'évaluation des universités francophones.

Les conclusions de cette conférence insistent sur l'importance de mettre les étudiants au centre des préoccupations des universités, en prenant en compte la diversité croissante des publics et des besoins ainsi que l'importance des services de soutien à ceux qui se forment (bibliothèque, santé, etc.).

A priori, il semble évident que les étudiants, à qui est destiné l'enseignement, devraient être régulièrement consultés, afin de recueillir leur avis sur les compétences et connaissances transmises. De telles informations sont indispensables pour discuter de possibles transformations et espérer améliorer l'enseignement et le fonctionnement des universités.

Pourtant, la France, comparée à la Belgique francophone, la Suisse romande ou le Québec, apparaît bien réticente. Et ceci en dépit d'un principe européen clair qui a fait de la présence d'étudiants dans tout processus d'évaluation une recommandation en 2005 et une obligation depuis 2015.

1. **D'après l'auteur de l'article, que faut-il pouvoir assurer aux bacheliers ? (*2 réponses attendues*)**
2. **Le processus de Bologne est chargé de préserver la qualité…**
   a. du classement des universités.
   b. de l'organisation des universités.
   c. des travaux de recherche des universités.
3. **Vrai ou faux ? Choisissez la bonne réponse et recopiez la phrase ou la partie du texte qui justifie votre réponse.**
   L'AUF a constaté des différences lors de l'évaluation des étudiants dans certaines universités francophones.
   ☐ Vrai ☐ Faux Justification : …
4. **Selon les conclusions de la conférence de Beyrouth, quels sont les trois critères auxquels les universités doivent être attentives concernant les étudiants ?**
5. **Vrai ou faux ? Choisissez la bonne réponse et recopiez la phrase ou la partie du texte qui justifie votre réponse.**
   a. La France se distingue d'autres pays francophones concernant l'intégration d'étudiants lors de l'évaluation des universités.
   ☐ Vrai ☐ Faux Justification : …
   b. Depuis 2005, une norme européenne impose aux universités d'inclure les étudiants dans leur processus d'évaluation.
   ☐ Vrai ☐ Faux Justification : …

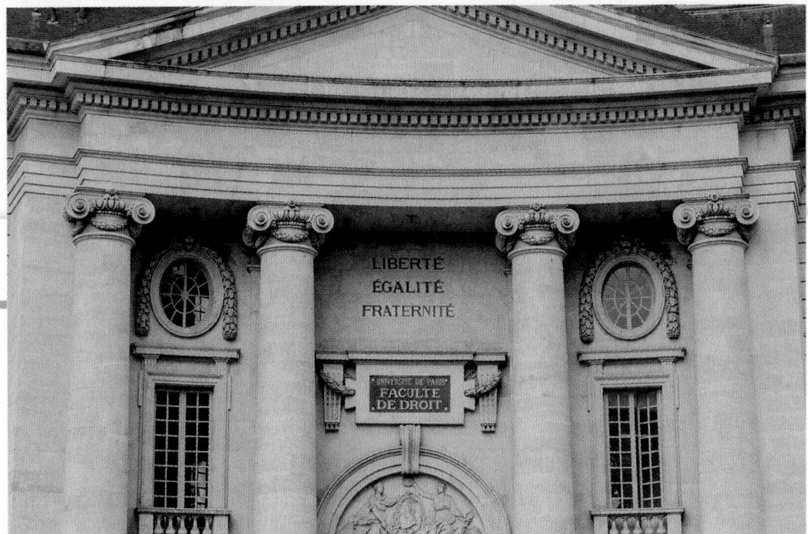

Prenons l'exemple de l'Université de Lausanne et ce qu'en disait le professeur Jacques Lanarès lors de son intervention à Beyrouth : « *Dialoguer avec les étudiants ne signifie pas forcément se plier à leurs exigences. Cela me permet de mieux les comprendre afin d'adapter mes choix pédagogiques à leurs besoins* ».

Alors, pourquoi ce particularisme français, si différent de ce que l'on observe également dans les mondes anglo-saxon et nordique ? Parce qu'en France, le système universitaire est traditionnellement contrôlé par le ministère de l'Éducation nationale ; habituées à être dirigées par cette institution, les universités peinent à se prendre en main.

Cela s'explique également par l'attitude des enseignants eux-mêmes, qui ont pris l'habitude de contester, au nom des libertés académiques, les directives venues d'en haut, et transposent leurs réticences aux dispositifs que tentent de mettre en place les directions d'établissements. En particulier ceux concernant le débat avec les étudiants sur les formations qu'ils dispensent.

Certes, les étudiants francophones sont peu préparés à ces débats, mais c'est l'occasion de mettre en place une habitude qui se transmettra ensuite aux générations suivantes, à condition qu'on consulte les étudiants dès à présent.

Ce regard critique des universités sur elles-mêmes est indispensable, ainsi que le fait d'y associer les étudiants, pour avancer et s'améliorer.

D'après contrepoints.org

* processus de Bologne : processus de création d'un espace européen de l'enseignement supérieur.

6. Le professeur Jacques Lanarès voit le dialogue avec les étudiants comme…

a. une contrainte supplémentaire.
b. un facteur de progrès.
c. une simple formalité administrative.

7. L'auteur dénonce le fait que les universités françaises sont…

a. sélectives.
b. peu autonomes.
c. surchargées.

8. Vrai ou faux ? Choisissez la bonne réponse et recopiez la phrase ou la partie du texte qui justifie votre réponse.

En France, les professeurs d'université se montrent ouverts au dialogue et à la remise en cause de leurs pratiques d'enseignement.

☐ Vrai ☐ Faux Justification : …

9. Selon l'auteur, l'actuelle génération d'étudiants francophones…

a. est prête à débattre.
b. refusera de débattre.
c. doit commencer à débattre.

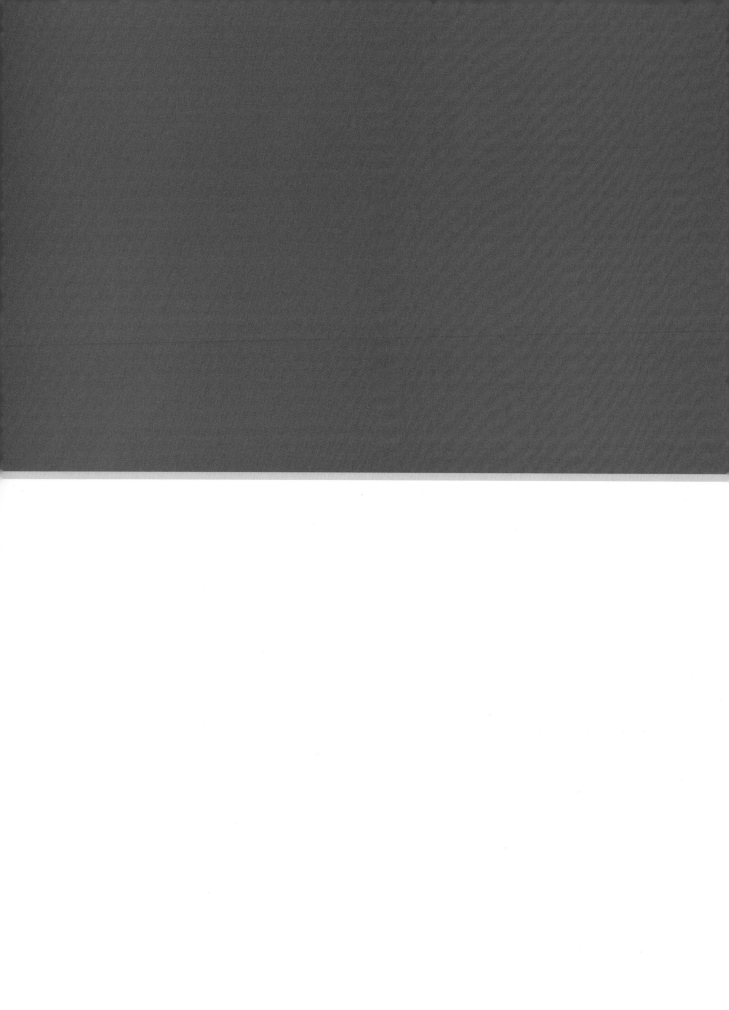

ANNEXES

DOSSIER 1

Leçons 1 et 2

FOCUS LANGUE ▸ p. 16-17

Le participe présent et l'adjectif verbal pour caractériser

1. Complétez les phrases en choisissant l'adjectif verbal ou le participe présent. Faites l'accord si nécessaire.

a. 1. La tenue vestimentaire est l'un des critères *influant / influent* sur la sélection d'un candidat lors d'un entretien d'embauche.
2. C'est un styliste très *influant / influent* chez les stars.

b. 1. Adolescent, il prenait plaisir à porter des tee-shirts *provocant / provoquant* qui choquaient ses parents.
2. Ses tenues excentriques *provocant / provoquant* les moqueries des élèves, le professeur a été convoqué par le directeur de l'établissement.

c. 1. L'année dernière, le jaune était à la mode et l'année *précédant / précédent*, c'était le rose.
2. La semaine *précédant / précédent* un défilé, les ateliers de couture sont en pleine effervescence.

d. 1. Le mannequinat fait rêver certains jeunes mais c'est un métier *fatigant / fatiguant*.
2. La cliente *fatigant / fatiguant* la vendeuse, cette dernière a demandé de l'aide à une collègue.

e. 1. Ce chapelier *excellant / excellent* dans son art, de nombreuses célébrités lui commandent de magnifiques chapeaux.
2. Cette femme fait preuve d'une grande modestie mais c'est une *excellant / excellent* couturière.

2. Participe présent ou adjectif verbal ? Mettez les verbes à la forme qui convient, en précisant sa nature.

a. Le style rétro plaît aux personnes (avoir) la nostalgie d'une époque.
b. On le reconnaît de loin grâce à son costume (briller).
c. Cet hiver, la mode est aux cuissardes – bottes (monter) jusqu'aux cuisses – et à la minijupe, (mouler) ou pas.
d. Les usines (fabriquer) ces tissus sont installées à l'étranger.
e. Le public du défilé a été conquis par les tenues (éblouir) des mannequins.
f. La cravate aux couleurs vives ne (plaire) pas au client, il en a choisi une autre moins (voir).
g. Je trouve que le gris est une couleur (déprimer).
h. Ma valise (excéder) le poids maximal, j'ai dû retirer quelques vêtements.

3. Complétez les phrases avec le participe présent, le gérondif ou l'adjectif verbal.

a. Il aime se faire remarquer (mélanger) plusieurs motifs dans une même tenue.
b. Ses chaussures (ne pas convenir) pour une randonnée, il a dû acheter des chaussures de marche.
c. Elle constitue sa garde-robe (investir) dans des vêtements de qualité.
d. Il a eu l'idée (surprendre) de mettre un costume vert pomme.
e. Ils ne savent pas comment être à la mode, ne (connaître) rien aux tendances actuelles.
f. Vous trouverez des trésors (fouiner) dans les friperies.
g. Il adore porter des tee-shirts (représenter) des héros de bandes dessinées.
h. Cette jeune femme à la démarche (hésiter) porte des talons bien trop hauts pour elle.

Le participe composé pour exprimer l'antériorité

4. Donnez les participes composés des infinitifs suivants.

a. connaître • b. se présenter • c. obtenir • d. naître • e. comprendre • f. avoir • g. s'investir • h. vivre • i. venir • j. recevoir

5. Reformulez les phrases. Remplacez les éléments soulignés par un participe composé.

a. <u>Comme je n'ai pas trouvé</u> le costume que je veux, je le ferai faire sur mesure !
b. Elle a dû refaire complètement sa garde-robe <u>car elle a beaucoup maigri</u>.
c. L'uniforme a été introduit dans cette école <u>parce que certains parents se sont plaints</u> de discriminations vestimentaires.
d. <u>Comme j'ai reçu</u> une invitation pour la soirée de gala, je dois trouver un smoking.
e. Nous n'avons pas retenu ce candidat pour le poste de chargé de clientèle <u>parce que ce dernier s'est présenté</u> à l'entretien dans une tenue très négligée.
f. Les personnes <u>qui ont eu</u> le privilège d'assister au dernier défilé de Chanel ont pu admirer de splendides créations.

g. <u>Comme elle a vécu</u> à Bombay, elle crée des vêtements d'inspiration indienne, colorés et brodés.
h. Le port du bermuda est autorisé au bureau en cas de fortes chaleurs <u>parce que la direction a entendu</u> les réclamations des employés.

Le futur antérieur pour exprimer l'antériorité dans le futur

6. Mettez les verbes au futur antérieur.

a. Je serai en meilleure santé…
1. quand je (réduire) ma consommation de viande.
2. quand je (prendre) l'habitude d'acheter des produits frais.
3. quand je (se mettre) à cuisiner.
4. quand je (suivre) un régime sans gluten.
5. quand je (renoncer) aux sodas.

b. Les gens changeront leurs habitudes alimentaires…
1. quand ils y (être) obligés.
2. quand il y (avoir) une succession de scandales alimentaires.
3. quand on les (convaincre) que manger trop de viande est mauvais pour la santé.
4. quand la planète (atteindre) ses limites pour nourrir la population mondiale.
5. quand certains produits (disparaître) des supermarchés.

7. Complétez les phrases en conjuguant les verbes au futur ou au futur antérieur.

a. Lorsque tu (goûter) aux criquets frits, une spécialité mexicaine, tu (apprécier) les insectes.
b. Nous (commander) une pizza aussitôt que nous (finir) notre travail.
c. Après qu'ils (voir) le documentaire sur la maltraitance des animaux, ils (être) tellement bouleversés qu'ils (vouloir) devenir végétariens.
d. Le concept de ferme urbaine vous (convaincre) lorsque vous en (visiter) une.
e. Il (aller) au supermarché dès qu'il (se remettre) de sa grippe.
f. Quand elle (se renseigner) sur la composition de ces produits, elle (cesser) de les acheter.
g. Après qu'ils (monter) leur projet et qu'ils (obtenir) un terrain, les habitants du quartier (créer) leur potager partagé.
h. Quand vous (partir) à la retraite, vous (se consacrer) à votre passion : la cuisine.
i. Vous (réfléchir) peut-être à votre mode d'alimentation lorsque vous (écouter) l'émission sur les tendances alimentaires.

Parler de l'apparence et de la tenue vestimentaire

8. Complétez le texte sur le style dandy avec les expressions proposées.

cravate • apparence • sapeurs • tenue • état d'esprit • raffinement • tendances • paire • coupées • recherché • près du corps • costume trois-pièces • accessoires • bottines

Apparu à la fin du XVIIIe siècle en Angleterre, le style dandy a traversé les frontières et les siècles, comme en témoignent les … congolais. Il figure aujourd'hui parmi les … vestimentaires les plus marquées de la mode masculine.
Si à l'origine le dandy passait pour un excentrique, on le considère aujourd'hui comme un homme qui s'écarte des codes vestimentaires classiques, mais avec élégance et … . Le dandy soigne son …, en adoptant un style … et original. Son style se caractérise par une certaine nonchalance, par des vêtements … et des … ou des motifs d'une autre époque. Les dandys actuels misent sur des pantalons slims, des vestes bien … ou des pulls avec des coudières. Pour les chaussures, les … en cuir ou en daim sont très appréciées l'hiver alors que l'été, la … d'espadrilles s'impose à la mer comme en ville. Lors de soirées mondaines, le …, la chemise blanche ajustée et la … ou le nœud papillon restent incontournables.
Mais le dandysme ne se résume pas à la …, c'est aussi un … et un art de vivre.

9. Associez les expressions au style vestimentaire correspondant.

le style *street wear* | le style BCBG*

* bon chic, bon genre

a. Aimer les marques de qualité.
b. Apprécier les pantalons larges.
c. Investir dans des vêtements classiques et bien coupés.
d. Porter des baskets à moitié délacées.
e. Opter pour des tee-shirts amples.
f. Afficher un style chic et distingué.
g. Se chausser de ballerines ou de mocassins.
h. Rester fidèle à son sweat à capuche.
i. Porter des matières nobles comme le tweed, le velours ou la soie.
j. Privilégier les vêtements confortables.

Parler des modes et régimes alimentaires

10. Complétez les extraits d'articles à l'aide des mots de la liste 1. Puis donnez un titre à chaque extrait à l'aide de la liste 2.

Liste 1 : santé • agriculture biologique • circuits courts • d'origine animale • féculents • produits locaux • gluten • produits chimiques • viande • suppression • flexitariens • pesticides • mode d'alimentation

Liste 2 : Adeptes du flexitarisme • Être ou ne pas être végétarien • Manger local ? • Suivre un régime sans gluten • Vous avez dit végane ? • Manger sain, manger bio !

A
...
La consommation de produits issus de … n'est plus marginale en France, elle gagne du terrain dans tous les milieux sociaux. Les locavores arpentent les marchés pour privilégier les … et s'alimentent au rythme des saisons.

B
...
Les … étant bannis de l'…, manger bio permet de limiter l'accumulation de substances toxiques dans notre organisme. De plus, en n'ayant pas recours aux …, l'agriculture biologique préserve la fertilité des sols et la qualité des eaux.

C
...
Le … n'étant pas une substance indispensable à la santé, on peut l'éliminer de l'alimentation sans conséquence majeure. L'important est de compenser la … du pain et des pâtes traditionnels par des produits comme le pain et les pâtes à base de riz ou de maïs et des … autorisés : pomme de terre, patate douce, etc.

D
...
En France, 34 % des 25-34 ans déclarent être … . Pour eux, réduire la consommation de … sans pour autant la bouder totalement, c'est prendre soin de sa santé.

E
...
Certaines personnes renoncent à la viande pour manger plus sainement, d'autres pour des raisons écologiques. Mais, selon une étude récente, la très grande majorité des gens abandonnent ce … quelques mois seulement après sa mise en route.

F
...
Plus du quart des personnes interrogées seraient prêtes à renoncer à toute consommation de produits …, en premier lieu pour la protection animale, ensuite pour la préservation de l'environnement et enfin pour leur propre … .

Leçons 3 et 4

FOCUS LANGUE ▸ p. 22-23

Exprimer l'opposition et la concession

11. Choisissez le connecteur d'opposition qui convient.

a. Elle adore décorer son appartement avec des objets anciens *alors que / contrairement à* sa garde-robe est du dernier cri.
b. J'ai connu les années 1980 *mais / alors que* pas mon petit frère, qui est né en 1994.
c. Les croisières en Méditerranée dépaysent. *En revanche, / Alors que* elles contribuent au ravage des fonds marins.
d. Il se passionne pour les années 1950 *contrairement à / par contre* ses parents qui fuient tout ce qui rappelle cette époque.

12. Corrigez les phrases suivantes en employant le connecteur de concession qui convient. (Plusieurs réponses sont parfois possibles.)

a. Malgré elle n'ait que 23 ans, elle s'inspire des années 1960 pour s'habiller.
b. Pourtant ils respectent l'environnement dans leur vie quotidienne, ils oublient tous les bons gestes pour la planète quand ils partent en vacances.
c. Tu ne parviendras pas à me faire porter cette jupe à pois cependant tous tes efforts !
d. Les touristes sont une manne financière pour la région, malgré leur présence est une catastrophe pour le littoral.
e. Ce tissu apporte de la fluidité à la robe bien que c'est un tissu lourd.

13. Complétez les phrases avec les connecteurs d'opposition et de concession proposés. (Plusieurs réponses sont parfois possibles.)

alors que • mais quand même • par contre • malgré • même si • bien que • contrairement à

a. … son goût pour le calme, elle fréquente les plages animées en plein été.
b. Ils vont faire une semaine de camping … ils soient très attachés à leur petit confort.
c. Nous n'avons trouvé aucun meuble à notre goût dans ce grand magasin. …, nous avons déniché une jolie commode dans une brocante.
d. Mes voisins ont décidé de rester chez eux pour les vacances … ils ont les moyens de partir au bout du monde.
e. … les appareils photo numériques dominent, certains appareils argentiques ont encore du succès.

f. … certaines îles grecques défigurées par les complexes hôteliers, l'île de Skyros a conservé son authenticité.
g. Il n'est pas très bricoleur … il prend … plaisir à restaurer de vieilles lampes.

Les conjonctions pour exprimer un rapport temporel

14. Choisissez la conjonction de temps qui convient.

a. *Après que / Au moment où* nous avons acheté cette table ancienne, nous l'avons repeinte en rouge pour lui donner un nouveau style.
b. Elle trouvait ridicule les vêtements des années 1970 *depuis que / avant que* je lui fasse voir un documentaire sur le vintage.
c. *Lorsqu' / Jusqu'à ce qu'*il achète un meuble d'occasion, il se renseigne sur sa provenance.
d. *En même temps qu'/ Depuis qu'*Eloïse a ouvert sa friperie, ses clients sont majoritairement des jeunes de 18-30 ans.
e. *Au moment où / Après que* les visiteurs sont entrés dans l'appartement, ils ont été époustouflés par la décoration néo-rétro.
f. On peut télécharger plusieurs fichiers *pendant qu' / au moment où* on poursuit ses recherches sur Internet.
g. J'ai eu un coup de cœur pour cette robe des années 1960 *depuis que / dès que* je suis entrée dans la boutique.
h. *En même temps qu' / Dès qu'*il est fan de trottinette électrique, il se passionne pour les vieilles voitures.
i. Il a réexpliqué le fonctionnement d'un smartphone à sa grand-mère *jusqu'à ce qu' / en même temps qu'*elle sache s'en servir.

15. Transformez les phrases en utilisant des conjonctions de temps pour exprimer la simultanéité, l'antériorité ou la postériorité. (Plusieurs réponses possibles.)

Exemple : On a compris quel était son style quand on est entré chez lui. (simultanéité)
→ *On a compris quel était son style au moment où on est entré chez lui.*

a. Elle changera de canapé quand le sien sera complètement usé. (antériorité)
b. Il s'est mieux senti chez lui quand il a tout redécoré façon années 1960. (postériorité)
c. Quand elle lit un roman sur son e-book, elle écoute un album d'Ella Fitzgerald sur sa platine vinyle. (simultanéité)
d. Je voulais vendre une caisse d'objets que je jugeais complètement kitsch quand on m'a convaincu qu'ils avaient de la valeur. (antériorité)
e. Il ne fréquente que les friperies quand il est fauché. (postériorité)
f. Je ne sais pas comment tu fais pour être connectée à Facebook quand tu travailles. (simultanéité)

Parler des vacances

16. Complétez les phrases avec les mots ou expressions proposés.

croisière • vols *low cost* • station balnéaire • découvrir • détendre • profiter • festivaliers • touristes • se ressourcer • destination tendance • villégiature

a. Cet été, je reste à la maison : je veux me … dans mon jardin et … de ma ville.
b. Même s'il a peu de moyens, il voyage souvent en Europe en prenant des … .
c. Carnac est une petite commune de la côte bretonne connue pour ses menhirs et sa … très prisée.
d. La ville de La Rochelle accueille chaque été des milliers de … qui peuvent écouter de nombreux concerts dans différents lieux de la ville.
e. Ces restaurants sont des pièges à … : les prix y sont très élevés et la nourriture est de mauvaise qualité.
f. La Croatie ? De plus en plus de personnes y vont pour les vacances. Le pays est devenu une … .
g. Pour leur voyage de noces, ils se sont offert une … dans les Caraïbes pour … des paysages paradisiaques.
h. Elle est partie en … à la campagne pour s'éloigner de l'agitation urbaine et … .

Phonétique ▸ p. 23

Le caractère expressif d'un énoncé

17. 90 Modifiez les énoncés pour y ajouter de l'expressivité en y insérant un ou deux adverbe(s) (*vraiment, absolument, particulièrement, complètement, très, super, tout / toute…*), comme dans l'exemple. Puis prononcez les énoncés.

Exemple : La plage est un lieu intéressant à étudier pour un anthropologue.
→ *La plage est vraiment un lieu super intéressant à étudier pour un anthropologue.*

a. Finalement, la plage est un lieu original.
b. Le vintage, c'est une nouvelle tendance apparue il y a quelques années.
c. Acheter des objets vintage est porteur de valeurs.
d. Acheter des vêtements d'occasion peut devenir un geste éthique.
e. Les jeunes générations sont aujourd'hui attachées à tout ce qui vient du passé.

S'EXERCER

DOSSIER 2

Leçons 1 et 2

FOCUS LANGUE ▸ p. 34-35

Les temps du passé pour raconter avec précision

1. Construisez des phrases au passé avec les éléments proposés, comme dans l'exemple.

Exemple : ① terminer ses études • ② venir en France (je)
→ *Après avoir terminé mes études, je suis venu(e) en France. / Je suis venu(e) en France après avoir terminé mes études.*

a. ① recevoir le prix Goncourt • ② devenir célèbre (il)
b. ① s'exiler au Canada • ② se mettre à l'écriture (tu)
c. ① aller au lycée français de sa ville • ② poursuivre ses études en France (nous)
d. ① découvrir la littérature francophone • ② retrouver le goût de la lecture (vous)
e. ① publier son roman en anglais • ② le traduire en français (il)
f. ① répondre aux questions du public • ② dédicacer son livre (elle)
g. ① apprendre le français • ② parcourir l'Afrique francophone (je)

2. Conjuguez les verbes au passé composé, à l'imparfait ou au plus-que-parfait.

Exemple : Lors de leurs retrouvailles, ils (évoquer) les années qu'ils (passer) au lycée français. À cette époque-là, ils (rêver) de vivre à Paris.
→ *Lors de leurs retrouvailles, ils ont évoqué les années qu'ils avaient passées au lycée français. À cette époque-là, ils rêvaient de vivre à Paris.*

a. Quand nous (arriver) en France, nous (ignorer) presque tout du français car nous (ne jamais apprendre) cette langue.
b. Il (retourner) dans son ancien lycée parce qu'il (vouloir) revoir l'endroit où il (passer) de si bonnes années trente ans auparavant.
c. Tu (vouloir) partir vivre aux États-Unis, c'est pourquoi tu (s'inscrire) dans une école qu'on te (recommander) pour apprendre l'anglais.
d. Même si elle (ne jamais publier) de texte en français et qu'elle (craindre) les maladresses de style, elle (accepter) d'écrire un article de journal dans cette langue.
e. Quand je (quitter) mon pays, je (ne pas savoir) à quoi ressemblerait ma vie car je (ne jamais vivre) à l'étranger.
f. Vous (obtenir) ce poste dans une grande entreprise suédoise parce que vous (maîtriser) parfaitement la langue et que vous (vivre) un certain temps en Suède.

3. Complétez les témoignages des trois écrivains en conjuguant les verbes entre parenthèses à l'imparfait, au passé composé, au plus-que-parfait ou à l'infinitif passé.

A

Nancy Huston, franco-canadienne
« Je (arriver) en France en 1973 pour une année d'étude. C'(être) plus facile pour moi d'écrire en français qu'en anglais : je (se sentir) libre et légère car délivrée de l'enfance. Le français me (donner) une protection. Plus tard, je (récupérer) ma langue maternelle après une maladie grave. Le corps ne ment pas : il me (faire) comprendre à ce moment-là que je (renier) mes racines. J'accepte désormais les deux langues, ces deux parties de mon cerveau, qui ne sont pas le même moi. Après (essayer) d'écrire un livre avec des passages en français et en anglais de manière équilibrée, je (se rendre compte) que le français (prendre) le dessus. Écrire en français (être) bien plus jouissif. On ne cherche pas la facilité, mais la profondeur. »

B

Atiq Rahimi, franco-afghan
« Je (arriver) en France après (obtenir) l'asile politique en 1984. Je (vouloir) apprendre le français à travers sa littérature. Je (s'inscrire) donc en auditeur libre à l'université, mais je ne (comprendre) rien ! Je (écrire) mon premier roman en persan, mais les Afghans le (trouver) bizarre car j'y (intégrer) la rhétorique de la langue française. On écrit pour trouver une place dans la société où l'on vit. On voit ainsi le monde depuis cette nouvelle langue. Je (choisir) également le français car le persan a une littérature très poétique. Chaque fois que je (écrire) une histoire en persan, elle (se transformer) en poème. Je (avoir) donc du mal à m'exprimer en français mais aussi en persan ! La langue française me (permettre) de prendre cette distance. Je reviens toujours sur chaque mot. L'écriture en français n'est pas automatique. »

C

Eduardo Manet, français d'origine cubaine

« Quand je (écrire) en espagnol, l'influence du poète Federico García Lorca (être) trop forte. Le français me (permettre) d'être plus sobre. Je (s'installer) en France à la fin des années 1960. Je (écrire) une vingtaine de pièces et treize romans, tous en français. Lorsque je (décider) de changer de langue, je (maîtriser) parfaitement l'anglais, j'aurais pu l'adopter très facilement. Je (adorer) la musique et le cinéma américains, mais le français m'(apparaître) comme la langue de l'écriture. Les étrangers qui (vivre) à Paris comme Beckett, Arrabal ou Ionesco le (choisir) tous. »

Faire des hypothèses sur le passé

4. Faites des hypothèses sur le passé avec le plus-que-parfait et le conditionnel passé.

a. Si tu (s'intéresser) à la littérature de l'exil, je te (conseiller) de très bons romans.
b. S'il (réussir) le concours pour être professeur, il (enseigner) l'anglais.
c. Si nous (avoir) de mauvais professeurs, nous (ne pas progresser) si vite.
d. Si cela (être) possible, ils (rester) dans leur pays !
e. Si elle (grandir) dans son pays, elle (devoir) arrêter ses études.
f. Si vous (lire) l'interview de cet auteur, vous (apprendre) qui il était vraiment.
g. Si je (raconter) cette histoire dans ma langue maternelle, elle (avoir) un caractère plus autobiographique.
h. Si tu (vivre) quelque temps au Québec, tu (prendre) l'accent québécois !

5. Reprenez les phrases de l'exercice 4 et faites des hypothèses sur le présent avec l'imparfait et le conditionnel présent.

6. Transformez les phrases en hypothèses sur le passé, comme dans l'exemple.

Exemple : Je me suis exilé. Je suis devenu écrivain.
→ *Si je ne m'étais pas exilé, je ne serais pas devenu écrivain.*

a. Mon père était diplomate. Nous avons vécu dans plusieurs pays.
b. Leur vie était menacée. Ils se sont enfuis.
c. Il a obtenu le prix Goncourt. Il est devenu célèbre.
d. Vous avez fait vos études supérieures en France. Vous avez rédigé votre thèse en français.
e. Il parlait parfaitement français. Il a traduit lui-même ses romans dans cette langue.
f. Tu es allé au lycée français. Tu t'es familiarisé avec la culture française.
g. J'étais curieuse de découvrir de nouveaux mots. J'ai enrichi mon vocabulaire.
h. Lors de son séjour à Paris, il a rencontré une Française. Il est resté en France.

Parler des métiers

7. Retrouvez le métier de ces personnes.

Exemple : Il se déplaçait dans plusieurs endroits d'une ville ou d'un village pour transmettre des informations au public.
→ *Le crieur public.*

a. Il remplissait des seaux d'eau aux fontaines et aux rivières et il approvisionnait les maisons et les appartements en eau.
b. Elle vérifiait que les usagers du métro possédaient un titre de transport et elle le compostait à l'aide d'un poinçon.
c. Il se rendait en ville chaque matin après la traite des vaches pour livrer le lait aux gens.
d. Il travaillait dans un bowling : il redressait les quilles que les clients avaient renversées.
e. Elle donnait des coups de sifflets ou lançait des petits cailloux contre les fenêtres pour tirer du sommeil les dormeurs.
f. Il attendait les voyageurs sur les quais des gares et il prenait en charge leurs malles, sacs ou valises.
g. À la tombée du jour, il allumait les réverbères un à un pour éclairer les rues.
h. Elle louait des chaises dans les parcs. Elle s'occupait aussi de leur entretien et de leur rangement.

8. **Associez les éléments.**

Exemple : *a-4-E* : *un loueur de vélos met à disposition un moyen de locomotion.*

a. un(e) loueur(euse) de vélos
b. un(e) dépanneur(euse)-couture
c. un(e) installateur(trice)
d. un(e) livreur(euse)
e. un(e) plombier(ière)-chauffagiste
f. un(e) dépanneur(euse) hi-fi

1. met en service
2. entretient
3. coud
4. met à disposition
5. répare
6. apporte

A. une télévision
B. des courses
C. un système de chauffage
D. des ourlets
E. un moyen de locomotion
F. un boîtier d'accès à Internet

Phonétique ▸ p. 35

Les caractéristiques du français parlé

9. 91 **Lisez les énoncés suivants à voix haute en ajoutant plusieurs caractéristiques du français parlé (pauses, hésitations, contractions, disparitions de mot, répétitions…). Puis écoutez les propositions.**

a. Je considère que le multilinguisme est un atout précieux pour les personnes qui ont eu la chance d'être au contact de plusieurs langues. C'est un facteur de réussite sociale parce qu'à mon avis, je crois que ça ouvre beaucoup de portes. Et en fait, c'est devenu un élément indispensable aujourd'hui, surtout si tu occupes un poste qui t'amène à rencontrer, ou même juste à communiquer avec des personnes de plusieurs pays. Je ne pense pas que l'anglais suffise partout de nos jours.

b. Quand je discute avec ma grand-mère paternelle, je trouve toujours que c'est fou ce que notre époque est différente de la sienne. Par exemple, il y a plein de métiers qui existaient de son temps et qu'on ne trouve plus du tout aujourd'hui. Et elle, elle est étonnée par tous les nouveaux métiers qui apparaissent depuis quelques dizaines années maintenant.

Leçons 3 et 4

FOCUS LANGUE ▸ p. 40-41

Le passé simple pour comprendre un récit au passé

10. a. Relevez dans le texte les verbes au passé simple et donnez leur infinitif.

Le soir, dans mon lit, je relus le message de Lili, et son orthographe me parut si comique que je ne pus m'empêcher d'en rire… Mais je compris tout à coup que tant d'erreurs et de maladresses étaient le résultat de longues heures d'application, et d'un très grand effort d'amitié : alors, je me levai sans bruit sur mes pieds nus, j'allumai la lampe à pétrole, et j'apportai ma propre lettre, mon cahier et mon encrier sur la table de la cuisine.
Je commençai par arracher d'un coup sec trois pages du cahier : j'obtins ainsi les dentelures[1] irrégulières que je désirais. Alors, avec une vieille plume, je recopiai ma trop belle lettre. Je supprimai au passage les *s* paternels ; j'ajoutai quelques fautes d'orthographe, que je choisis parmi les siennes : les perdrots, batistin, la glue et le dézastre. Enfin, je pris soin d'émailler[2] mon texte de quelques majuscules inopinées[3]. Ce travail délicat dura deux heures, et je sentis que le sommeil me gagnait… Pourtant, je relus sa lettre, puis la mienne. Il me sembla que c'était bien, mais qu'il manquait encore quelque chose : alors, avec le manche de mon porte-plume, je puisai une grosse goutte d'encre, et sur mon élégante signature, je laissai tomber cette larme noire : elle éclata comme un soleil.

La Gloire de mon père, Marcel Pagnol, 1957.

1. dentelures : découpes en formes de dents. 2. émailler : parsemer. 3. inopinées : imprévues.

b. Classez les verbes relevés selon leurs terminaisons au passé simple : en *a*, en *i*, en *u* ou en *in*.

Les prépositions de lieu pour situer dans l'espace

11. Observez le tableau. Décrivez-le en utilisant des prépositions de lieu.

André-Henri Dargelas, *La Famille heureuse*, vers 1860.

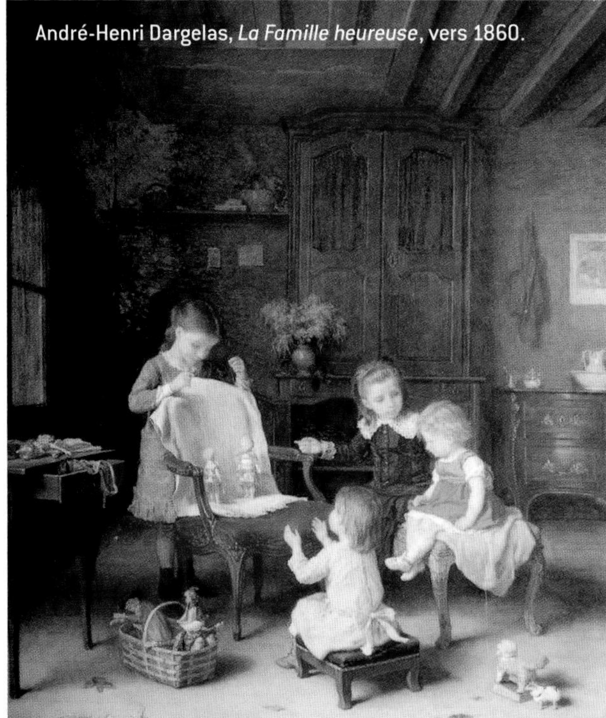

Exprimer des sensations

12. Complétez les phrases avec les termes suivants.

apercevoir • caresser • dégusté • goûté • malaxer • observer • savourez • sentez • tambouriné • touchez • bruit • chant • fragrance • odeur • paume • pénombre • senteurs • son

a. Si vous n'avez jamais … un escargot, c'est le moment de faire l'expérience !
b. Depuis qu'elle a adopté un chaton, elle passe son temps à … cette petite boule de poil.
c. De son enfance, il garde en mémoire le … des cloches de son village.
d. Parmi les … provençales qui ont parfumé ma jeunesse, il y a la fleur d'oranger, la lavande et la citronnelle.
e. … ce pull en cachemire. Il est si doux !
f. …-vous cette … désagréable ? On dirait du caoutchouc brûlé !
g. Dans la … de la chambre dont les volets laissaient à peine passer la lumière, on pouvait … des photos de famille sur les murs.
h. Quel bonheur de s'endormir en écoutant le … de la pluie sur le toit et d'être réveillé par le … des oiseaux !
i. Nous sommes allés dans un grand restaurant où nous avons … des mets délicats.
j. Il aime se reposer dans son jardin et … les oiseaux : il est très attentif à tous leurs va-et-vient.
k. Pendant une période, j'avais souvent dans les mains une balle antistress : je pouvais la presser dans la … et la … avec les doigts.
l. Notre laboratoire a mis au point une nouvelle … à base d'amande et de vanille.
m. Ne mangez pas si vite et … un peu cette délicieuse brioche !
n. Il a … à la porte de ses voisins mais ils ne l'ont pas entendu tant leur musique était forte.

Parler de la guerre

13. Complétez les phrases avec les termes suivants.

la collaboration • l'invasion • l'Occupation • le traité de paix • la débâcle • les bombardements • le débarquement • la Résistance • la capitulation • la Libération • la déclaration de guerre • l'armistice

a. Une grande partie de la ville a été détruite par … de 1944.
b. Certains civils français se sont engagés dans … pour lutter contre les Allemands qui occupaient la France.
c. En 1940, le gouvernement de Vichy, incarné par le maréchal Pétain, demande aux Français d'aider les occupants nazis dans leurs missions. C'est le début de … .
d. À … de Paris, les gens ont laissé explosé leur joie même si la guerre n'était pas encore terminée.
e. Dès le début de …, des soldats allemands se sont installés dans les grands hôtels de la ville pour y vivre ou y établir leurs bureaux.
f. Les Français commémorent … du 11 novembre 1918 qui marque la fin des combats de la Première Guerre mondiale mais pas celui du 22 juin 1940.
g. Chaque année, le 6 juin, des cérémonies ont lieu pour célébrer … des Alliés sur les côtes normandes.
h. Le 1er septembre 1939, l'armée allemande a franchi la frontière polonaise. … de la Pologne marque le début de la Seconde Guerre mondiale.
i. Après … à l'Allemagne par l'Angleterre et par la France, le 3 septembre 1939, commence ce qu'on appelle la « drôle de guerre ».
j. La Seconde Guerre mondiale se termine le 8 mai 1945, au lendemain de … de l'Allemagne nazie.
k. Face à l'offensive allemande de mai 1940, l'armée française se retrouve complètement dépassée par les événements. … des militaires s'accompagne de l'exode de la population.
l. Après la conférence de paix de Paris d'octobre 1946, la France et l'Allemagne ont signé … en février 1947.

14. Associez.

a. un armistice
b. un traité de paix
c. un cessez-le-feu
d. une trêve

1. Interruption des combats limitée dans le temps.
2. Convention mettant fin aux combats pour une durée indéterminée.
3. Cessation des hostilités donnant lieu ou non au lancement de négociations.
4. Texte proclamant la fin d'une guerre.

DOSSIER 3

Leçons 1 et 2

FOCUS LANGUE ▸ p. 52-53

Les comparatifs et les superlatifs pour comparer et établir une hiérarchie

1. Faites des phrases avec des comparatifs à partir des éléments proposés, comme dans l'exemple.

Exemple : *L'Étranger* d'Albert Camus est traduit / *Le Petit Prince* de Saint-Exupéry. (–) → L'Étranger *d'Albert Camus est moins traduit que* Le Petit Prince *de Saint-Exupéry.*

a. Cet auteur vend des livres dans son pays / à l'étranger. (–)
b. Les livres grand format offrent un bon confort de lecture / les livres de poche. (+)
c. Tu juges sévèrement les auteurs populaires / moi. (–)
d. L'imagination de cette écrivaine est toujours foisonnante / à ses débuts. (=)
e. Je lis ce roman vite / le précédent. (=)
f. Le film tiré du roman est mauvais / le roman lui-même. (+)
g. Au cours des années, il s'est tourné vers des essais politiques / des romans. (+)
h. Nous lisons des livres lorsque nous travaillons / pendant les vacances. (–)
i. J'apprécie les romans policiers / les romans historiques. (=)
j. Les livres se vendent bien cette année / l'année dernière. (+)
k. Le succès de ce livre est important / ce que l'éditeur avait espéré. (–)

2. Transformez les phrases en utilisant un superlatif.

Exemple : Ce genre de livres ne m'intéresse pas du tout.
→ *C'est le genre de livres qui m'intéresse* ***le moins***.

a. C'est une librairie très proche de chez vous.
→ C'est la librairie…
b. Ces critiques littéraires ne sont pas sévères.
→ Ce sont les critiques littéraires…
c. New York est une ville où cet écrivain séjourne souvent.
→ New York est la ville où…
d. Cette librairie organise peu de rencontres entre les écrivains et les lecteurs.
→ C'est la librairie qui…
e. Ce livre a énormément compté dans ma vie.
→ C'est le livre qui…
f. La poésie est un genre littéraire qui séduit peu les gens.
→ La poésie est le genre littéraire qui…
g. Ces trois romanciers ont vendu beaucoup de livres cette année.
→ Ce sont les trois romanciers qui…

3. Complétez les phrases avec *(le / la / les) meilleur(e)(s), (le / la / les) moindre(s), (le / la / les) pire(s), le mieux*.

a. Ses romans précédents n'étaient pas bons, mais son dernier est … de tous.
b. Si tu veux améliorer ton niveau de français, … est que tu lises des livres en français.
c. … écrivains ne sont pas toujours les plus populaires.
d. Dans un récit détaillé et très amusant, l'auteur rend compte de ses … observations sur les passagers d'un bus.
e. La traduction allemande de ce livre est excellente : à mes yeux, c'est … .
f. De ces deux écrivains, lequel écrit … ?

Les pronoms relatifs pour éviter les répétitions

4. Complétez le texte avec des pronoms relatifs simples (*qui, que, dont, où*).

PAPRIKA : LE GRAND RETOUR DE VICTORIA ABRIL AU THÉÂTRE

À bientôt 60 ans, l'actrice espagnole et francophone Victoria Abril est toujours aussi exubérante. Elle revient au théâtre après trente ans d'absence, dans la pièce *Paprika* … elle campe le personnage d'Éva, une femme épanouie et pétillante … fait la connaissance de son fils, Luc, … elle n'a pas élevé. N'osant pas lui avouer son identité, elle se fait passer pour la femme de ménage, Paprika. Commence alors un enchaînement de mensonges … elle va avoir du mal à gérer.
En France, … elle vit depuis le début des années 1980, le grand public la connaît surtout grâce à ses rôles dans les films de Pedro Almodovar et dans la série télévisée *Clem* … connaît un véritable succès populaire. Elle y joue le rôle d'une maman … la fille devient mère à 16 ans, un âge … on a parfois plus envie de faire la fête que de s'occuper d'un bébé.

5. Faites une seule phrase en utilisant un pronom relatif composé.

Exemple : Elle a tourné dans une série américaine. Cette série a connu un grand succès. → *La série américaine* ***dans laquelle*** *elle a tourné a connu un grand succès.*

a. Elle a joué pour différents réalisateurs. Ces réalisateurs lui ont beaucoup appris.
b. Il apparaît à l'écran aux côtés d'une actrice italienne. Cette actrice italienne est devenue sa femme dans la vie réelle.
c. Il partage l'affiche avec des acteurs. Ces acteurs ne sont pas connus du public français.
d. L'histoire du film se déroule dans un village. Le village a vu son nombre de touristes augmenter considérablement après la sortie du film.
e. L'acteur a évoqué ses parents. Grâce à ses parents, il a pu faire du cinéma.
f. Il a fait appel à un professeur de diction. Ce professeur lui a permis d'obtenir un rôle dans un film français.
g. Le film est réalisé d'après une histoire vraie. Cette histoire vraie remonte aux années 1970.
h. Plusieurs célébrités étaient présentes à la soirée de gala. Parmi ces célébrités figuraient quelques actrices et acteurs français.
i. Elle a remercié son coach sportif. Sans lui, elle n'aurait jamais pu jouer dans un film d'action.
j. Il a dû lutter contre des difficultés pour mener à bien son projet cinématographique. Ces difficultés ont été nombreuses.

6. Complétez les phrases suivantes avec *à*, *contre*, *à partir de*, *grâce à*, *par* ou *sans*.

a. Son accent, son physique, son humour, c'est tout ce … quoi elle a séduit le public français.
b. Il a travaillé le rôle pendant plusieurs jours, ce … quoi il n'aurait pas réussi le casting.
c. La disparition des cinémas d'art et d'essai, c'est quelque chose … quoi il faut lutter.
d. Le film a triomphé dans le monde entier, ce … quoi on ne s'attendait pas.
e. Il n'a aucune inspiration en ce moment, rien … quoi écrire un scénario.
f. La réussite puis la dépression, c'est ce … quoi peuvent passer certains acteurs.
g. Après son accident, il n'avait rien … quoi se raccrocher, à part le cinéma.

Qualifier le style ou le contenu d'un livre

7. Lisez les avis de Fabien. Puis remplacez les adjectifs soulignés par un adjectif de la liste. Faites les modifications nécessaires.

divertissant • enjoué • absurde • laborieux • rocambolesque • foisonnant • ennuyeux

www.blog/leslecturesdefabien.fr
Les lectures de Fabien
Bienvenue sur mon blog de lecture !
10/12
Je vous recommande le dernier roman de Claire Nollec ! L'auteure nous raconte, sur un ton joyeux et dans un style agréable, les aventures extravagantes d'une jeune Anglaise à Paris. Son imagination débordante donne naissance à une multitude de personnages et de situations cocasses. Un livre très distrayant, parfait pour les longues soirées d'hiver !
Par contre, j'ai vraiment été déçu par *Tous les chats sont gris* de Grégoire Poulin. Si vous aimez les intrigues sans logique, alors vous apprécierez peut-être ce roman mais, pour ma part, je l'ai trouvé inintéressant et je n'ai pas pu le terminer. Sans parler de l'écriture pesante de l'auteur, qui ne facilite pas la lecture.
23/11

Phonétique ▸ p. 53

Voyelles nasales et dénasalisation

8. 92 Complétez les phrases suivantes avec les graphies *in*, *ain*, *un*, *an*, *en* ou *on*. Puis dites si la voyelle est nasale ou dénasalisée. Écoutez pour vérifier.

a. …atole s'att…d à recevoir des lou…ges de s… éditeur pour s… m…uscrit et je ne doute pas … …st…t que s… rom… sera des plus rom…esques ; c'est même …e certitude !
b. Je crois que m… ag…t littéraire va m'…n…cer la sem…e proch…e, s…s doute l…di proch…, que j'ai de gr…des ch…ces de recevoir …e récomp…se prestigieuse. Je suis … peu …nuyé et ét…né, mais je suis aussi …thousiasmé et …ch…té par cette nouvelle aussi …att…due qu'…espérée !

Leçons 3 et 4

FOCUS LANGUE ▸ p. 58-59

La mise en relief pour souligner une information

9. Faites une seule phrase avec les éléments proposés. Mettez en relief la cause ou le but.

Exemple : Il est bénévole dans une association de sauvegarde du patrimoine. / Il est passionné d'histoire et d'architecture. (parce que) → *S'il est bénévole dans une association de sauvegarde du patrimoine, c'est parce qu'il est passionné d'histoire et d'architecture.*

a. La tauromachie ne fait plus partie du patrimoine immatériel français. / Des anti-corridas. (à cause de)
b. La pizza napolitaine est mondialement connue. / La diaspora italienne. (grâce à)
c. On soutient l'inscription de la baguette française au patrimoine immatériel de l'UNESCO. / Le savoir-faire des boulangers français est reconnu. (pour que)
d. La bière belge a été reconnue comme patrimoine immatériel. / Elle fait partie intégrante de la vie des Belges et des fêtes de leur pays. (parce que)
e. Une association veut faire entrer les bistrots et terrasses de Paris au patrimoine culturel de l'UNESCO. / Préserver des lieux de convivialité et de gastronomie. (pour)
f. Un expert a été mandaté par le président de la République. / Protéger le patrimoine en péril. (dans le but de)
g. Un loto en faveur du patrimoine a été organisé. / Soutenir financièrement des projets de rénovation. (pour)

10. Mettez en relief les éléments soulignés. Utilisez la structure « *C'est / Ce sont*... + pronom relatif ».

a. Les bistrots et les cafés sont présents dans toute la France mais ils représentent un véritable art de vivre à Paris.
b. Quarante-quatre sites français ont été classés au patrimoine mondial de l'humanité.
c. Il est question d'un projet architectural de grande envergure.
d. La France n'a pas été honorée pour sa baguette par l'UNESCO mais pour l'art de composer le parfum.
e. Il y a des châteaux partout en France mais les gens connaissent surtout ceux de la vallée de la Loire.
f. Le loto du patrimoine devrait permettre la restauration d'édifices qui se dégradent.
g. Le château de Fontainebleau a organisé un financement participatif.
h. En 2014, le lavash, pain traditionnel arménien, a été inscrit au patrimoine culturel de l'UNESCO.
i. Il s'agit de deux mille sites en péril.
j. Le comité de sélection de l'UNESCO se réunit la semaine prochaine afin d'examiner les demandes d'inscription sur la liste du patrimoine immatériel de l'humanité.

Les pronoms *y* et *en* pour éviter les répétitions

11. Complétez les phrases avec *y* ou *en*.

a. On a proposé à ma fille de jouer dans une série télévisée : comme elle ... rêvait depuis longtemps, je ne m'... suis pas opposé.
b. Ils ont terminé leur premier court-métrage. Ils ... ont consacré des semaines mais ils ... sont satisfaits.
c. Être figurant dans un film, vous ... avez déjà pensé ? Vous ... avez envie ?
d. Le dénouement est décevant : non seulement on s'... attend mais en plus on n'... croit pas.
e. Nous sommes allés sur le lieu du tournage pour ... rencontrer plusieurs techniciens mais nous ... sommes revenus déçus car aucun d'entre eux n'a eu le temps d'échanger avec nous.
f. Vos ados sont fans de séries : ... êtes-vous favorables ou vous ... inquiétez-vous ?
g. Ils passent leurs journées en studio d'enregistrement : ils ... arrivent tôt le matin et ... sortent tard le soir.
h. Il voulait devenir acteur : il ... parlait souvent mais il ... a renoncé après son accident.
i. La production a organisé un casting : j'... ai participé, j'ai été pris et j'... suis fier !
j. Avant, je regardais beaucoup de séries, j'... avais besoin pour me changer les idées, mais à présent, je ne m'... intéresse plus du tout.

12. Utilisez *en*, *y*, *à* (+ pronom tonique) ou *de* (+ pronom tonique) pour éviter les répétitions.

a. Le journaliste a reconnu l'acteur installé à la terrasse d'un café. Il s'est approché de l'acteur.
b. La chaîne a dû interrompre la diffusion de la série. Elle s'est excusée de l'interruption.
c. Les personnages de la série sont comme ma famille. Je me suis attaché aux personnages au fil des saisons.
d. Les scénaristes d'une série historique ne peuvent pas réécrire l'Histoire. Ils doivent rester fidèles à l'Histoire pour être crédibles auprès des téléspectateurs.
e. Cette actrice n'accorde pas beaucoup d'interviews aux journalistes. Elle se méfie des journalistes

depuis les révélations mensongères sur sa famille dans la presse.

f. Dans les années 1990, il y avait la série *Beverly Hills*. Tu te souviens de cette série ?

Parler du patrimoine

13. Complétez l'article avec les mots suivants. Faites les modifications nécessaires.

monument • restauration • budget • fond • s'effondrer • public • mécénat • se dégrader • château • sauvegarde • financement • péril • architecture • participatif • ruine

Les Français se mobilisent pour **sauver le patrimoine**

Alors que les ... publics destinés au patrimoine diminuent, beaucoup de trésors français ... et risquent de tomber en ... . Pour sauver ..., églises ou moulins qui sont sur le point de ..., bénévoles, start-up et associations mettent la main à la pâte et au porte-monnaie.

En France, un quart des ... historiques protégés sont en piteux état, et près de 5 % en ... . En 2018, le ... du ministère de la Culture dédié à leur conservation et à leur ... plafonnera à 341 millions d'euros (– 0,1 % par rapport à 2017). La ... du patrimoine non protégé repose elle aussi largement, et de plus en plus, sur la mobilisation des Français. Les propriétaires privés et les communes sont souvent confrontés à des difficultés de ..., particulièrement les villes de moins de 2 000 habitants. Or celles-ci possèdent la moitié des joyaux d'... ou d'histoire du pays, dont les églises.

Face au recul des financements ..., on assiste à la multiplication de petites opérations de financement ... au niveau local. « Le ... populaire complète le financement d'un projet quand les collectivités publiques ont déjà donné. Il est en plein essor, avec un fort potentiel de développement car de nombreux édifices ont besoin d'être restaurés », affirme Célia Vérot, directrice générale de la Fondation du patrimoine, qui accompagne Stéphane Bern, nommé « Monsieur Patrimoine » par Emmanuel Macron.

D'après *Le Parisien Week-end* (10/11/17).

Les registres de langue standard et familier

14. Remplacez les mots soulignés par une expression du registre familier. Reformulez si nécessaire.

a. L'été, sur la plage, j'aime bien lire un bon roman policier.
b. Cet acteur m'exaspère ! Je le trouve vraiment vulgaire.
c. J'ai dû endurer deux heures de conférence sur l'art abstrait alors que je déteste ça.
d. Je ne connais pas du tout la série dont tout le monde parle et je m'en moque !
e. Le dimanche soir, je mange devant un bon film.

15. Remplacez les mots soulignés par des mots du registre standard.

En ce moment, je bosse sans arrêt et je me prends la tête sur un projet qui n'avance pas. Alors, hier soir, pour me changer les idées, j'ai passé un coup de fil à un pote, Alexis, pour lui proposer de sortir. On s'est fait une toile mais on a choisi un film qui fout bien la trouille. Résultat : j'étais hyper stressé. Pour finir la soirée, on a pris un pot mais, comme Alexis est fauché, j'ai payé pour nous deux.

Parler des séries et des tournages

16. Retrouvez les métiers correspondant aux définitions suivantes.

a. Il ou elle présente le clap devant la caméra.
b. Il ou elle a en charge la mise en place et le déplacement du matériel de tournage.
c. Il ou elle s'occupe d'amplifier, de diffuser ou d'enregistrer le son.
d. Il ou elle crée l'environnement dans lequel l'action d'un film se déroule.
e. Il ou elle note les détails techniques et artistiques de chaque prise de vue.
f. Il ou elle incarne un personnage.
g. Il ou elle assure le cadrage des images, anticipe et suit les déplacements des acteurs.
h. Il ou elle coordonne toutes les étapes de la création d'un film.
i. Il ou elle transforme le visage des acteurs.
j. Il ou elle invente des histoires pour le cinéma ou la télévision.
k. Il ou elle crée un univers visuel grâce à des jeux de lumière.

17. Complétez les phrases avec les mots pour parler d'une série.

a. Le lancement de la ... 3 aura lieu ce soir sur France 2.
b. La rue est interdite à la circulation car il y a un ... .
c. L'actrice avait parfois besoin de deux heures de préparation avant de pouvoir jouer une ... .
d. La série a pour ... une somptueuse propriété de la région parisienne.
e. L'acteur qui joue le ... du médecin a annoncé qu'il quittait la série.
f. Le ... prend beaucoup de libertés avec les faits historiques.
g. Les ... ont une véritable profondeur psychologique.
h. Cette série comprend quatre saisons de douze ... .
i. L'épisode commence par un ... général sur la ville.
j. Filmer la ... dans le parking a nécessité la réalisation d'une dizaine de plans.

DOSSIER 4

Leçons 1 et 2

FOCUS LANGUE ▸ p. 70-71

Poser des questions : la question par inversion

1. Retrouvez les questions par inversion puis répondez au questionnaire.

Photos : quelles sont vos habitudes ?

A ... vos photos ?
- Avec un smartphone.
- Avec un appareil photo numérique.
- Les deux.

B ... ?
- Plus de 5 selfies par jour.
- 1 à 5 selfies par jour.
- Moins d'1 selfie par jour.

C ... des photos ?
- Tout le temps.
- Pendant les loisirs et les vacances.
- Dans les grandes occasions seulement (mariages, anniversaires, etc.).

D ... vos photos ?
- Je les montre sur mon téléphone.
- Je les imprime pour les montrer à mes proches.
- Je les publie sur les réseaux sociaux.

E ... vos photos ?
- Je sélectionne les meilleures et je fais des albums photo.
- Je les classe par année et par mois sans les sélectionner.
- Je ne les classe pas.

F ... ?
- Sur mon téléphone ou mon ordinateur.
- Sur le *cloud**.
- Sur un disque dur externe.

* *cloud* : serveur de stockage sur Internet.

2. Transformez les questions suivantes en questions par inversion.

a. Comment est-ce que Facebook est devenu le plus important réseau social au monde ?
b. Est-ce que tous mes contacts peuvent voir les photos que je poste sur Facebook ?
c. Pourquoi elle n'a pas installé un bloqueur de publicités ?
d. Est-ce que vous n'avez pas toujours été contre la reconnaissance faciale ?
e. Quel réseau social est-ce que les jeunes ont le plus utilisé cette année ?
f. Pourquoi est-ce que ton frère n'a jamais publié de vidéos sur son mur ?
g. Quand est-ce que la protection des utilisateurs sera renforcée ?
h. La reconnaissance faciale de Facebook a été acceptée en Afrique ?
i. Combien de temps est-ce que le succès de Facebook va encore durer ?
j. Est-ce qu'il y a un moyen de désactiver cette fonction ?

Exprimer la durée

3. Choisissez la structure qui convient.

a. *Ça fait / Depuis* longtemps que mes enfants prennent des photos avec mon smartphone : *depuis / il y a* l'âge de cinq ans, si je me souviens bien !
b. Nous ne faisons plus d'albums photos de nos vacances *depuis / ça fait* des années !
c. *Il y a / Depuis* l'apparition du GPS, nous ne savons plus nous orienter sur une carte imprimée.
d. *Depuis / Il y a* seulement un an que je publie des photos sur Instagram et je n'autorise l'accès qu'à mes proches.
e. *Depuis / Ça fait* quelques années déjà que j'ai découvert Google Maps : c'est fascinant de pouvoir zoomer sur un lieu situé à l'autre bout du monde !
f. Quand j'étais petit, nous passions des heures à regarder des films et des photos de famille. C'est quelque chose qu'on a perdu *ça fait / depuis* l'arrivée d'Internet.
g. J'ai fait ma première randonnée en montagne avec GPS *il y a / depuis* un an.
h. *Depuis / Il y a* donc des mois que tous mes déplacements sont enregistrés sur Google Maps parce que je n'ai pas configuré correctement mes « paramètres de localisation » !

4. **Complétez les commentaires des internautes avec *il y a, depuis, ça fait, dans, en* ou *pendant*.**

www.forumdiscussion.fr

Comment quitter Facebook ?

Karl 03/09 23:23
Bonjour,
Je me demande s'il faut que je ferme mon compte Facebook. … bientôt dix ans que je l'ai ouvert mais je m'en sers très peu. Et j'en ai marre de recevoir des notifications sans intérêt ! Qu'est-ce que vous feriez à ma place ?

Lucie 04/09 11:05
Bonjour Karl. Comme je te comprends ! Moi, j'ai créé mon profil … trois ans et je suis devenue complètement dépendante … seulement un mois ! Tous ces réseaux sociaux, ça prend trop de place dans nos vies.

Paco 04/09 11:30
Essaie ! Déconnecte-toi … plusieurs heures d'abord, puis … plusieurs jours et enfin … plusieurs semaines ! Moi, je n'ai plus de profil … 3 mois et ça ne me manque pas du tout !

Jérémy 04/09 21:18
L'autre solution, pour quitter Facebook tout en restant connecté, c'est de choisir un réseau social alternatif. … deux ans que j'ai désactivé mon compte Facebook. Je n'utilise plus que Whaller, un réseau social qui existe … 2013.

Julie 04/09 21:33
Karl, à mon avis, tu peux fermer ton compte ! … quelques années, les plateformes alternatives auront remplacé Facebook, j'en suis persuadée !

Les préfixes négatifs pour former certains adjectifs

5. **Utilisez des préfixes négatifs pour former le contraire des adjectifs suivants. Puis faites une phrase avec chaque adjectif formé.**

connu(e) admissible mobile légitime

réaliste favorisé(e) intéressant(e) logique

orienté(e) régulier(ère) légal(e)

intoxiqué(e) rangé(e) possible odorant(e)

6. **Complétez les phrases avec les adjectifs proposés.**

impénétrable • inaperçu(e) • malintentionné(e) • inimaginable • désactivé(e) • infaillible • illégal(e)

a. Ma boîte mail a été piratée et je n'y connais rien en informatique. Si je n'avais pas des amis informés de ce genre d'escroquerie, ce serait passé … !
b. Notre logiciel est …, il ne peut pas y avoir d'erreur dans les données.
c. Je ne pense pas qu'un site institutionnel puisse être totalement … : si un professionnel veut le pirater, il y arrivera.
d. L'alarme n'a pas sonné parce qu'elle était … .
e. Cet annonceur s'est servi de tout mon carnet d'adresses pour diffuser sa publicité ! C'est …, non ?
f. Seule une personne vraiment … peut procéder à une usurpation d'identité !
g. Quitter les réseaux sociaux ? Je pense que c'est … pour la plupart des jeunes d'aujourd'hui.

Parler des nouvelles technologies et des réseaux sociaux

7. **Complétez l'article avec les mots proposés.**

fil • commenter • postées • utilisateurs • sauvegarder • plateforme de stockage • compte • suivre • abonner • réseaux sociaux • paramétrer pour un usage privé • cliquer sur • partager • demande d'ajout • mur

Instagram, mode d'emploi

Instagram a atteint le milliard d'… dans le monde entier. C'est l'un des cinq … favoris des internautes. On attribue son succès à la présence de nombreuses personnalités, artistes et marques que l'on peut … grâce à leurs photos … quotidiennement.

Mais Instagram, qu'est-ce que c'est ?
C'est un réseau social qui vous permet de … des photos et vidéos depuis votre smartphone, en les publiant sur votre … . (Vous pouvez … ces photos et vidéos sur votre carte SD ou bien sur une … .)

Qui peut voir vos publications Instagram ?
Si votre … est public, n'importe qui peut s'y … et donc voir, « liker » ou encore … vos posts. Mais vous pouvez choisir de le … . Ainsi, c'est vous qui accepterez ou non les demandes d'abonnement à votre compte.

Comment suivre un compte ?
Le détenteur du compte doit accepter votre … à sa liste d'amis : ses publications apparaîtront alors dans votre … d'actualité.
Et, si par exemple vous avez envie de suivre le compte officiel d'un artiste, rien de plus simple : il vous suffit de le trouver et de … le bouton « S'abonner » !

Leçons 3 et 4

FOCUS LANGUE ▸ p. 76-77

Exprimer la cause et la conséquence

8. Complétez les phrases avec les expressions de la cause proposées. (Plusieurs réponses sont parfois possibles.)

en raison de | car | parce que | grâce à | à cause de | à force de | puisque | comme

a. – Pourquoi est-il conseillé de ne pas passer sans arrêt d'une information à l'autre ?
   – … cela nuit à l'apprentissage et à la mémorisation.
b. … l'article L2242-8 de la loi Travail, les salariés ont obtenu le droit à la déconnexion en dehors de leurs heures de travail.
c. Les réseaux sociaux voient leur nombre d'abonnés grandir tous les jours … ils permettent de reprendre contact avec d'anciens amis et connaissances.
d. Les gens sont de plus en plus obsédés par leur image … l'invasion des selfies !
e. … afficher sa vie privée sur les réseaux sociaux, on perd toute notion d'intimité.
f. Je ne peux plus m'abonner à des pages Facebook … j'ai fermé mon compte.
g. L'accès Internet est momentanément interrompu … une opération de maintenance.
h. … la politique de confidentialité des données à caractère personnel a été renforcée, les utilisateurs sont davantage protégés.

9. Associez les causes aux conséquences correspondantes. Puis faites des phrases en utilisant les expressions de la conséquence de votre choix (*donc, c'est la raison pour laquelle, c'est pourquoi, par conséquent…*).

Causes
a. Les réseaux sociaux prennent beaucoup de place dans le quotidien des jeunes.
b. Aujourd'hui, la plupart des gens font uniquement confiance à leur GPS pour s'orienter.
c. Je n'ai pas envie d'afficher ma vie sur Internet.
d. Échanger sur les réseaux sociaux est devenu une activité quotidienne !
e. On est complètement accros à notre smartphone et à toutes ces applications qui nous aident à organiser notre vie : GPS, agenda, notifications, etc.
f. Plus ça va, plus nos smartphones remplacent notre mémoire !

Conséquences
1. Nous faisons de moins en moins d'efforts pour retenir des informations, même basiques.
2. Il faut absolument leur apprendre à s'en servir.
3. Il est de plus en plus difficile de s'en passer.
4. Il leur arrive souvent de se retrouver dans des endroits totalement inattendus !
5. Je ne publierai jamais de photos sur les réseaux sociaux.
6. Il nous est de plus en plus difficile de décider du déroulement d'une journée sans les consulter.

10. Reformulez les phrases pour intensifier la cause avec *tellement* ou *tant*, comme dans l'exemple.

Exemple : Nous sommes narcissiques donc nous sommes anxieux quand les autres ne « likent » pas nos publications. → *Nous sommes **tellement** narcissiques **que** nous sommes anxieux quand les autres ne « likent » pas nos publications.*

a. On passe du temps sur nos écrans donc on regarde la réalité à travers un filtre.
b. Nos enfants consultent leurs smartphones donc ils ne sauront bientôt plus chercher une information dans un dictionnaire papier.
c. Certaines personnes reçoivent beaucoup de méls au travail donc cela augmente leur stress.
d. On a du mal à vivre sans écrans ni connexion donc des entrepreneurs ont créé des vacances spéciales « détox digitale ».
e. On utilise beaucoup Internet et les réseaux sociaux donc on parle aujourd'hui d'« hyperconnexion ».

Le préfixe *re-* pour indiquer un retour à un état antérieur ou une répétition

11. Associez chaque verbe à l'un des deux préfixes.

re- | ré-

travailler • habituer • devenir • (s')organiser • faire • mettre • trouver • prendre • apprendre • commencer • penser • parler • s'approprier • emménager • gagner • passer • se connecter

12. Complétez les phrases avec des verbes de l'activité 11.

a. Dans ce monde où le smartphone domine, on voit naître des lieux pour déconnecter et … à soi-même.
b. Mon GPS m'a fait … par cette rue trois fois !
c. Je … mes mauvaises habitudes : je … accro à mon smartphone.
d. Nous devrions … à nous orienter sans GPS et … à lire une carte sur papier.

e. Aujourd'hui, grâce aux réseaux sociaux, on peut … quelqu'un qu'on avait perdu de vue.
f. Se déconnecter, c'est une bonne chose pour … travailler des zones du cerveau qui ne sont plus suffisamment sollicitées, comme celle de la mémoire.

La ponctuation dans un texte d'opinion

13. Repérez dans le texte les parenthèses, les points d'exclamation et les deux points. Puis associez-les aux fonctions suivantes : exprimer une émotion • donner une information complémentaire • introduire un commentaire personnel • attirer l'attention du lecteur sur ce qui est encadré • mettre en évidence une explication • annoncer une énumération.

L'édito de Morgane Herrot

Naissance d'un nouveau langage ?

Selon moi, à chaque génération sa manière de communiquer. Si les jeunes des années 80 sont connus pour leur utilisation du verlan*, les « *Millennials* » se démarquent par un langage fait d'un mélange de différents médias : émojis, stickers, GIF, photos, vidéos et sons s'inscrivent dans leurs discussions, plus ou moins fréquemment selon la tranche d'âge et les applications utilisées. Et c'est fascinant à observer !
Thu Trinh-Bouvier, experte en communication digitale, nomme ce mode de communication *pic speech* : « un langage où l'image est très présente, en interaction forte avec le texte » (elle parle aussi d'une « prise de parole en image », comme sur Instagram ou Snapshat), et qui donne aux jeunes des outils pour mieux exprimer leurs pensées et sentiments. La preuve: rien que sur Facebook et Messenger, 500 milliards d'émojis sont partagés tous les ans (soit 1,7 milliard par jour) !
Avec cette évolution, d'autres questions se posent. La présence d'images n'appauvrit-elle pas la langue ? D'après le linguiste Pierre Halté, le texte reste toujours nécessaire, mais à moindre dose (je le pense aussi ; par exemple, on ne peut pas parler au futur, au passé ou au conditionnel avec des émojis…). Et est-ce la fin annoncée de la ponctuation ? Selon Pierre Halté, il y a un impact clair des émojis sur la ponctuation. Mais l'écrit ne va pas disparaître, il sera simplement présent sous différentes formes – ouf !

* verlan: forme d'argot qui procède par inversion des syllabes à l'intérieur du mot (exemple: *bizarre* = *zarbi*).

Quelques connecteurs pour développer un raisonnement

14. Placez les connecteurs proposés dans le texte.

certes • même si • mais • d'autant que • ainsi • or • en effet • de ce point de vue

www.societe-blog/témoignages/smartphoneaddiction

COMMUNICATION

Accro au smartphone

Il y a encore quelques mois, Malika utilisait un téléphone dont la seule fonction était de téléphoner ! « J'ai résisté pendant des années aux sollicitations des opérateurs téléphoniques mais j'ai fini par craquer ! » Et, … Malika était consciente des risques d'addiction, elle est devenue, comme beaucoup d'entre nous, accro à son smartphone. Pourtant, elle s'impose des règles : pas de portable pendant les repas, pas de portable quand il y a du monde à la maison, pas de portable après 22 heures, etc. Voilà pour la théorie. « Mais en pratique, je ne les respecte pas », avoue-t-elle. « C'est compliqué de se passer de portable, … c'est un formidable moyen d'accès à l'information et à la culture. …, certains des sites et des applications qu'on consulte sont inintéressants, … en se déconnectant, on se prive aussi de la possibilité d'accéder à un certain savoir. »
…, il semble difficile de se passer de portable. … cela peut s'avérer bénéfique, Malika peut en témoigner. Elle a … expérimenté la « détox digitale », une semaine de vacances dans un lieu sans Internet ni réseau téléphonique. Elle a … pu déconnecter vraiment. « Ça n'a pas été facile les premiers jours mais ça m'a permis de retrouver le plaisir de lire, de me promener sans GPS, sans avoir les yeux rivés sur un écran. »

Phonétique ▸ p. 77

Phonie-graphie des voyelles [y] et [u] – [ø] et [œ] – [o] et [ɔ]

15. 🎧 93 **Écoutez et écrivez les phrases. Puis notez les graphies utilisées pour écrire les sons [y] et [u] – [ø] et [œ] – [o] et [ɔ].**

Exemple : De nos jours, les ados sont beaucoup plus autonomes !
→ Son [y] : « u ». Son [u] : « ou ». Son [o] : « o » ; « au » ; « eau ».

DOSSIER 5

Leçons 1 et 2

FOCUS LANGUE ▸ p. 88-89

La voix passive pour mettre en valeur un élément

1. Mettez les phrases suivantes à la forme passive.

Exemple : Les pharmaciens pourraient bientôt prescrire certains médicaments. → *Certains médicaments pourraient bientôt être prescrits par les pharmaciens.*

a. À compter de juillet prochain, la Sécurité sociale ne remboursera plus certains médicaments.
b. Le ministère de la Santé a lancé une campagne pour lutter contre l'automédication.
c. Sur 45 produits testés, on a dû en retirer plus d'un tiers du marché en raison de leur toxicité.
d. Quand il est tombé malade, son médecin l'a arrêté trois jours.
e. Une sage-femme l'a suivie pendant toute sa grossesse.
f. Le gouvernement dévoilera la réforme du système de santé à l'automne.
g. Le Téléthon a récolté 69 millions d'euros de dons pour la lutte contre les maladies rares.
h. En cas de gastro-entérite chez un enfant de moins de deux ans, on doit contrôler sa température.
i. Les pharmaciens proposent souvent des médicaments génériques en remplacement des médicaments de marque.
j. Une équipe de la NASA a découvert des micro-organismes vieux de 50 000 ans dans une grotte au Mexique.
k. En France, les médecins peuvent prescrire des activités physiques.

2. Conjuguez les verbes entre parenthèses à la voix active ou passive et au temps qui convient.

La formation des futurs assistants de régulation médicale

Il y a un an, une jeune femme (perdre) la vie quelques heures après avoir appelé le SAMU*. Elle (ne pas prendre) au sérieux par l'assistante de régulation médicale (ARM) qui (répondre) à son appel et qui (refuser) d'envoyer une équipe à son domicile pour la secourir. Un an plus tard, des enseignements (tirer) de cette affaire tragique. Parmi les problèmes qui (soulever) par la ministre de la Santé : le manque de formation des ARM. C'est pourquoi, hier, elle (annoncer) aux représentants d'urgentistes la mise en place d'une formation initiale pour les futurs ARM dès la prochaine rentrée.
Actuellement, une seule formation de ce type (exister) en France, près de Lille. Chaque année, elle (accueillir) jusqu'à trente étudiants qui (sélectionner) sur dossier. Elle (créer) en 2003 à l'initiative des SAMU 59 et 62, qui (souhaiter) monter une formation complète pour améliorer la prise de poste des ARM. L'équipe pédagogique (vouloir) aujourd'hui partager son expertise. « Nous (élaborer) un programme pédagogique complet et nous (accomplir) ce travail de formation depuis des années. Nos cours (valider) par des médecins du SAMU, et chaque année nous (ajuster) notre formation aux besoins du terrain. Si un groupe de travail (lancer) comme cela (annoncer) hier par la ministre de la Santé, nous (souhaiter) y participer ».

* SAMU : service d'aide médicale urgente.

Différents emplois du subjonctif pour prendre position

3. Associez les structures suivantes à la fin de phrase qui convient. (Plusieurs réponses sont parfois possibles.)

a. Je suis convaincu que…
b. Je ne crois pas que…
c. Je pense que…
d. Je doute que…
e. Je ne trouve pas que…
f. Je crois que…
g. Il est évident que…
h. J'imagine que…
i. Je ne suis pas certain que…
j. Il est possible que…

1. l'écriture inclusive fait progresser l'égalité des sexes.
2. l'écriture inclusive fasse progresser l'égalité des sexes.

4. Transformez les phrases, comme dans l'exemple. Utilisez les structures proposées.

Exemple : L'écriture inclusive devient une habitude. (Il est fondamental…) → *Il est fondamental que l'écriture inclusive devienne une habitude.*

a. La féminisation des noms de métiers se répand. (Je me réjouis…)
b. La règle de grammaire selon laquelle le masculin l'emporte sur le féminin disparaît. (Ils aimeraient…)
c. Les médias font usage de l'écriture inclusive pour montrer l'exemple. (Il est indispensable…)
d. L'écriture inclusive rétablit l'égalité entre les hommes et les femmes. (Elle voudrait…)
e. Les grammairiens ne veulent pas rétablir l'accord de proximité. (Je trouve ridicule…)
f. La langue suit l'évolution de la société. (Il est nécessaire…)

g. L'écriture inclusive est bannie des textes officiels. (Il ne faut pas…)
h. À travail égal, les écarts de salaires entre les hommes et les femmes ont diminué. (Je suis content…)
i. L'égalité des sexes n'est toujours pas une réalité en France. (C'est une honte…)

5. Complétez les phrases avec l'expression de but de votre choix (*pour, afin que, afin de*, etc.).

a. L'écriture inclusive a été imaginée … permettre une représentation égale des hommes et des femmes dans la langue écrite.
b. Le gouvernement a publié un guide des bonnes pratiques destiné aux entreprises, … celles-ci combattent les stéréotypes de genre par différents moyens.
c. Des initiatives ont été développées … les gens puissent employer facilement l'écriture inclusive.
d. Un débat est organisé sur le thème de l'écriture inclusive … faire réfléchir les gens aux liens entre la langue et la société.
e. Cette école d'ingénieurs a modifié sa communication … attirer plus de femmes et est devenue une école d'« ingénieur.e.s ».

6. Conjuguez les verbes entre parenthèses au mode qui convient.

a. Je ne pense pas que l'écriture inclusive (avoir) sa place à l'école. Je crois qu'elle (compliquer) la communication. Il faut d'abord que les enfants (savoir) orthographier correctement les mots avant d'être confrontés à l'écriture inclusive !
b. Je suis convaincue que l'écriture inclusive (jouer) un rôle important dans la lutte pour l'égalité des sexes. Il est évident que les femmes (se sentir) plus concernées quand les métiers sont féminisés. Mais je doute que les inégalités de salaires (être) gommées grâce à la grammaire.

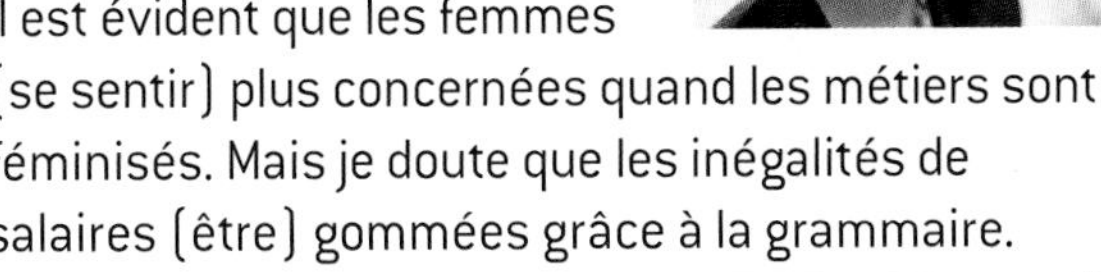

c. Je ne suis pas étonné que l'écriture inclusive (faire) polémique en France, où il ne faut surtout pas toucher à la grammaire. Cependant, je suis convaincu qu'une langue (devoir) évoluer en permanence et je trouve donc normal qu'on (mettre) les noms de métiers au féminin !

d. Je suis consterné qu'on en (venir) à enlaidir autant la langue française et je ne crois pas du tout que l'écriture inclusive (pouvoir) faire progresser l'égalité hommes-femmes. Je ne pense pas que ce (être) la solution à ce problème de société.

Parler de la santé

7. Associez chaque mot à sa définition.

un antibiotique • un effet secondaire • un générique • une notice • une ordonnance • la pharmacopée

a. Médicament ayant le même principe actif, le même dosage et le même mode d'administration que le médicament de marque auquel il correspond.
b. Réaction survenant en plus de la réaction désirée lors de la prise d'un médicament.
c. Document sur lequel le médecin note sa prescription médicale, sous forme de liste de médicaments par exemple.
d. Ensemble des médicaments.
e. Document de référence restituant l'essentiel des informations permettant le bon usage d'un médicament et signalant les risques éventuels liés à son utilisation.
f. Médicament permettant de traiter des maladies infectieuses dont les agents responsables sont des bactéries.

8. Complétez les textes avec les mots proposés.

a. prise en charge • transmission • virus • Sécurité sociale • rhume • symptômes • antibiotiques • prescription • traitement • rétablissement • vaccin • fièvre

La grippe, une maladie pas si anodine

La grippe frappe chaque hiver des millions de personnes. C'est la première cause de mortalité par maladie infectieuse en France, en particulier chez les plus de 75 ans. C'est pourquoi ces derniers bénéficient de la gratuité du … . Mais attention : il faut compter 2 à 3 semaines après l'injection du vaccin pour que l'organisme fabrique des anticorps contre le … .

Si vous avez plus de 65 ans ou êtes atteint d'une affection de longue durée, la … vous enverra un formulaire à présenter à votre médecin puis à votre pharmacien, pour obtenir la … de votre vaccin.

Alors qu'un simple … fatigue, les … de la grippe sont plus sérieux (frissons, …, courbatures). Le … est simple : prendre du paracétamol et bien s'hydrater. D'ailleurs, de plus en plus de personnes ont compris que les … étaient sans effet contre la grippe, sauf en cas de surinfection bactérienne. Dans ce

cas, seul le médecin peut décider de leur … . Si le vaccin est la meilleure protection, il existe aussi des gestes simples pour limiter la … de la maladie, comme se laver les mains régulièrement.
Le … est assez rapide mais une grande fatigue peut persister après la guérison. Une cure de vitamines peut aider à récupérer plus rapidement.

b. patients • diagnostic • déserts médicaux • médecins généralistes • ordonnance • prescription de médicaments

La … par un pharmacien est-elle une bonne idée ?

Aujourd'hui, dans le système français, seule une partie du corps médical peut délivrer des médicaments : … et spécialistes, chirurgiens-dentistes, sages-femmes et infirmières. Le pharmacien n'a pas ce droit.
Or, dans plusieurs pays anglo-saxons, les pharmaciens sont autorisés à prescrire. En Écosse, par exemple, la liste des médicaments délivrés par le pharmacien varie selon les régions en fonction du nombre de médecins disponibles. Cette nouvelle forme d'… permet ainsi aux … d'avoir un accès plus rapide aux services de santé. C'est une solution pour lutter contre les … .
Mais le dispositif ne satisfait pas tout le monde. Des craintes ont été émises notamment quant à la responsabilité de prescription et de … . Un système similaire n'est pour l'instant pas envisagé en France.

Phonétique ▸ p. 89

Phonie-graphie des consonnes [s] et [z]

9. a. 94 **Écoutez et écrivez les mots. Dites si la lettre « x » se prononce [s], [z], [ks] ou [gz].**

b. 95 **Lisez les mots suivants et dites si le « s » final est prononcé. Écoutez pour vérifier.**

1. excès • congrès • palmarès • procès • …
2. bus • abus • virus • campus • …
3. repas • matelas • atlas • pas • …
4. repos • dos • cosmos • propos • …

Leçons 3 et 4

FOCUS LANGUE ▸ p. 94-95

Nuancer une comparaison

10. **Indiquez une progression ou une régression, selon l'indication donnée.**

Exemple : Adeptes des sports de combats. ↗
→ *Les sports de combat attirent de plus en plus d'adeptes. / Il y a de plus en plus d'adeptes des sports de combat.*

a. Moyens financiers pour lutter contre le dopage. ↘
b. Nombre d'inscriptions dans les clubs de football amateur. ↘
c. Chocs violents au rugby. ↗
d. Liens entre le sport et la politique. ↗
e. Indignation des Français devant les salaires trop élevés des footballeurs. ↗

11. **Complétez les phrases avec des comparaisons, en insistant sur ces comparaisons.**

Exemple : La renaissance des Jeux olympiques en 1896 affichait … (=) une volonté d'encourager la compétition sportive … de pacifier les rapports entre les nations.
→ *La renaissance des Jeux olympiques en 1896 affichait **tout autant** une volonté d'encourager la compétition sportive **que** de pacifier les rapports entre les nations.*

a. Le sport est … (+) un divertissement ou une compétition, c'est un véritable outil politique et médiateur.
b. La Fédération internationale de football association (FIFA) et le Comité international olympique comptent aujourd'hui … (=) membres … l'Organisation des nations unies.
c. La plupart des gouvernements ont un vif intérêt pour le sport car il crée … (+) emplois et donc une économie … (+) florissante … n'importe quel autre événement.
d. Pour les grands événements sportifs internationaux, les préoccupations sont … (=) le prestige d'un pays … les opportunités en termes de relations publiques et la génération de revenus.
e. Jeux olympiques, Coupes du monde et autres tournois internationaux rassemblent finalement … (–) pour le sport lui-même … pour l'occasion de communier autour d'un même événement.
f. Le sport est une arme à double tranchant : il peut être … (=) fédérateur … facteur de discorde et révélateur de pratiques discriminatoires.

12. **Comparez les données suivantes. Utilisez des ordres de grandeur.**

a. Salaire d'un arbitre en France : 60 000 € par saison / salaire d'un arbitre en Allemagne : 180 000 € par saison.
b. Salaire des meilleures footballeuses professionnelles en France : 10 000 € par mois / salaire des meilleurs footballeurs professionnels en France : 1 million d'euros par mois.

c. Nombre de licenciés en football : environ 2 millions / nombre de licenciés en tennis : environ 1 million.
d. Prix d'une place pour un match de l'AS Saint-Étienne : 10 € / prix d'une place pour un match du PSG : 32 €.
e. Distance parcourue par le joueur de foot Mathieu Flamini : 12,38 km par match / distance parcourue par le défenseur brésilien Naldo : 6,5 km par match.

Le subjonctif pour exprimer une alternative

13. Formulez des alternatives avec les éléments proposés.

Exemple : Faire du sport ou non (on) / on apprécie de regarder les Jeux olympiques à la télévision. → *Qu'on fasse du sport ou non, on apprécie de regarder les Jeux olympiques à la télévision.*

a. Être un sportif chevronné ou un guide de haute montagne (vous) / l'Ultra-Trail du Mont-Blanc reste une épreuve sportive extrêmement difficile.
b. Trouver cela fabuleux ou complètement fou (nous) / assister au départ du Vendée Globe nous procure toujours une vive émotion.
c. Pleuvoir ou faire beau (il) / le Grand Prix de Formule 1 de Monaco offre toujours un grand spectacle.
d. Pratiquer la course automobile en tant qu'amatrice ou professionnelle (vous) / vous pouvez participer au Rallye des Gazelles.
e. Avoir une santé de fer ou une grande endurance (on) / s'entraîner pour le triathlon Ironman nécessite surtout une grande force mentale.

14. Reformulez les parties soulignées, comme dans l'exemple.

Exemple : Peu importe votre avis sur la question, je vous demande de participer à cette compétition sportive.
→ *Que vous soyez d'accord ou non, je vous demande de participer à cette compétition sportive.*

a. Peu importe votre âge, vous pouvez vous inscrire à la course.
b. Peu importe la température de l'eau, la pratique de la nage en eau libre est recommandée en toute saison.
c. Peu importe ce que le sportif ressent, il doit savoir gérer ses émotions lors des compétitions.
d. Peu importe le résultat final, l'équipe aura très bien joué.
e. Peu importe notre connaissance des règles, le basket est un sport intéressant à regarder.
f. Peu importe la fréquence de la pratique, les bienfaits du yoga sont incontestables.

Parler des institutions et de la politique

15. De qui ou de quoi parle-t-on ? Répondez aux devinettes.

a. Ils élisent le président de la République, les députés, les maires…
b. Les élus doivent la respecter. Elle précise les règles fondamentales du pays.
c. La France en est une. Les Français vivent actuellement sous la Cinquième.
d. Tous les cinq ans, le peuple français vote pour l'élire. Il est élu pour servir tous les Français et mettre en place les lois votées.
e. Ce mot a été inventé à Athènes en Grèce il y a 2 500 ans et signifie littéralement « le pouvoir par le peuple ». C'est un régime politique dans lequel les citoyens ont le pouvoir.
f. On l'organise pour choisir les représentants du peuple. Les citoyens y participent en votant pour le candidat de leur choix.
g. Le Premier ministre en est le chef. Il est constitué d'une équipe de ministres.

16. Placez les mots en rouge à la bonne place dans le texte. Effectuez les modifications nécessaires (accord, élision, conjugaison…).

Qui a le droit d'élire aux lois européennes ?
Tous les députés majeurs des pays de l'Union européenne le peuvent. Cela représente plus de 300 millions d'Européens. Tous ces parlements européens votent pour représenter 751 députés européens pour une durée de cinq ans.
Pourquoi élit-on des électeurs européens ?
Ils forment le domaine européen, une élection qui vote tous les pays membres de l'Europe. Le travail des députés européens est de préparer et de voter des assemblées européennes. Elles concernent tous les citoyens : la santé, l'agriculture, l'environnement, l'emploi.

Parler des émotions et des sentiments

17. Regroupez les expressions de même sens ou de sens proche. Puis faites une phrase avec chacune d'elles.

Ça me rend triste.
Ça me touche. Ça m'énerve.
Ça m'inquiète. Ça m'irrite. Ça m'agace.
Ça me laisse indifférent. Ça m'émeut.
Ça me fait souffrir.
Ça m'est égal. Ça me cause du souci.
Ça me fait de la peine.
Ça me tracasse. Ça me blesse.

DOSSIER 6

Leçons 1 et 2

FOCUS LANGUE ▸ p. 106-107

Exprimer la condition

1. a. Associez le résultat à la condition correspondante.

a. Je me lancerai dans ce projet d'habitat coopératif
b. Nous pourrons construire l'immeuble à cet endroit
c. Il me semble que les coopératives d'habitants peuvent offrir une solution à la crise du logement
d. Notre projet se concrétisera
e. Votre immeuble peut devenir une coopérative d'habitants
f. Un projet d'habitat participatif peut aboutir

1. si les habitants ont la volonté de vivre de manière collective.
2. si vous mettez en commun des espaces de vie.
3. si nous parvenons à réunir le budget.
4. si je m'entends bien avec tous les participants.
5. si la ville nous vend le terrain.
6. si on encourage leur développement.

b. Transformez les phrases créées en utilisant *à condition que* ou *à condition de*.

2. a. Cécile voudrait se lancer dans un projet d'habitat coopératif mais elle n'est pas certaine que toutes les conditions soient réunies. Complétez sa phrase avec les éléments proposés.

Je pense que je parviendrai à m'impliquer dans un projet d'habitat coopératif, si tant est que…

a. avoir suffisamment de temps pour s'investir dans la réflexion collective
b. accepter d'adopter un nouveau mode de vie
c. bien s'entendre avec ses futurs voisins
d. renoncer à devenir propriétaire de son logement

b. Rédigez d'autres conditions à la réussite du projet d'habitat coopératif de Cécile.

3. Transformez les phrases en utilisant *pourvu que*.

a. Nous participerons au Mois de l'ESS si notre projet est sélectionné.
b. Nous deviendrons des acteurs de l'ESS si nous montons une association ou une coopérative.
c. Notre association sera éligible si elle est reconnue comme une structure d'utilité sociale.
d. De nombreuses initiatives régionales et nationales sont prévues sur le territoire. Elles verront le jour à une seule condition : que les pouvoirs publics les soutiennent.
e. Si la communication autour de l'événement est efficace, les organisateurs sont assurés d'une forte participation au Mois de l'ESS.

Le conditionnel pour atténuer ou exprimer des faits hypothétiques

4. Transformez les phrases en utilisant le conditionnel, comme dans l'exemple.

Exemple : Une utilisation massive d'engrais chimiques s'avérera à long terme fatale pour l'environnement. (fait hypothétique ou probable)
→ *Une utilisation massive d'engrais chimique s'avérerait / pourrait s'avérer à long terme fatale pour l'environnement.*

a. Votre entreprise doit s'engager pour la protection de l'environnement. (suggestion)
b. Les toits végétalisés sont donc une solution bénéfique au maintien de la biodiversité. (affirmation atténuée)
c. Avec plus de moyens financiers, l'association Réseau Biodiversité pourra continuer à se développer. (fait hypothétique ou probable)
d. Je veux concentrer toute mon attention sur le Plan biodiversité. (affirmation atténuée)
e. Agir ensemble, c'est ce qui convient certainement le mieux à la situation. (affirmation atténuée)
f. Nous envisageons de mettre en place des mesures qui accompagneront la transition énergétique et qui permettront de limiter le réchauffement climatique. (fait hypothétique ou probable)
g. Œuvrons ensemble pour maintenir la biodiversité dans les villes comme dans les campagnes. (suggestion)
h. Une extinction de masse des espèces est l'un des scénarios envisageables à moyen terme. (fait hypothétique ou probable)

5. Complétez les informations non confirmées en conjuguant les verbes entre parenthèses au conditionnel présent ou passé.

Des dizaines de milliers de personnes ont défilé ce samedi dans plusieurs villes de France au nom de la lutte contre le réchauffement climatique, sous le slogan « Il est encore temps ».
Selon la préfecture, 10 000 personnes (manifester) à Lyon, 3 200 à Lille, 2 500 à Bordeaux et 1 850 à Strasbourg, sous un grand soleil. À Paris, ce sont près de 15 000 personnes qui (se mobiliser).
Les manifestations se sont déroulées dans le calme. Seule la ville de Montpellier (subir) quelques violences : certains manifestants (se regrouper) sur la place de la Comédie et (provoquer) les forces de l'ordre en les injuriant ; d'autres en (profiter) pour casser les vitrines des grands magasins situés dans les rues voisines.
D'après plusieurs associations, une deuxième série de manifestations (être) prévue pour le mois prochain.

Le conditionnel passé pour exprimer un reproche ou un regret

6. Exprimez un reproche ou un regret.

Exemple : Le ministre de l'Écologie … prendre des mesures pour inciter les automobilistes à utiliser les transports en commun. (reproche) → *Le ministre de l'Écologie aurait pu / aurait dû prendre des mesures pour inciter les automobilistes à utiliser les transports en commun.*

a. J' … que notre association soit sélectionnée pour participer au Congrès de la transition écologique. (regret)
b. Vous … fermer les voies sur berges à la circulation sans consulter les Parisiens. (reproche)
c. Les membres de la coopérative d'habitants … installer un toit végétalisé. (regret)
d. Le maire … limiter la piétonisation de cette zone au week-end. (reproche)
e. Il … faire un diagnostic énergétique de l'immeuble avant d'obliger les propriétaires à refaire l'isolation de leur logement. (reproche)
f. Nous … développer des pistes cyclables séparées des grands axes de circulation, mais cela n'a pas été possible. (regret)

Parler d'économie et de finance

7. Associez les mots suivants à leur définition.

une coopérative • rentable • une acquisition • lucratif (lucrative) • un financement participatif • la spéculation • la consommation collaborative

a. Action de partager, sous une forme gratuite ou payante, l'usage de biens ou de services.
b. Regroupement de personnes sous la forme d'une entreprise fondée sur la participation économique des membres et sur le respect de certaines valeurs sociales et éthiques.
c. Mécanisme permettant de faire appel à un grand nombre de personnes, souvent au moyen d'une plateforme Internet, afin de financer un projet.
d. Qui rapporte de l'argent.
e. Qui donne un bénéfice suffisant par rapport à l'argent investi.
f. Opération qui consiste à acheter un bien ou des actions boursières en vue de réaliser un bénéfice sur sa revente ultérieure.
g. Ce qui a été acheté.

8. Complétez le texte avec les mots et expressions suivants.

une gouvernance partagée • consommation • les bénéfices • actionnaires • une lucrativité • salariés • rentable • collaborative • consommateurs • emplois • un modèle alternatif • spéculation

L'économie … prend une place croissante dans l'économie mondiale, de façon très variée. Votre magazine *Alternatives* s'intéresse chaque mois à ces nouvelles formes d'activité et de … .

MiniDon : une entreprise solidaire d'utilité sociale

Chez MiniDon, vous n'entendrez jamais les mots … ou … ! Dans cette entreprise, on ne parle que d'économie solidaire : il n'y a pas de direction mais … ; … sont mis en commun et redistribués aux … .

Grâce à un logiciel de dons, MiniDon permet aux … d'arrondir le montant de leurs achats à l'euro supérieur à leur passage en caisse, afin de soutenir des associations telles que les Restos du cœur ou Emmaüs. Par exemple, pour un total de 59,75 euros, le client est invité à régler 60 euros, soit seulement 25 centimes de plus.

Cette société a reçu l'agrément « Entreprise solidaire d'utilité sociale », qui implique … limitée, une participation des salariés au choix des dirigeants par le biais d'un comité de salariés et une limitation de l'éventail des salaires. Elle n'est pas encore … mais a déjà créé une vingtaine d'… .

MiniDon, … à suivre et à soutenir !

Parler de la biodiversité

9. Associez chacun des mots suivants à l'une des photos proposées.

un estuaire • une crue • des engrais • un boisement

A

B

C

D

10. Associez chaque titre de journal à un danger ou une menace de la carte mentale p. 107.

a **115 verres et 25 sacs retrouvés dans l'estomac d'un cachalot.**

b Pluies diluviennes dans l'Hérault : des habitations menacées.

c UNE PÉTITION CONTRE L'UTILISATION DU GLYPHOSATE.

d **Mortalité des abeilles : le cri d'alarme des apiculteurs.**

e **Brésil : 7 900 km² de forêt amazonienne déboisés en un an.**

f **Augmenter les taxes sur l'essence pour lutter contre l'émission de CO2 ?**

g ÉCONOMISONS NOS RESSOURCES NATURELLES : **STOP À L'AGRICULTURE INTENSIVE !**

Leçons 3 et 4

FOCUS LANGUE ▸ p. 112-113

Les adjectifs et les pronoms indéfinis pour préciser une identité ou une quantité

11. Reformulez les éléments soulignés en utilisant un pronom indéfini.

Exemple : Tous les lanceurs d'alerte ont en commun d'avoir accès à des informations que le grand public ignore. → *Tous ont en commun d'avoir accès à des informations que le grand public ignore.*

www.tonblog.com/lanceurs-d-alerte

LES LANCEURS D'ALERTE

Le terme « lanceur d'alerte » est relativement récent (il est apparu en 2000 dans les médias), mais il y a toujours eu des lanceurs d'alerte dans notre société : tous les lanceurs d'alerte ont en commun d'avoir accès à des informations que le grand public ignore. Certains lanceurs d'alerte sont considérés par l'opinion publique comme des héros, d'autres lanceurs d'alerte sont vus comme des traîtres. Pour ma part, je les trouve très courageux : la plupart des lanceurs d'alerte agissent pour le bien de la société et prennent le risque de voir leur vie détruite. Les citoyens devraient leur être reconnaissants : chaque citoyen devrait se battre pour qu'ils soient protégés.

12. Observez les résultats du sondage puis complétez le texte avec des adjectifs indéfinis ou *la plupart*.

... % de salariés qui lanceraient une alerte pour dénoncer des faits graves : **25 %**

... % de salariés qui lanceraient « probablement » une alerte pour dénoncer des faits graves : **75 %**

... % de salariés qui souhaiteraient devenir un jour lanceur d'alerte : **0 %**

... % de salariés qui pensent que les lanceurs d'alerte devraient être protégés par la loi : **100 %**

... % de salariés qui pensent que leur entreprise garantirait leur protection s'ils devenaient lanceurs d'alerte : **51 %**

Sondage réalisé auprès des salariés de Somaco (entreprise de 85 salariés) sur les lanceurs d'alerte

D'après un sondage récent effectué auprès des salariés de Somaco : ... salariés n'hésiteraient pas à lancer une alerte pour témoigner d'un problème grave ; ... des salariés se déclarent « probablement » prêts à dénoncer des faits graves. Si ... salarié ne souhaiterait devenir un jour lanceur d'alerte, en revanche ... les salariés pensent que les lanceurs d'alerte devraient être protégés par la loi. ... des salariés font confiance à leur entreprise pour garantir leur protection s'ils devenaient lanceur ou lanceuse d'alerte.

L'accord du participe passé avec le COD placé avant le verbe

13. Corrigez l'accord du participe passé si nécessaire.

a. Cette campagne publicitaire n'a pas contribué au succès de la marque ; à l'époque, je l'avais trouvé trop agressive.
b. Les chaussures que j'aurais voulu sont fabriquées par une marque éco-responsable.
c. Ce sont des produits fabriqués en France, comme la publicité le mentionne, mais le magasin les a vendu trois fois leur prix : c'est scandaleux !
d. Nous avons rencontré de jeunes entrepreneurs passionnés. Nous les avons aidés à lancer leur produit sur le marché.
e. C'est le créatif qui a créé la publicité de cette nouvelle voiture. Il l'a conçu pour relancer l'image de la marque.
f. Cette campagne aura eue l'effet attendu : le lancement du produit est un succès.
g. Toutes les marques que le journaliste a citée à l'antenne ont été coupées au montage.
h. Le prix des vêtements de marques dites écologiques et responsables aurait dûs baisser.
i. Grâce à cet événement promotionnel, nous avons concrétisée notre action sur le terrain et les nouveaux produits que nous avons présenté ont reçu un très bon accueil.
j. Les réactions que les consommateurs ont eues lors de la sortie de ce nouveau smartphone sont démesurées : c'est insensé de passer la nuit devant un magasin pour acheter un téléphone !

Les locutions et verbes prépositionnels pour parler d'une action

14. Choisissez la préposition qui convient.

a. Une ressourcerie est une entreprise solidaire qui permet *à / de* donner une seconde vie à des objets.
b. La municipalité n'a pas aidé l'association *à / de* mettre en place son projet de soutien aux sans-abri.
c. Il y a de plus en plus de sans-abri dans les villes, l'État doit réagir *à / de* cette situation.
d. La mission de notre association est de veiller *à / de* ce que chacun ait un toit en hiver.
e. Cette mesure n'a rien d'une mesure « solidaire » : elle vise seulement *à / de* doper le pouvoir d'achat des Français !
f. Notre association veut sensibiliser *au / de* problème de l'exclusion.
g. Il faudrait que davantage d'associations participent *à / de* la lutte contre la pauvreté.
h. La Nuit de la Solidarité a lieu dans un mois ! On ne peut pas risquer *à / de* perdre les bénévoles déjà engagés.
i. Les militants n'ont pas réussi *à / de* se mobiliser en nombre pour la marche contre l'exclusion.
j. La baisse des financements nous a empêché *à / de* reconduire la Nuit de la Solidarité cette année.

15. Complétez le tract p. 180 avec les verbes proposés. Conjuguez-les si nécessaire au temps qui convient.

essayer • oublier • arrêter • penser • droguer • arriver • contribuer • éviter • décider • viser

ET SI NOUS VIVIONS DANS UN MONDE SANS PUB ?

Les professionnels du marketing veulent nous ... à la pub. Et si nous ... de penser autrement ? Si nous ... d'accepter que l'économie domine la politique, le social et l'humain ?

D'ACCORD, MAIS COMMENT FAIRE ? VOICI QUELQUES IDÉES « ANTIPUB ».

- ... au message qui se cache dans chaque publicité : il ... uniquement à vous faire consommer !
- Si vous n'... pas à résister quand une publicité vous donne envie, aidez-vous d'outils « antipub » : n'... pas d'installer un bloqueur de pub sur votre moteur de recherche ou encore de coller un autocollant « stop pub » sur votre boîte aux lettres.
- ... d'acheter les produits de grandes marques internationales : ... de consommer local le plus souvent possible !

ESSAYEZ ET, VOUS AUSSI, ... À LA LUTTE CONTRE LA PUB !

Parler de la publicité

16. Placez les mots suivants dans les définitions proposées.

affiches • slogan • marque • marketing • consommateurs • campagne • promotion • produits • annonceur • agence • spots publicitaires • marketing

a. Une ... publicitaire est une action de ... qui consiste à faire la ... d'une ..., d'un produit ou d'un service, au moyen d'un message ou ..., par l'intermédiaire de supports de communication.

b. L'... est l'organisation ou l'entreprise à l'origine d'une opération de communication publicitaire ou ... qui vise à promouvoir ses ... ou sa marque.

c. Le marketing est l'ensemble des actions qui ont pour objet de connaître, de prévoir, éventuellement de stimuler les besoins des ... et d'adapter la production ainsi que la commercialisation à ces besoins.

d. Une ... de publicité utilise des supports de communication multiples (des ..., des ..., etc.) pour diffuser les messages publicitaires.

Parler de la solidarité

17. Complétez le texte avec les mots et expressions suivants.

aider • les associations • actions • sensibiliser • structures d'hébergement • des bénévoles • lutter contre • solidaire • les plus démunis • l'exclusion • impliquer • urgence • aide • le besoin

www.maville.com/vie-associative/

VIE ASSOCIATIVE › SOLIDARITÉ

Bénévolat solidaire

Être ..., ça veut dire « aller vers »

Paroles de bénévoles

Mathieu, 28 ans : « Depuis quelques années, ma ville a mis en place un plan d'... pour faciliter l'accès aux droits et ... la pauvreté, en collaboration étroite avec ... locales.
Pourquoi ce plan d'actions ? La pauvreté et ..., aujourd'hui, résultent trop souvent d'une accumulation de difficultés liées au logement, au travail, à la santé, etc. D'autre part, ... renoncent souvent à faire valoir leurs droits, ce qui les isole encore davantage.
Nos missions en tant que bénévoles : repérer et ... ceux qui n'ont pas accès aux droits ; nous ... sur le terrain en faisant des maraudes pour rencontrer ces personnes dans ... et les ... à leurs droits ; former ... ; accompagner les personnes dans leurs démarches administratives pour, par exemple, leur faciliter l'accès aux ... et d'... à la personne.
Alors, faites comme moi, donnez de votre temps : il y a ... ! »

Phonétique ► p. 113

Les liaisons

18. Prononcez les six phrases suivantes. Identifiez deux liaisons obligatoires, deux liaisons facultatives et deux liaisons interdites.

a. Je sui**s u**ne personne qui aime aider les autres.

b. Beaucoup de personne**s on**t participé à cette action solidaire.

c. C'est toujours positif de faire un don, même si le montan**t e**st faible.

d. C'est trè**s im**portant d'agir de façon concrète, afin de faire reculer la pauvreté.

e. Toutes les actions se réalisen**t à** l'échelle locale ou nationale.

f. Nou**s a**vons besoin de toutes les bonnes volontés pour réussir notre mission.

DOSSIER 7

Leçons 1 et 2

FOCUS LANGUE ▸ p. 124-125

Le discours indirect pour rapporter des paroles au présent ou au passé

1. Transposez les phrases suivantes au discours indirect au présent.

a. La professeure : « Réfléchissez bien à votre orientation professionnelle. »
→ La professeure nous demande…

b. Elliot : « Que vont penser mes parents si je choisis une carrière artistique ? »
→ Elliot se demande…

c. Léa : « Pour quel métier suis-je faite ? »
→ Léa ne sait pas…

d. Luc : « On peut faire quoi avec une licence de droit ? »
→ Luc s'interroge sur…

e. Monica : « Les enfants sont-ils influencés dans leurs choix par le métier de leurs parents ? »
→ Monica aimerait savoir…

f. Nadir : « J'ai toujours rêvé d'être pilote de ligne. »
→ Nadir confie…

g. Le manager : « Adoptez une stratégie différente ! »
→ Le manager nous conseille…

h. La directrice des ressources humaines : « Vos résultats sont excellents. Mais vous sentez-vous bien dans l'équipe ? »
→ La directrice des ressources humaines affirme … mais elle me demande…

2. Complétez les témoignages avec les verbes proposés au temps qui convient.

risquer • falloir • continuer • devenir • vouloir • rechercher • envisager • inquiéter • ne pas avoir envie • transmettre

a

Je suis de la génération du baby boom, l'après-guerre, le plein emploi. Quand on était jeunes, on ne nous répétait pas toute la journée qu'il … trouver notre voie, que nous ne … rien sans diplôme, qu'on … de se retrouver au chômage. Je me demande comment un jeune de 18 ans … l'avenir aujourd'hui et quelle vision du travail il … à ses enfants plus tard.

b

Je suis de la génération Y, celle qui a grandi avec Internet d'un côté et la crise économique de l'autre. On est des débrouillards ! Petit, mes parents me demandaient toujours ce que je … faire comme métier. Ils me disaient que la situation économique les … beaucoup. Aujourd'hui, à 30 ans, j'ai déjà changé trois fois de boîte. J'ai expliqué à mes parents que je … de faire carrière dans la même entreprise, que je … le plaisir dans mon travail avant tout et que je … probablement à diversifier mes expériences pendant longtemps.

3. Trouvez l'intrus.

a. la veille | hier | ce jour-là
b. demain | ce matin-là | le lendemain
c. une semaine plus tôt | dans une semaine | il y a une semaine
d. le dimanche précédent | dimanche dernier | le dimanche suivant
e. aujourd'hui | ce matin-là | ce jour-là
f. l'année précédente | l'année prochaine | l'année suivante
g. dans un an | un an plus tard | un an plus tôt
h. le mois suivant | le mois précédent | le mois dernier
i. ce soir | le soir suivant | ce soir-là

4. Transposez les paroles suivantes au discours indirect au passé.

Exemple : Je me suis dit : « Aujourd'hui, je vais démissionner. »
→ *Je me suis dit que, ce jour-là, j'allais démissionner.*

a. Le professeur nous a demandé : « Vous avez assisté à la conférence de Sandra Reinflet hier ? »
b. On nous a informés : « Vous participerez à une formation sur les différences interculturelles demain. »
c. Le recruteur m'a dit : « Vous commencerez dans dix jours. »
d. J'ai avoué : « Je suis très stressée ce matin à cause de mon entretien d'embauche. »
e. Le conférencier a précisé : « J'animerai une conférence avec une sociologue du travail dans deux jours. »
f. Elle a annoncé : « J'ai obtenu une promotion la semaine dernière. »
g. Ma responsable a assuré : « Vous feriez un meilleur travail si vous connaissiez mieux nos concurrents. »

h. Le directeur a affirmé : « Il faut que nous nous inspirions des techniques de management de nos partenaires américains. »

Le registre soutenu

5. Associez chaque phrase au registre de langue standard ou soutenu. Puis remplacez les mots ou expressions du registre standard par des mots ou expressions du registre soutenu et inversement, à l'aide de la liste proposée. Faites les modifications nécessaires.

labeur • quand • travailler • faire des reproches • être las • être onéreux • être éreinté • il existe • soumettre • fort • également

a. J'apprécie lorsqu'on me fait des retours positifs sur mon travail.
b. Nous sommes fiers de tes résultats au bac et aussi de ta réussite au concours d'entrée de Sciences Po.
c. L'entreprise est très heureuse d'accueillir un nouveau collaborateur.
d. Faire appel aux services d'une société de conseil en management coûte très cher.
e. La retraite est bien méritée après une vie de travail pénible.
f. Lors de mon entretien annuel, mon responsable n'a pas arrêté de me blâmer.
g. Nous œuvrons pour la sécurité de l'emploi.
h. Que de travail, je suis très fatigué !
i. J'en ai assez de travailler les week-ends et les jours fériés.
j. Il y a de nombreuses différences entre la culture du travail en France et aux États-Unis.
k. J'aimerais proposer ma candidature au poste de responsable administratif.

6. Mettez les mots dans le bon ordre. Ajoutez les majuscules et la ponctuation.

a. trouve – de – on – peu – je – que – fasse – dommage – l' – compliments – travail – au
b. on – si – l' – un – a – d' – enfant – rêve – faut – il – réaliser – le – de – essayer
c. a – américain – lorsque – manager – l' – un – les – sont – feed-back – différents – on
d. entreprise – on – lieu – où – un – l' – recherche – l' – épanouissement – est – l' – également

Décrire des compétences professionnelles

7. Que pensez-vous des affirmations suivantes ? Donnez votre avis et justifiez.

a. Un(e) policier(ère) doit savoir s'organiser et prioriser les tâches.
b. Un(e) écrivain(e) doit savoir travailler en équipe.
c. Un(e) président(e) de la République doit être créatif(ive).
d. Un(e) journaliste doit savoir travailler sous pression.
e. Un(e) infirmier(ère) doit être capable d'actualiser ses connaissances.
f. Un(e) assistant(e) de direction doit avoir le sens de l'initiative.
g. Un(e) détective privé(e) doit être fiable et autonome.
h. Un(e) astronaute doit posséder une bonne faculté d'adaptation.

Leçons 3 et 4

FOCUS LANGUE ▸ p. 130-131

La double pronominalisation pour ne pas répéter

8. Répondez aux questions en utilisant la double pronominalisation.

Exemple : Emmenez-vous vos clients au restaurant ?
→ *Oui, je les y emmène.*

a. T'ai-je déjà parlé du livre de Zoé Shepard *Absolument dé-bor-dée* ? → Oui, tu…
b. Tu as dit aux collaborateurs que tu t'étais inscrit à la conférence de Sandra Reinflet ? → Oui, je…
c. Avez-vous transféré mon mél à la cliente ? → Non, je ne…
d. Pourriez-vous expliquer le fonctionnement de la photocopieuse à vos collègues ? → Bien sûr, je vais…
e. Pourriez-vous me virer mon salaire aujourd'hui ? → D'accord, je vais essayer de…
f. Vous prêtez souvent la salle de conférence à vos partenaires ? → Oui, nous…
g. Encouragez-vous les candidats à se préparer à un entretien d'embauche ? → Évidemment, nous…
h. Avez-vous envoyé la facture au fournisseur ? → Non, je ne…

9. Devinettes. Imaginez ce que remplacent les doubles pronoms puis proposez votre propre devinette.

Exemple : Son voyage d'affaires à Dakar est prévu pour demain, je les lui envoie tout de suite.
→ *J'envoie les billets d'avion à la directrice.*

a. Le directeur leur en offre à Noël.
b. La secrétaire lui en écrit chaque jour.
c. Le fournisseur l'y emmène pour un déjeuner d'affaire.
d. Leur responsable leur en parle lors de leurs entretiens individuels annuels.
e. Son assistant les lui transfère uniquement quand c'est vraiment important.

10. Transformez les parties soulignées à l'impératif, comme dans l'exemple.

Exemple : Le livre de Zoé Shepard, tu ne le lui donnes pas, tu le lui prêtes. → *Ne le lui donne pas, prête-le-lui.*

a. L'ordinateur portable, tu me le ramènes avant midi. Tu ne me le rends pas ce soir !
b. La directrice de la communication a besoin de votre article pour vendredi, alors vous ne le lui envoyez pas en retard.
c. La délégation chinoise demande une invitation officielle, il faut que vous la leur transfériez le plus vite possible.
d. Il n'est pas au courant de la prochaine restructuration de l'entreprise, ce n'est pas la peine que vous lui en parliez maintenant.
e. Il me faut le dossier de son client, vous ne devez pas me l'envoyer par la poste, vous devez me le remettre en main propre.
f. Ces vieux dossiers sont importants, vous les stockez aux archives. Vous ne vous en débarrassez pas.

Quelques figures de style

11. Associez chaque euphémisme à sa signification.

a. un mouvement social	1. renvoyer
b. un demandeur d'emploi	2. une grève
c. un plan social / une restructuration	3. une vague de licenciements
d. remercier	4. un chômeur

12. Reformulez les phrases suivantes en supprimant la litote.

a. Elle était vraiment pas mal votre dernière présentation !
b. Votre vision de l'avenir de l'entreprise est loin d'être bête !
c. Ce n'est pas donné, l'inscription à la formation en technique managériale…
d. Je ne dirais pas non à une petite augmentation.
e. L'attribution d'un treizième mois de salaire, c'est pas pour demain…

13. Imaginez le contexte de chacune des antiphrases suivantes.

a. C'est bien, David, vous êtes encore en avance aujourd'hui.
b. Belle augmentation, quelle générosité !
c. J'ai vu ta dernière note en maths… Bravo mon chéri ! Continue comme ça, tu iras loin !
d. Cela fait trois mois que j'ai eu mon premier entretien et je n'ai toujours pas de nouvelles, quelle rapidité !
e. Notre ancien PDG, quel honnête homme !

14. Expliquez les hyperboles suivantes puis utilisez-les dans une phrase.

a. passer sa vie à
b. être mort de fatigue
c. un travail titanesque
d. avoir trois tonnes de boulot
e. avoir mille choses à dire

Le registre familier

15. Repérez dans le dialogue les mots relevant du registre familier. Puis proposez une reformulation en registre standard.

– Je cherche du boulot, tu as une idée ?
– Quoi, tu t'es fait virer ?
– Non, je me suis barré. J'en ai marre qu'on me prenne pour un gamin et qu'on ne me donne aucune responsabilité. Le taf n'était pas intéressant.
– OK. Je peux sûrement t'avoir un entretien dans ma boîte. Par contre, tu ne débarques pas comme ça, tu mets un costard, d'accord ?
– Ouais, bien sûr.

Quelques expressions pour nuancer un point de vue

16. Reliez les deux phrases en utilisant l'expression entre parenthèses.

a. La robotisation va supprimer certains emplois / les robots ne vont pas occuper tous les postes. (pour autant)
b. J'aimerais travailler moins / je ne voudrais pas arrêter complètement mon activité. (pour autant)
c. Le travail contribue au bien-être et à l'épanouissement personnel / il n'est pas la clé du bonheur. (pour autant)
d. La généralisation du télétravail n'est pas certaine / elle est très probable. (sinon… du moins)
e. Le travail n'est pas considéré comme une torture / il est considéré comme une contrainte. (sinon… du moins)
f. Cette grève ne conduira pas à une révolution / elle conduira à de grands changements sociaux. (sinon… du moins)

Phonétique ▸ p. 131

Les homonymes

17. 96 Écoutez et écrivez les phrases entendues. Aidez-vous des indications suivantes.

a. Prononciation [dy] → du / dû
b. Prononciation [kɛl] → qu'elle / quel
c. Prononciation [vwa] → voix / voie
d. Prononciation [si] → s'y / si
e. Prononciation [kɑ̃] → quand / qu'en / quant
f. Prononciation [tɑ̃] → temps / t'en / tant

DOSSIER 8

Leçons 1 et 2

FOCUS LANGUE ▸ p. 142-143

Les propositions relatives pour exprimer un souhait ou un but

1. Formulez les objectifs du projet de réforme avec des propositions relatives.

COLLÈGE Jules **Ferry**

PROJET DE RÉFORME DE NOTRE ÉTABLISSEMENT

Formation des élèves
- → Être autonomes
- → Avoir confiance en eux
- → Pouvoir s'épanouir dans la société
- → Savoir choisir leur orientation

Développement d'un projet d'école
- → Permettre aux équipes éducatives de collaborer de manière transversale
- → Faire appel à des professionnels extérieurs
- → Prendre appui sur les techniques de l'enseignement scandinave
- → Favoriser l'intégration de chacun

Le projet de réforme de notre établissement vise à former des élèves qui...
Il a également pour objectif de développer un projet d'école qui...

2. Émettez un souhait pour chacune des situations suivantes, comme dans les exemples.

a. Un professeur concernant ses élèves.
Exemple : *J'aimerais avoir des élèves qui soient curieux du monde qui les entoure.*

b. Des parents d'élèves concernant les professeurs.
Exemple : *Il faudrait plus de professeurs qui fassent des projets de classe en lien avec le monde professionnel.*

c. Une équipe éducative concernant son établissement.
Exemple : *Nous souhaiterions travailler dans un lycée qui soit mieux équipé en outils numériques.*

La valeur du subjonctif dans l'expression de l'opinion

3. Reliez les deux phrases avec l'expression *le fait que*. Tenez compte de l'indication entre parenthèses.

Exemple : Les filières techniques sont dévalorisées. Cela révèle un problème dans notre système. (atténuation de l'affirmation)
→ *Le fait que les filières techniques soient dévalorisées révèle un problème dans notre système.*

a. Tous les enfants maîtrisent les fondamentaux. Cela prouve l'efficacité de la réforme. (affirmation catégorique)
b. Notre établissement a une bonne réputation. Cela tient aux excellents résultats de nos élèves au baccalauréat. (atténuation de l'affirmation)
c. Le modèle éducatif scandinave est une référence. Cela entraîne des changements dans les pratiques de classe de notre pays. (atténuation de l'affirmation)
d. Certains élèves des lycées professionnels sont de futurs entrepreneurs. Cela valorise ce cursus. (affirmation catégorique)
e. Il y a une hiérarchisation des parcours. Cela participe à la dévalorisation de certains élèves. (atténuation de l'affirmation)
f. Notre système est élitiste. Cela pose problème. (affirmation catégorique)

4. Classez les phrases suivantes selon qu'elles expriment une opinion catégorique ou une nuance de doute.

a. Je ne crois pas qu'il passera le concours d'entrée à HEC.
b. L'enseignant ne pense pas que ses élèves soient prêts pour l'examen.
c. Elle n'imagine pas que ses notes puissent augmenter au deuxième semestre.
d. La conseillère d'orientation ne pense pas qu'une filière médicale est adaptée pour les lycéens ayant un faible niveau en mathématiques.
e. La directrice du collège ne trouve pas que les enfants sont particulièrement indisciplinés.
f. Victor ne croit pas que son père lui permette d'arrêter ses études.

5. Exprimez le contraire de chacune de ces phrases. Attention au mode. (Il y a parfois deux réponses possibles.)

Exemple : Je crois qu'il réussira son examen.
→ *Je ne crois pas qu'il réussisse son examen.*

a. Ses professeurs pensent qu'il finira dans les premiers au concours.
b. La majorité des enseignants ne croit pas que la réforme de l'éducation soit efficace.
c. Le directeur du lycée n'imagine pas que la revalorisation des lycées professionnels connaisse un grand succès auprès des parents d'élèves.
d. Les psychologues scolaires n'ont pas l'impression que les enfants puissent réussir leurs études uniquement avec une culture scolaire de l'effort et de la mémoire.
e. Je pense que tous les enfants ont la capacité d'acquérir les fondamentaux dans des classes moins chargées.
f. Le ministre de l'Éducation imagine que les élèves auront davantage confiance en eux dans un système moins compétitif.
g. Je suis certain que l'éducation doit être réformée.

La nominalisation pour synthétiser et mettre en valeur des informations

6. a. Nominalisez les verbes et adjectifs suivants.

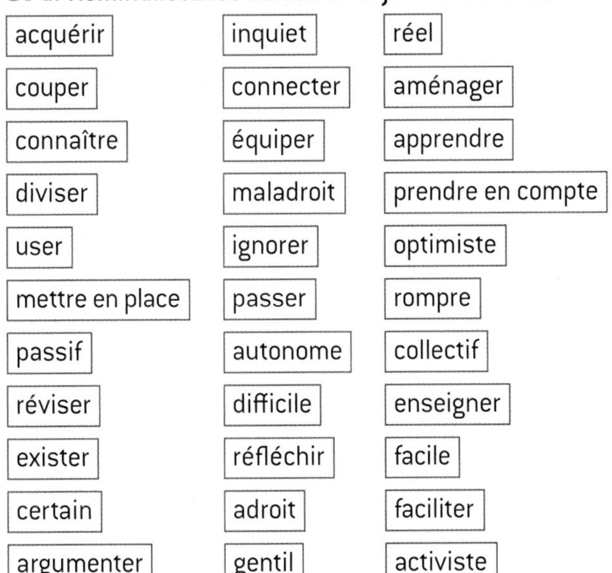

acquérir	inquiet	réel
couper	connecter	aménager
connaître	équiper	apprendre
diviser	maladroit	prendre en compte
user	ignorer	optimiste
mettre en place	passer	rompre
passif	autonome	collectif
réviser	difficile	enseigner
exister	réfléchir	facile
certain	adroit	faciliter
argumenter	gentil	activiste

b. Classez les noms obtenus dans la catégorie de suffixe correspondante.

1. -ation / -ition	7. -ure
2. -ion / -sion / -xion	8. -isme
3. -ment	9. -ité / -té
4. -ance / -ence	10. -ie
5. -age	11. -tude
6. -ise	12. -esse

7. Synthétisez en faisant une seule phrase, comme dans l'exemple.

Exemple : Avant, les élèves étaient passifs. Cela provoquait de l'ennui.
→ *Avant, la passivité des élèves provoquait de l'ennui.*

a. Les enfants sont autonomes. Cela permet aux professeurs de proposer des travaux en sous-groupes.
b. Les premiers exercices du test sont faciles. Cela renforce la confiance des élèves.
c. Les équipements numériques sont apparus il y a quelques années. Cela a alimenté les réflexions pédagogiques.
d. On utilise des tablettes en classe. Cela nécessite parfois de s'isoler.
e. La société a évolué. Cela implique des transformations dans la manière d'enseigner.
f. Claude Lelièvre est sceptique. Cela concerne les principes de la nouvelle école qui s'inspire du modèle de l'entreprise.
g. Dans les classes du futur, l'espace sera occupé différemment. Cela permettra d'organiser plusieurs ateliers pédagogiques dans un même lieu.
h. Les classes sont équipées de tableaux blancs interactifs. Cela favorise l'attention et la motivation des élèves.
i. Des street artistes sont intervenus dans une école primaire. Cela a permis de rendre l'art accessible aux enfants et d'embellir l'école.
j. Les jeunes diplômés sont souples et flexibles. Cela s'explique par un marché de l'emploi très tendu.

8. Transformez les phrases suivantes en titres de journaux avec une nominalisation.

Exemple : Les études de médecine se démocratisent.

→ **DÉMOCRATISATION DES ÉTUDES DE MÉDECINE**

a. Les enseignants sont inquiets concernant la nouvelle réforme.
b. L'équipe éducative réfléchit à de nouveaux aménagements de classe.
c. On a expérimenté une classe hybride.
d. Architectes, designers et enseignants coopèrent pour l'école du futur.
e. Les rythmes scolaires seront aménagés l'année prochaine.
f. Dans l'enseignement d'aujourd'hui, l'élève est responsable et adaptable.
g. La mise en place du projet Archiclasse est difficile.

Parler de scolarité et de pédagogie

9. Corrigez les affirmations suivantes.

a. En France, les enfants commencent leur scolarité à l'école élémentaire.
b. On passe le baccalauréat à la fin du collège.
c. L'approche traditionnelle favorise l'élaboration de raisonnements et la réflexion personnelle.
d. Pour entrer à l'université, il faut faire deux ans de classe préparatoire.
e. Savoir lire, écrire et parler une langue étrangère font partie des fondamentaux.
f. La troisième est la dernière année de licence à l'université.

Parler de l'apprentissage des langues

10. Associez un mot ou une expression à chacune des phrases proposées. Choisissez les six mots ou expressions parmi la liste suivante.

phonologie • tonalité • plurilingue • langue étrangère • langue maternelle • bilingue • monolingue • orthophonie • prononciation • diction • apprentissage précoce • sonorité

a. Inès a 3 ans et elle prend déjà des cours d'anglais.
b. Ma mère m'a toujours parlé français tandis que mon père me parlait allemand. Je parle parfaitement les deux langues.
c. Quand j'étais petite, il a fallu corriger mes troubles du langage écrit et oral.
d. Je suis actrice et je continue à prendre des cours pour améliorer ma manière de réciter un texte.
e. Lætitia a vraiment un don pour les langues. Elle parle couramment le français, l'anglais, l'espagnol et le japonais.
f. C'est vrai que j'habite en Australie mais, bien sûr, je parlerai français à ma fille puisque je suis française et que c'est la première langue que j'ai moi-même apprise !

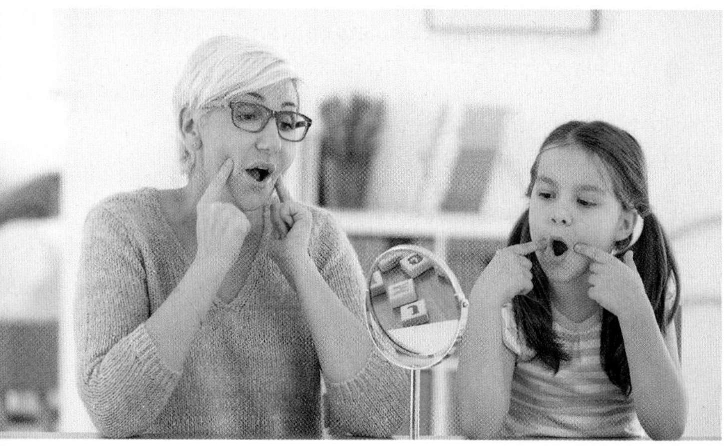

Leçons 3 et 4

FOCUS LANGUE ► p. 148-149

Le subjonctif pour exprimer la probabilité

11. Repérez les expressions de la probabilité parmi les expressions suivantes.

il y a de fortes chances que **il se peut que**
il est certain que
il y a de grandes chances que
il est évident que
il est peu probable que
j'ai l'impression que il est possible que
il se pourrait bien que
je suis convaincu(e) que
il ne fait aucun doute que
il y a peu de chances que
il va de soi que
j'imagine que

12. Exprimez votre opinion en utilisant des expressions de la probabilité de l'activité 11.

Dans les prochaines années, …
a. l'autodidaxie sera de plus en plus valorisée.
b. il y aura de plus en plus de gens surdiplômés.
c. de plus en plus de jeunes s'orienteront vers des métiers de bouche ou des métiers manuels.
d. les lycées professionnels enregistreront une hausse de leurs effectifs.
e. l'examen du baccalauréat aura disparu.
f. un recruteur privilégiera la personnalité d'un candidat et non ses diplômes.
g. on ne fera plus carrière dans une seule et même entreprise.
h. la reconversion professionnelle concernera plus de la moitié des personnes actives.

La négation *ne… ni… ni…*

13. Répondez négativement à chaque question en utilisant *ne… ni… ni…*

a. Existe-t-il des fraternités et des sororités à Sciences Po ?
b. Avez-vous déjà rédigé une dissertation ou une synthèse en français ?
c. Le concours d'entrée à HEC et celui de Sciences Po sont-ils faciles ?
d. Aurélie a-t-elle obtenu son brevet et son bac ?
e. La dictée était-elle compréhensible et amusante ?
f. Vous sentez-vous stressé ou épuisé en cette période d'examens ?

g. Peut-on téléphoner et utiliser son ordinateur pendant le test ?
h. Les professeurs sont-ils distants et froids dans votre université ?
i. Les étudiants et les professeurs sont-ils en faveur de la réforme de l'enseignement supérieur ?
j. Faites-vous partie, vos camarades ou vous-mêmes, d'un club social universitaire ?

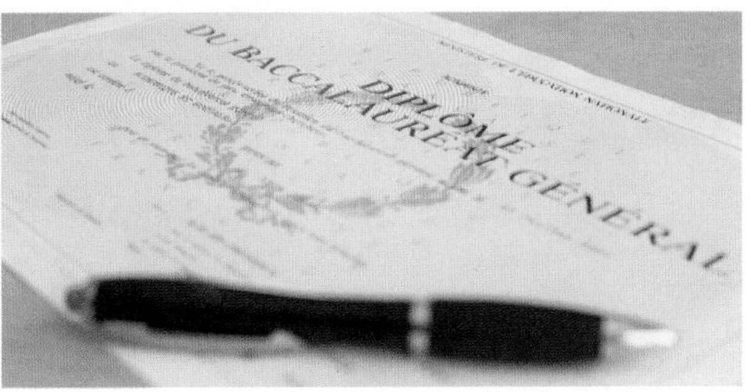

Parler des études et du système éducatif

14. **Complétez les phrases avec des termes de la carte mentale et du schéma p. 148-149.**

a. La pression monte pour les élèves de ... : plus que quelques jours pour réviser le bac !
b. Le ... est nécessaire pour accéder à l'enseignement supérieur.
c. Il faut faire deux ans de ... pour passer les concours aux grandes écoles.
d. Michel Ancel, célèbre réalisateur de jeux vidéo, n'a pas de formation spécifique : c'est un véritable ... .
e. J'ai suivi un ... : bac puis licence et master.
f. À la rentrée, un quart des élèves de troisième sont entrés dans un ... afin de préparer un bac pro.
g. Elle a obtenu son bac à 11 ans en juin dernier ! C'est la plus jeune ... de l'histoire !
h. ... d'un MBA, vous plairez aux grandes entreprises.
i. Si vous justifiez d'une expérience professionnelle d'au moins trois ans, la ... peut vous permettre de voir votre expérience reconnue officiellement.

15. **Mettez ces étapes du système éducatif français dans l'ordre chronologique.**

a. école élémentaire • lycée • université • collège • école maternelle
b. bac • licence • brevet • doctorat • master
c. moyenne section • grande section • petite section
d. enseignement secondaire • enseignement supérieur • enseignement primaire
e. CM1 • CE1 • CP • CM2 • CE2
f. 5ᵉ • 4ᵉ • 6ᵉ • 3ᵉ
g. terminale • seconde • première

16. **Barrez l'intrus et justifiez vos choix.**

a. grande école • université • collège
b. CAP • BTS • DUT
c. licence • bac • master
d. lycéen • étudiant • collégien
e. cursus • école élémentaire • filière
f. brevet • synthèse • dissertation

Phonétique ► p. 149

Adopter le ton juste

17. **a.** 🎧 97 **Écoutez les phrases suivantes. Dites si le mot *bravo* est prononcé sur un ton sincère pour féliciter ou sur un ton ironique pour se moquer.**

Exemples : Tu as eu ton bac avec mention ? Bravo !
→ *Ton sincère pour féliciter (intonation montante sur la dernière syllabe de* bra**vo** ↗*).*

Tu as raté ton bac à cause des maths ? Bravo !
→ *Ton ironique pour se moquer (intonation descendante sur la dernière syllabe de* bra**vo** ↘*).*

1
Tu as attendu la fin des vacances pour réviser tes examens ? Bravo !
Tu as révisé tes examens dès le début des vacances ? Bravo !

2
Tu peux communiquer dans trois langues étrangères ? Bravo !
Tu ne veux pas communiquer dans une langue étrangère ? Bravo !

3
Vous avez travaillé toute votre vie pour construire votre capital retraite ? Bravo !
Vous n'avez jamais travaillé sérieusement de toute votre vie ? Bravo !

4
Un professeur d'université qui n'est jamais disponible pour ses étudiants : moi, je dis bravo !
Un professeur d'université qui reste à l'écoute de ses étudiants : moi, je dis bravo !

b. **Par deux. Imaginez des phrases avec le mot *merci* prononcé sur un ton sincère pour remercier et sur un ton ironique pour faire un reproche.**

Exemples : *Vous avez pensé à moi pour un nouveau travail ? Mer**ci**.* ↗
*Vous n'avez pas pensé à me recommander auprès de votre directeur ? Mer**ci**.* ↘

ÉPREUVE DE DELF B2

Compréhension de l'oral — 25 points

Exercice 1 — 18 points

Vous allez entendre deux fois un enregistrement sonore de 5 minutes environ. Vous aurez :
– 1 minute pour lire les questions ;
– une première écoute, puis 3 minutes pour commencer à répondre aux questions ;
– une seconde écoute, puis 5 minutes pour compléter vos réponses.

98 **Lisez les questions, écoutez le document puis répondez.**

1. Quelle est la fonction de Michaël Mangot ? — 1 point

2. Comment Michaël Mangot définit-il le produit intérieur brut ? — 2 points

3. Selon Michaël Mangot, l'indicateur du PIB est aujourd'hui… — 1,5 point
   a. trop limité.
   b. toujours efficace.
   c. en cours de modification.

4. D'après Michaël Mangot, l'indicateur principal pour mesurer le bonheur d'un pays est… — 1,5 point
   a. le taux de croissance économique.
   b. le sentiment de bien-être général.
   c. l'augmentation de l'espérance de vie.

5. D'après le classement du bonheur, les pays riches sont… — 1 point
   a. souvent les plus heureux.
   b. aussi heureux que les pays pauvres.
   c. moins heureux que ce que l'on pense.

6. Quelle nuance Franck Montaugé apporte-t-il concernant les pays riches ? — 1,5 point

7. Comment s'appelle l'indicateur alternatif au PIB créé par le Bhoutan ? — 1 point

8. Selon Michaël Mangot, l'indicateur alternatif du Bhoutan a été créé suite à… — 1 point
   a. une décision politique locale.
   b. une demande de la population.
   c. une collaboration avec la Suisse.

9. Quels différents domaines sont pris en compte dans l'indicateur alternatif créé par le Bhoutan ?
   (Plusieurs réponses possibles, 2 réponses attendues) — 2 points

10. Au Bhoutan, on mesure le bonheur à l'aide… — 1 point
    a. de questionnaires détaillés.
    b. d'entretiens avec des experts.
    c. d'expériences neuroscientifiques.

11. Selon la directrice de l'agence de voyages, quelles caractéristiques rendent le Bhoutan si paisible ?
    (Plusieurs réponses possibles, 3 réponses attendues) — 1,5 point

12. Selon Michaël Mangot, au classement des pays les plus heureux, le Bhoutan se trouve… 1 point
   a. bien devant la France.
   b. assez près de la France.
   c. loin derrière la France.

13. Que pense Franck Montaugé du modèle bhoutanais ? 2 points

Exercice 2 — 7 points

Vous allez entendre une seule fois un enregistrement sonore de 2 minutes environ. Vous avez 1 minute pour lire les questions puis 3 minutes pour répondre aux questions après l'écoute.

99 **Lisez les questions, écoutez le document puis répondez.**

1. Le *Nouvel Atlas international des nuages* s'adresse principalement… 1 point
   a. aux adultes amateurs de nuages.
   b. aux spécialistes de l'observation du ciel.
   c. aux jeunes enfants passionnés de science.

2. Pour quelle raison la science des nuages a-t-elle peu recours à l'informatique ? 1 point

3. De quels éléments les météorologues s'inspirent-ils pour nommer les nuages ? *(2 réponses attendues)* 1 point

4. Selon Isabelle Rudy, l'inexactitude des informations présentes dans les atlas de nuages publiés précédemment concerne… 1 point
   a. le nom
   b. le nombre
   c. la catégorisation
   } de certains nuages.

5. Quels nouveaux types de nuages liés à l'activité humaine sont répertoriés dans le *Nouvel Atlas international des nuages* ? *(Plusieurs réponses possibles, 2 réponses attendues)* 1 point

6. Isabelle Rudy affirme que le travail de collecte de photos pour créer le *Nouvel Atlas international des nuages* a été… 1 point
   a. très rapide.
   b. plutôt simple.
   c. assez considérable.

7. Isabelle Rudy considère que la science des nuages est… 1 point
   a. précise.
   b. complexe.
   c. collaborative.

ÉPREUVE DE DELF B2

Compréhension des écrits — 25 points

A. Comprendre un texte informatif — 13 points

Lisez l'article puis répondez aux questions.

L'exploration urbaine : un retour à la « ville sauvage »

Visiter des souterrains ou des maisons en ruine, se perdre dans la forêt et atteindre un bâtiment délaissé... Telles sont les caractéristiques de l'exploration urbaine. Cette pratique consiste à accéder à des lieux construits puis abandonnés par l'homme. Mais qu'est-ce qui motive les adeptes de cette pratique ? Les raisons peuvent être multiples : besoin d'évasion, goût pour l'aventure, curiosité historique ou enthousiasme pour l'architecture. Les explorateurs urbains présentent néanmoins un point commun : ils sont prêts à contourner les obstacles qui mènent au lieu désiré. C'est là l'essence même de cette pratique : la difficulté d'accès. Il ne s'agit pas d'une simple promenade mais d'un parcours au caractère mystérieux, voire illégal. Capturer un moment de vie unique, que personne ne revivra, telle est la volonté de ces explorateurs d'un genre nouveau.

Pour en savoir plus sur les motivations de ces nouveaux explorateurs, voici le témoignage d'un jeune Bordelais de 21 ans responsable d'un groupe d'exploration urbaine : « *Il y avait un château abandonné près de chez moi et j'ai décidé d'aller le visiter avec quelques amis. On s'est ensuite renseignés sur des sites pour continuer car cela nous avait beaucoup plu* », explique-t-il. Ce qui n'était au départ qu'une visite spontanée s'est transformé en une pratique régulière. « *Tous les sons sont amplifiés : un rat qui court sur le sol, une porte qui claque, cela a un côté un peu inquiétant qui me plaît beaucoup.* » L'aspect artistique est également central pour lui dans cette pratique. « *La photographie est le fondement de l'exploration urbaine, selon moi.* »

Il existe en général un respect du lieu chez les explorateurs, qui voient l'exploration urbaine non comme une simple pratique mais comme un art et un moyen de découverte de lieux à part.

Mais d'où vient cette pratique ? Il est difficile de dater précisément l'exploration urbaine, mais elle pourrait être une variante de la cataphilie, qui est l'attrait pour la découverte des catacombes et autres galeries souterraines. C'est dans les années 60 que s'est développé en France un certain enthousiasme pour l'exploration des souterrains des villes, via les réseaux de transports et les caves. On retrouve chez les cataphiles une volonté d'exploration et de compréhension de l'espace qui les entoure et de son histoire.

Une discorde oppose néanmoins deux catégories d'explorateurs urbains. Certains revendiquent la préservation du secret autour des lieux à explorer, afin de limiter la pratique à un nombre restreint de personnes et de protéger l'aspect exclusif de ces lieux. D'autres sont plutôt favorables au partage d'adresses avec le plus grand nombre et veulent au contraire transmettre leurs découvertes. Ils voient cette pratique comme une source d'apprentissage et de progrès : apprendre à « explorer pour mieux comprendre le monde qui nous entoure ».

Cette opposition est d'autant plus forte que la pratique est de plus en plus revendiquée sur les réseaux sociaux. Des sites Internet recensent également des lieux d'exploration urbaine dans des dizaines de pays européens. Mais le caractère secret n'est-il pas l'essence même de cette expérience ? En perdant son aspect rare et mystérieux, elle risque de devenir une activité touristique banale, au même titre qu'une visite de musée. Ce qui serait dommage.

D'après parlonsinfos.fr

1. En quoi consiste l'exploration urbaine ? 1 point

2. Qu'est-ce qui pousse les explorateurs urbains à pratiquer ce loisir ?
(Plusieurs réponses possibles, 3 réponses attendues) 1,5 point

3. Vrai ou faux ? Choisissez la bonne réponse et recopiez la phrase ou la partie du texte qui justifie votre réponse. 3 points
   a. L'exploration urbaine se caractérise avant tout par le fait de parcourir des chemins semés d'obstacles.
   ☐ Vrai
   ☐ Faux
   Justification : …
   b. Les explorateurs urbains souhaitent principalement vivre une expérience exclusive.
   ☐ Vrai
   ☐ Faux
   Justification : …

4. Pour l'explorateur urbain bordelais, le côté mystérieux de ce loisir est accentué par… 1 point
   a. l'aspect extérieur des lieux qu'il visite.
   b. les bruits entendus pendant l'exploration.
   c. le fait de pouvoir toucher librement les édifices.

5. Vrai ou faux ? Choisissez la bonne réponse et recopiez la phrase ou la partie du texte qui justifie votre réponse. 1,5 point
   Selon le jeune Bordelais, le goût pour l'architecture est la base de l'exploration urbaine.
   ☐ Vrai
   ☐ Faux
   Justification : …

6. Selon l'article, les explorateurs urbains éprouvent une certaine forme… 1 point
   a. de nostalgie
   b. de considération
   c. d'émerveillement
   } pour les sites qu'ils visitent.

7. D'après l'article, qu'est-ce qui caractérise les cataphiles ? *(2 réponses attendues)* 2 points

8. Le désaccord existant entre les deux types d'explorateurs urbains concerne… 1 point
   a. le maintien de la confidentialité des sites.
   b. le manque de sérieux des visiteurs amateurs.
   c. l'aspect illégal de la pratique.

9. Selon l'auteur, l'exploration urbaine devrait… 1 point
   a. avoir plus de visibilité sur Internet.
   b. rester un loisir réservé à des initiés.
   c. devenir une activité touristique populaire.

B. Comprendre un texte argumentatif

12 points

Lisez l'article puis répondez aux questions.

TÉLÉTRAVAIL : ET SI CE N'ÉTAIT PAS UNE SI BONNE IDÉE ?

Les candidats au télétravail sont de plus en plus nombreux. Une étude réalisée récemment par le ministère du Travail révèle d'ailleurs que 61 % des salariés y aspireraient. Si le télétravail est largement valorisé car porteur de nombreux avantages, il implique aussi des ruptures fortes vis-à-vis de l'organisation traditionnelle du travail. De nouvelles formes de précarité émergent également.

Pour commencer, de nombreux télétravailleurs font état d'un sentiment d'isolement social et professionnel (collègues, espaces communs, rites). Notamment lorsqu'il s'effectue à domicile, le télétravail ne permet plus aux individus de maintenir un lien social et de partager les routines collectives. « *Petit à petit, on sent un éloignement*, remarque Mathilde, 39 ans, qui télétravaille depuis quatre ans quatre jours par semaine. *Il y a des choses qui se passent et dont je ne suis pas du tout au courant ; elles m'échappent complètement.* »

Les télétravailleurs cherchent généralement à compenser l'absence de contacts avec leurs collègues, soit en s'insérant dans des bureaux partagés soit en se réunissant pour reformer des communautés professionnelles en dehors de l'entreprise : « *En été, on se fait des pique-niques. En hiver, on essaye de déjeuner chacun son tour chez l'un ou chez l'autre* ».

Travailler à distance implique aussi une rupture forte vis-à-vis des modes de contrôle traditionnels. Le salarié n'étant plus dans les locaux de l'entreprise, les formes et outils de contrôle individualisé deviennent plus précis mais peuvent parfois être plus intrusifs. Pour Jérôme, 35 ans, qui télétravaille depuis cinq ans, « *le quotidien est d'ailleurs beaucoup plus cadré en télétravail qu'en travaillant dans un bureau. Il faut, chaque jour, remplir des outils de suivi pour dire le temps que l'on a passé sur chaque tâche ou étude, faire des points réguliers...* » Ce surcontrôle peut s'avérer contreproductif car il contraint les salariés à passer beaucoup de temps à justifier leur non-présence dans les locaux. Ils cherchent en réalité à limiter les suspicions d'inaction dont ils font l'objet de la part de certains de leurs collègues et parfois même de leur hiérarchie.

Une autre difficulté pour les télétravailleurs à domicile repose sur la délicate conciliation entre les espaces de travail et les espaces de vie. Le télétravail remet en effet en question la séparation nette entre vie professionnelle et vie privée, ce qui autorise une continuité des pratiques professionnelles. Ceci conduit parfois à un surinvestissement de la part du télétravailleur, qui risque alors de souffrir de fatigue et de problèmes physiques ou psychologiques. C'est pourquoi, lorsqu'il s'installe à domicile, le travail nécessite un aménagement de l'espace pour que les frontières spatiales et temporelles s'ajustent et n'envahissent pas la vie privée. La responsabilité de l'entreprise est grande de ce point de vue : elle se doit d'accompagner le télétravailleur dans la mise en place de son poste de travail et dans la préservation de son bien-être.

Certes, le télétravail présente des avantages pour l'entreprise, notamment en ce qui concerne le gain de place et la réduction des coûts d'aménagement. Mais il peut aussi amener le salarié à allonger ses journées de travail et à souffrir de solitude. ■

D'après hbrfrance.fr

1. Selon l'étude réalisée par le ministère du Travail, plus de la moitié des salariés interrogés… 1 point

   a. valorisent le fait de
   b. souhaiteraient pouvoir } télétravailler.
   c. seront bientôt nombreux à

2. Vrai ou faux ? Choisissez la bonne réponse et recopiez la phrase ou la partie du texte qui justifie votre réponse. 1,5 point

   C'est le manque d'accès aux informations sur la vie quotidienne de l'entreprise qui gêne Mathilde.

   ☐ Vrai

   ☐ Faux

   Justification : …

3. Quelles solutions ont trouvées certains télétravailleurs pour éviter de se sentir seuls ? *(2 réponses attendues)* 1 point

4. Selon l'auteur, la surveillance à laquelle sont soumis les télétravailleurs peut être… 1 point

   a. insuffisante.
   b. angoissante.
   c. envahissante.

5. Vrai ou faux ? Choisissez la bonne réponse et recopiez la phrase ou la partie du texte qui justifie votre réponse. 2 points

   a. Jérôme affirme que les supervisions imposées aux télétravailleurs sont les mêmes que pour n'importe quel employé.

      ☐ Vrai

      ☐ Faux

      Justification : …

   b. Selon l'auteur, les télétravailleurs se sentent contraints de prouver qu'ils sont actifs et efficaces malgré leur absence physique.

      ☐ Vrai

      ☐ Faux

      Justification : …

6. Pour quelle raison l'auteur conseille-t-il aux télétravailleurs de bien organiser leur espace de travail à la maison ? 1,5 point

7. D'après l'auteur, qui doit veiller aux bonnes conditions de travail du salarié lorsqu'il travaille depuis chez lui ? 1 point

   a. l'employé lui-même.
   b. le ministère du Travail.
   c. la direction de l'entreprise.

8. Selon l'auteur, quels sont les avantages du télétravail pour les employeurs ? *(2 réponses attendues)* 1 point

9. Dans sa conclusion, l'auteur souligne que la mauvaise gestion du télétravail peut entraîner des problèmes… *(2 réponses attendues)* 2 points

   a. de surmenage
   b. de santé } chez le salarié.
   c. de socialisation

ÉPREUVE DE DELF B2

Production écrite — 25 points

Vous travaillez depuis quelques mois dans une entreprise française. À l'occasion de la Journée mondiale de l'environnement, vous écrivez une lettre au directeur / à la directrice de l'entreprise pour le / la convaincre de mobiliser les employés autour de cette journée. Vous expliquez pourquoi il vous semble important que l'entreprise participe à cet événement et vous proposez des actions à mettre en place sur votre lieu de travail.
(250 mots minimum)

Production orale — 25 points

Choisissez un des deux sujets suivants. Dégagez le problème soulevé et présentez votre opinion sur le sujet de manière claire et argumentée.

SUJET 1

Les sites de rencontres permettent-ils vraiment de trouver l'amour ?

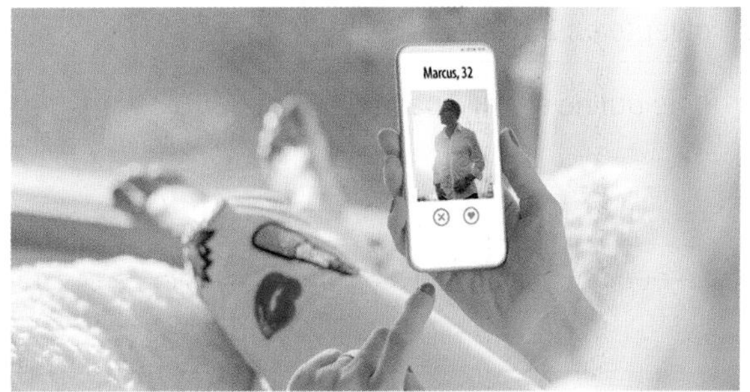

Les sites et applications dédiés aux rencontres amoureuses sont de plus en plus nombreux. Aujourd'hui, on peut rester tranquillement assis dans son canapé tout en consultant des profils qui correspondent à ses attentes et critères. Ces sites permettent également de rencontrer des personnes en dehors de son cercle amical ou professionnel. Enfin, pour les plus timides, la recherche d'un ou d'une partenaire devient plus facile et le premier contact moins stressant.

Toutefois, certains considèrent que ces plateformes favorisent davantage les aventures passagères que les relations stables. Ce qui est aussi dénoncé, c'est le côté « fiche produit » des profils inscrits, donnant le sentiment que les personnes sont des marchandises et qu'on vient en quelque sorte « faire son marché ». Enfin, le besoin d'efficacité et de résultat rapide de certains utilisateurs n'est pas toujours compatible avec la vision romantique que d'autres se font des relations amoureuses.

D'après rtbf.be

SUJET 2

Est-il souhaitable d'instruire ses enfants à la maison ?

La petite Jeanne n'est jamais allée à l'école, comme 0,23 % des Français de moins de 16 ans. « *En France, l'instruction est obligatoire, mais pas l'école. Nous n'imposons à nos enfants ni les cours, ni les horaires de travail. Ils jouent et approfondissent leur savoir par eux-mêmes. Notre rôle consiste simplement à les orienter* », souligne le papa de Jeanne, qui a deux grands frères. « *La plupart des enseignants ont peu de notions de psychologie de l'enfant. Certains se contentent essentiellement de faire régner l'ordre. C'est terrible pour les élèves* », affirme Laurence, la maman, qui a d'ailleurs quitté son poste de professeure d'anglais au collège pour prendre en charge l'instruction de ses enfants.

Comme Jeanne vient d'avoir 3 ans et que l'instruction est obligatoire à partir de cet âge-là, un inspecteur académique va passer une fois par an vérifier qu'elle acquiert les connaissances et compétences requises. Si les conditions pédagogiques ne sont pas réunies, la petite sera obligée de réintégrer un cursus « normal ».

D'après ladepeche.fr

Les pronoms

On utilise les pronoms relatifs pour relier deux phrases entre elles, pour éviter la répétition d'un nom et pour donner des précisions. Ils suivent toujours le nom ou le pronom qu'ils remplacent.

1. Les pronoms relatifs simples

▶ D3 p. 53

	Fonction dans la seconde phrase	Exemples
qui	remplace le **sujet** du verbe qui suit	*Elle est heureuse de pouvoir retrouver Paris, la ville* ***qui*** *l'a accueillie trente ans plus tôt. (=* ***Paris*** *l'a accueillie.)*
que	remplace le **COD** du verbe qui suit	*Elle joue le rôle de cette Bretonne* ***que*** *l'on a vue aux infos. (= On a vu* ***cette Bretonne*** *aux infos.)*
dont	remplace un **complément introduit par *de*** (complément du nom, COI ou complément de l'adjectif)	*Il s'agit de* Borgen, *la série danoise* ***dont*** *l'actrice continue à nous éblouir. (= l'actrice* ***de cette série****)* *Sidse Babett Knudsen, c'est l'actrice* ***dont*** *Catherine Deneuve a parlé à la réalisatrice. (= Elle a parlé* ***de cette actrice****.)* *Elle a fait un choix* ***dont*** *elle est heureuse. (= heureuse* ***de ce choix****)*
où	remplace un complément de lieu	*Elle a grandi en Afrique* ***où*** *ses parents ont fait du volontariat. (= Ils ont fait du volontariat* ***en Afrique****.)*
	remplace un complément de temps	*Le scandale a éclaté en 2009, l'année* ***où*** *le médicament a été retiré de la vente. (= Il a été retiré de la vente* ***en 2009****.)*

Attention ! Devant une voyelle ou un *h* muet : *que* devient *qu'* mais *qui* ne change pas.

2. Les pronoms relatifs composés

▶ D3 p. 53

Les pronoms relatifs composés sont composés d'une préposition et d'un pronom. Ils s'accordent en genre et en nombre avec le nom qu'ils remplacent.

Préposition + pronom *lequel, laquelle, lesquels, lesquelles*	Fonction dans la seconde phrase	Exemples
avec lequel *par laquelle* *pour lesquels* *sans lesquelles* *sur lequel* *dans laquelle* (etc.)	remplace le complément d'un verbe suivi des prépositions *avec, par, pour, sans, sur, dans*, etc.	*C'est une minuscule chambre de bonne. Elle a vécu* ***dans cette chambre*** *à Paris. → C'est une minuscule chambre de bonne* ***dans laquelle*** *elle a vécu à Paris.*
auquel *à laquelle* *grâce auxquels* *grâce auxquelles* (etc.)	remplace le complément d'un verbe suivi des prépositions *à* et *grâce à*	*Elle a pris des cours sur Skype. Elle a amélioré son accent* ***grâce à ces cours****. → Elle a pris des cours sur Skype* ***grâce auxquels*** *elle a amélioré son accent.*
à cause duquel *à côté duquel* *au-dessus de laquelle* *au-dessous desquels* *près desquelles* (etc.)	remplace le complément d'un verbe suivi des groupes prépositionnels *à cause* **de**, *à côté* **de**, *au-dessus* **de**, *au-dessous* **de**, *près* **de**, etc.	*Elle avait un léger accent danois. Elle a dû engager un professeur de français* ***à cause de cet accent****. → Elle avait un léger accent danois* ***à cause duquel*** *elle a dû engager un professeur de français.*

Attention ! Quand le nom remplacé par le pronom est **une/des personne(s)**, on peut utiliser ***qui*** à la place de *lequel*, *laquelle*, *lesquels* et *lesquelles*.
Ce sont les actrices ***avec lesquelles*** *je tourne. = Ce sont les actrices* ***avec qui*** *je tourne.*
C'est le collègue ***grâce auquel*** *j'ai connu mon mari. = C'est le collègue* ***grâce à qui*** *j'ai connu mon mari.*

3. La mise en relief

▸ D3 p. 58

On utilise le présentatif *c'est* accompagné d'un pronom relatif sujet ou complément pour mettre en relief un élément de la phrase.

Constructions possibles	Exemples
C'est / Ce sont… qui… *C'est / Ce sont… que…* *C'est / Ce sont… dont…* *C'est / Ce sont… où…* *C'est / Ce sont…* préposition + *lequel / laquelle / lesquels / lesquelles / qui…*	***Ce sont*** *quelque 270 sites* ***qui*** *ont été choisis.* ***C'est*** *le patrimoine en danger* ***que*** *le loto financera.* ***C'est*** *un sujet* ***dont*** *il est beaucoup question.* ***C'est*** *un pays* ***où*** *le patrimoine est en danger.* ***Ce sont*** *des fonds* ***avec lesquels*** *on pourra réaliser des rénovations.*
Ce qui… c'est / ce sont… *Ce que… c'est / ce sont…* *Ce dont… c'est / ce sont…* *Ce* + préposition + *quoi… c'est / ce sont…*	***Ce qui*** *pose un problème,* ***c'est*** *le coût des rénovations.* ***Ce qu'****on organise,* ***ce sont*** *des financements participatifs.* ***Ce dont*** *nous sommes fiers,* ***c'est*** *le patrimoine régional.* ***Ce à quoi*** *ils pensent,* ***c'est*** *la sécurité des visiteurs.*

On peut aussi utiliser la structure ***Si… c'est…*** pour mettre en relief :
- une cause : ***Si… c'est parce que / grâce à / à cause de / suite à…***
  Si *notre pays est la première destination touristique au monde,* ***c'est grâce à*** *ses sites historiques /* ***c'est parce qu'****il regorge de sites historiques.*
- un but : ***Si… c'est pour / pour que / dans le but de…***
  S'*il organise un loto du patrimoine,* ***c'est pour*** *répondre à une situation d'urgence.*

4. Les pronoms personnels sujets, réfléchis et toniques

Pronoms sujets	Pronoms réfléchis*	Pronoms toniques**
je / j'	*me / m'*	*moi*
tu	*te / t'*	*toi*
il / elle	*se / s'*	*lui / elle / soi*
nous	*nous*	*nous*
vous	*vous*	*vous*
ils / elles	*se / s'*	*eux / elles*

* Les pronoms réfléchis s'utilisent avec les verbes pronominaux.
Il ***se*** *promène tous les jours. Nous* ***nous*** *amusons le week-end.*

** Les pronoms toniques s'utilisent :
- après une préposition : *Je parlerai après* ***toi****. Je me souviens de* ***lui****.*
- dans une phrase comparative : *Il court plus vite que* ***moi****.*
- pour renforcer le pronom sujet à l'oral : *Et* ***toi****, tu pars quand en vacances ?*

5. Les pronoms COD et COI

Pronoms compléments d'objet direct (COD) : *me (m'), te (t'), le (l'), la (l'), nous, vous, les*

– Ils remplacent un être vivant ou un objet. Le pronom neutre *le (l')* peut remplacer un fait ou une situation.

– Ils sont compléments d'un verbe à construction directe.
*voir **quelqu'un** ou **quelque chose** → Elle voit **les enfants**. → Elle **les** voit.*
*regarder **quelqu'un** ou **quelque chose** → Je regarde **le tableau**. → Je **le** regarde.*
*croire **quelqu'un** ou **quelque chose** → Je crois **que ce projet est bon pour notre entreprise**. → Je **le** crois.*

Pronoms compléments d'objet indirect (COI) : *me (m'), te (t'), lui, nous, vous, leur*

– Ils remplacent en général un être vivant.

– Ils sont compléments d'un verbe à construction indirecte suivi de la préposition *à* ou *de*.
*Parler **à quelqu'un** → Elle parle **aux enfants**. → Elle **leur** parle.*

Attention ! Les verbes suivants ne sont pas suivis d'un pronom COI mais de la préposition *à* + pronom tonique (*à moi, à toi, à lui / elle / soi, à nous, à vous, à eux / elles*) :

– *penser **à quelqu'un**, songer **à quelqu'un**, tenir **à quelqu'un**, être **à quelqu'un**, faire attention **à quelqu'un** ;*
*Ce livre est **à Marie**. → Ce livre est **à elle**.*

– tous les verbes pronominaux suivis de ***à quelqu'un*** : *s'intéresser **à quelqu'un**, s'adresser **à quelqu'un***, etc.
*Adressez-vous **au responsable des inscriptions**. → Adressez-vous **à lui**.*

6. Le pronom *y*

► D3 p. 58

On utilise le pronom ***y*** pour remplacer :

– un COI introduit par *à* ;
*Je pense **à la série**. → J'**y** pense.*
Attention ! *Y* ne remplace jamais une personne mais seulement une chose. Pour les personnes, on utilise *à* + pronom tonique.
*Je pense **à cet acteur**. → Je pense **à lui**.*

– un complément de lieu (localisation ou destination).
*Tu vas **au cinéma** à quelle heure ce soir ? → J'**y** vais à 20 heures.*

7. Le pronom *en*

► D3 p. 58

On utilise le pronom ***en*** pour remplacer :

– un COD exprimant une quantité (chose ou personne) ;
*J'ai **de l'argent**. → J'**en** ai.*
*J'achète **<u>trois</u> pommes**. → J'**en** achète <u>trois</u>.*
*Elle peut effrayer **<u>certains</u> spectateurs**. → Elle peut **en** effrayer <u>certains</u>.*
Attention ! *Nous allons rencontrer quelques collègues. → Nous allons **en** rencontrer **quelques-<u>uns</u>**.*

– un complément introduit par *de* (complément du verbe ou complément de l'adjectif) ;
*Je parle **de la série**. → J'**en** parle.*
*On n'est pas toujours satisfait **de la fin d'une série**. → On n'**en** est pas toujours satisfait.*
Attention ! Pour les personnes, on utilise *de* + pronom tonique.
*Je parle **du scénariste de la série**. → Je parle **de lui**.*

– un lieu de provenance.
*Vous revenez **du cinéma** ? → Oui, j'**en** reviens.*

8. La double pronominalisation

▶ D7 p. 130

Ordre des doubles pronoms	Exemples
En général : COI + COD *me / te / nous / vous* + *le / la / les*	*Vous me faxez cette lettre le plus rapidement possible ? → Vous **me la** faxez le plus rapidement possible ?* *On **vous** demande **ces documents**. → On **vous les** demande.*
Attention ! À la 3ᵉ personne : COD + COI *le / la / les* + *lui / leur*	*Je tends **cette lettre à Zoé**. → Je **la lui** tends.*
Y et ***EN*** : toujours en 2ᵉ position *m' / t' / lui / l' / nous / vous / leur / les* + *y / en*	*Elle **me** parle **de la lettre**. → Elle **m'en** parle.* *Tu montres **des photos à tes amis**. → Tu **leur en** montres.* *Je **t'**emmène **au cinéma**. → Je **t'y** emmène.* *Elle retrouve **ses amis au théâtre**. → Elle **les y** retrouve.*

Attention ! On peut utiliser les pronoms *le*, *la*, *les*, *en* et *y* avec les verbes pronominaux.
*se laver → Je **me** lave **les mains**. → Je **me les** lave.*
*se souvenir → Tu **te** souviens **de ce voyage** ? → Tu **t'en** souviens ?*
*s'intéresser → Elle **s'**intéresse **aux arts**. → Elle **s'y** intéresse.*

9. La place des pronoms

▶ D7 p. 130

Les pronoms compléments se placent **devant** le verbe qu'ils complètent ou devant l'auxiliaire.
*Elle **lui** téléphone. Il n'**en** a pas mangé. On s'**y** est promené. **Les** avez-vous vus ? Il **me le** demande. Il n'y **en** a pas. Il **nous y** a conduits. Il doit **le** rendre. Je vais **t'y** accompagner. On n'a pas pu **le leur** expliquer.*

L'impératif et les pronoms compléments

- À l'**impératif affirmatif**, les pronoms personnels compléments se placent **après le verbe**, avec un tiret.
  ***Présentez-le** à l'hôtesse. **Donnez-la-lui** dès votre arrivée. **Prenez-en** trois. **Allez-y** !*
- À l'**impératif négatif**, les pronoms personnels compléments se placent **avant le verbe**, sans tiret.
  ***Ne le présentez pas** à l'hôtesse. **Ne la lui donnez pas** dès votre arrivée. **N'en prenez pas. N'y allez pas** !*

Attention ! Pour les 1ʳᵉ et 2ᵉ personnes du singulier :
- à la forme affirmative : les pronoms sont *moi* et *toi* ;
  *Assieds-**toi** là ! Donnez-**moi** ça !*
- à la forme négative, les pronoms sont *me* et *te* ;
  *Ne **t'**assieds pas là ! Ne **me** donnez pas ça !*
- le COD passe toujours en première position à l'impératif affirmatif.
  *Faxe-**moi la lettre**. → Faxe-**la-moi**.*

10. Les pronoms démonstratifs

Les pronoms démonstratifs remplacent des noms désignant une personne ou une chose que l'on voit, que l'on montre ou qui a déjà été mentionnée dans le contexte.

	Masculin	Féminin
Singulier	*celui*	*celle*
Pluriel	*ceux*	*celles*

Ils sont obligatoirement suivis :
- soit d'une **préposition** (***de***, ***à***, ***avec***, ***sans***, etc.) + nom : *Quels sont vos gâteaux préférés ? → **Ceux de** Noël. / **Ceux à** la fraise. / **Ceux avec** de la crème. / **Ceux sans** chocolat.*

– soit d'un **pronom relatif** : *Quelles régions connais-tu bien ?* → ***Celles qui*** *sont en Europe. /* ***Celles où*** *j'ai travaillé. /* ***Celles dont*** *tu as parlé.*
– soit de **-*ci* / -*là*** : *Je voudrais une robe noire.* → ***Celle-ci*** *ou* ***celle-là*** *?*
Quand les deux pronoms sont utilisés en opposition, -*ci* désigne l'objet le plus proche et -*là*, l'objet le plus éloigné. Quand on utilise un seul pronom, on utilise indifféremment -*ci* ou -*là*.

Les indéfinis

▸ D6 p. 112

Les adjectifs et les pronoms indéfinis expriment différentes nuances de l'identité et de la quantité.

Expression de…	Adjectifs indéfinis	Pronoms indéfinis
la totalité	*tout (le), toute (la), tous (les), toutes (les)* ***Tous les cousins*** *sont là.*	*tout, tous, toutes* *Ils sont* ***tous*** *là.*
l'individualité	*chaque* ***Chaque employé*** *peut venir.* ***Chaque personne*** *a participé.*	*chacun, chacune* ***Chacun*** *peut venir.* ***Chacune*** *a participé.*
la pluralité	*quelques* *plusieurs* *certains, certaines* ***Quelques étudiantes*** *sont là.* ***Plusieurs professeurs*** *sont absents.* ***Certaines idées*** *sont fausses.*	*quelques-uns, quelques-unes* *plusieurs* *certains, certaines* ***Quelques-unes*** *sont là.* ***Plusieurs*** *sont absents.* ***Certaines*** *sont fausses.*
la quantité nulle	*aucun, aucune* *Je n'ai* ***aucun avis*** *sur la question.* ***Aucun(e) voisin(e)*** *n'est présent(e).*	*aucun, aucune* *Je n'en ai* ***aucun****.* ***Aucun(e)*** *n'est présent(e).*
la ressemblance	*le même, la même, les mêmes* *Nous avons* ***les mêmes opinions****.*	*le même, la même, les mêmes* *Nous avons* ***les mêmes****.*
la différence	*un autre, d'autres / l'autre, les autres* *Il a* ***un autre avis*** *sur la question.* ***D'autres solutions*** *sont possibles.*	*un autre, d'autres / l'autre, les autres* *Il en a* ***un autre****.* ***D'autres*** *sont possibles.*
l'indifférence	*n'importe quel / quelle / quels / quelles* *J'accepte* ***n'importe quelle idée****.*	*n'importe lequel / laquelle / lesquels / lesquelles* *J'accepte* ***n'importe laquelle****.* *n'importe qui / n'importe quoi / n'importe où / n'importe quand* *Tu dis* ***n'importe quoi*** *à* ***n'importe qui*** *!*
l'imprécision		*quelque chose, quelqu'un, quelque part* *Il y a toujours* ***quelque chose*** *à dire.* ***Quelqu'un*** *est venu te voir.*
la majorité		***La plupart*** *sont de simples citoyens.*

Attention ! L'adjectif *tout(e)* peut aussi avoir le sens de *chaque* ou de *n'importe quel(le)*.
Dans ***tout immeuble****, il y a des problèmes de voisinage. On peut visiter ce pays en* ***toute*** *saison.*

Les adjectifs qualificatifs

Les adjectifs s'accordent en genre et en nombre avec le nom qu'ils qualifient.
l'eau bleue – de petits bistrots

La place de l'adjectif

1. En général, les adjectifs sont placés **après le nom**.
un chanteur ***connu*** *– un film* ***intéressant***
Les adjectifs de couleur, les adjectifs de forme et les adjectifs de nationalité sont **toujours** placés après le nom.
l'eau ***bleue*** *– un étudiant* ***américain*** *– une table* ***carrée***

2. Certains adjectifs sont placés **avant le nom** :
   – les nombres (numéraux et ordinaux) ;
   *la **première** fois – **deux** bambins*
   – certains adjectifs courts : *beau, joli, bon, mauvais, petit, grand, gros, nouveau, jeune, vieux, autre.*
   *une **bonne** nouvelle – un **grand** campus*

3. Certains adjectifs changent de sens selon qu'ils sont placés **avant le nom** ou **après le nom** :
   – **placés avant le nom**, ils ont en général un sens figuré ;
   – **placés après le nom**, ils ont en général leur sens propre.
   *un **ancien** hôpital (aujourd'hui, ce n'est plus un hôpital) ≠ un hôpital **ancien** (vieux)*
   *un **grand** homme (célèbre, important dans l'histoire) ≠ un homme **grand** (de haute taille)*
   *un **pauvre** homme (qui est à plaindre) ≠ un homme **pauvre** (sans argent)*
   *un **seul** enfant (seulement un enfant) ≠ un enfant **seul** (qui n'est pas accompagné)*

Attention ! – Devant un nom masculin commençant par une voyelle ou un *h* muet, trois adjectifs prennent une forme particulière : *beau → **bel** → un bel immeuble ; nouveau → **nouvel** → un nouvel appartement ; vieux → **vieil** → un vieil hôtel.*
– En général, *des* devient *de* devant un adjectif.
*Ce sont **des** marques très chères. Ce sont **de** grandes marques.*
– Certains adjectifs sont invariables, notamment les adjectifs de couleur composés et les noms de matériaux utilisés comme adjectifs de couleur (sauf *rose*, *mauve* et quelques autres qui s'accordent).
*l'eau **bleu turquoise** – une robe **vert clair** – une veste **marron** – des assiettes **orange** – des yeux **noisette***

Les adverbes

L'adverbe permet d'apporter une nuance ou une précision à un verbe, un adjectif ou un autre adverbe.
Il est invariable.
*Il va **bien**. Il est **très** occupé. Il est **vraiment** très occupé.*

1. Les types d'adverbes

Adverbes de manière	Adverbes de quantité et d'intensité	Adverbes de temps et de lieu
– *bien, mal, mieux, vite…* – les adverbes en *-ment* : *gratuitement, facilement…*	*peu / peu de, un peu / un peu de, assez / assez de, tant / tant de, autant / autant de, beaucoup / beaucoup de, trop / trop de, plutôt, presque, très, tout*	– *jamais, rarement, parfois, souvent, toujours, déjà…* – *sur, sous, partout, nulle part…*

2. La formation des adverbes en *-ment*

	Exemples
En général : adjectif au féminin singulier + *-ment*	*actuelle**ment** – douce**ment** – efficace**ment***
Si l'adjectif au masculin se termine par une voyelle : adjectif au masculin singulier + *-ment*	*absolu**ment** – vrai**ment** – poli**ment** – passionné**ment*** **Attention !** *gai(e) → **gaiement***
Si l'adjectif au masculin se termine par *-ent* ou *-ant* : *-emment* ou *-amment* **Attention !** *-emment* se prononce comme *-amment*	*évid**emment** –réc**emment** – suffis**amment*** **Attention !** *lent(e) → **lentement***
Certains adverbes ont une formation irrégulière :	*profond(e) → **profondément** – intense → **intensément** – énorme → **énormément** – précis(e) → **précisément** – bref (brève) → **brièvement** – gentil (gentille) → **gentiment***

3. La place de l'adverbe

Quand l'adverbe qualifie un verbe :
– à un temps simple, il se place après le verbe ;
Ça m'aide beaucoup. Ils travaillent vite.
– à un temps composé, il se place généralement entre l'auxiliaire et le participe passé, notamment quand il s'agit d'un adverbe de quantité, de temps, ou de *souvent*, *toujours*, *bien*, *mal* et *déjà*.
Ça m'a beaucoup aidé. Elle est rarement venue. Il a bien travaillé.

Quand l'adverbe qualifie un adjectif : il se place devant l'adjectif.
Cette nourriture est assez bonne. C'est presque parfait.

Quand l'adverbe qualifie un autre adverbe : il se place devant l'adverbe.
Ils agissent extrêmement mal. Ils parlent plutôt maladroitement.

Quand un adverbe de quantité qualifie un nom : il est suivi de la préposition *de* et se place devant le nom.
Il y a trop de gaspillage.

La comparaison

1. Les comparatifs

▶ D3 p. 52

La comparaison peut porter sur une quantité (avec un nom ou un verbe) ou sur une qualité (avec un adjectif ou un adverbe).

	Avec un nom	Avec un verbe	Avec un adjectif	Avec un adverbe
+	***plus de*** + nom *Il y a **plus de** soleil.*	verbe + ***plus*** *J'étudie **plus**.*	***plus*** + adjectif* *C'est **plus** sympa.*	***plus*** + adverbe** *Il va **plus** loin.*
	Phonétique : on prononce le [s] de *plus*.		**Phonétique** : on ne prononce pas le [s] de *plus*. **Attention !** On prononce [plyz] devant une voyelle ou un *h* muet : *plus intéressant, plus hospitalier.*	
=	***autant de*** + nom *J'ai **autant de** travail.*	verbe + ***autant*** *Il travaille **autant**.*	***aussi*** + adjectif *Il est **aussi** timide.*	***aussi*** + adverbe *Je parle **aussi** bien.*
–	***moins de*** + nom *Il y a **moins de** pluie.*	verbe + ***moins*** *Je dors **moins**.*	***moins*** + adjectif *C'est **moins** beau.*	***moins*** + adverbe *J'y vais **moins** souvent.*

* L'adjectif *bon(ne)* ne s'utilise pas avec le comparatif *plus* : on utilise *meilleur(e)*, qui s'accorde en genre et en nombre avec le nom.
*J'ai une **meilleure** idée ! Il a de **meilleurs** résultats que moi.*

* Avec l'adjectif *mauvais(e)*, le comparatif peut être *plus mauvais(e)* ou *pire*.
*Cette situation est mauvaise mais elle pourrait être **pire / plus mauvaise**.*
Pire est souvent utilisé pour signifier « encore plus mauvais(e) ».
*Ici, il pleut beaucoup mais, dans ma ville, c'est **pire** !*

* Avec l'adjectif *petit(e)*, le comparatif peut être *plus petit(e)* ou *moindre*. *Moindre* signifie en général « moins important(e) ».
*C'est un **moindre** problème.*

** L'adverbe *bien* ne s'utilise pas avec le comparatif *plus* : on utilise *mieux*.
*Elle parle **mieux** polonais que français.*

Si le comparant est précisé, il est précédé de *que*.
*Gabriel court aussi vite **que** Suzanne.*
Attention ! *Il y a **plus de** soleil **que de** pluie.*

2. Les nuances dans les comparaisons

▶ D5 p. 94

Pour indiquer une progression ou une régression

	+	–
Avec un nom	***de plus en plus de*** + nom *Il y a **de plus en plus de** supporters.*	***de moins en moins de*** + nom *Les chaînes ont **de moins en moins d'**argent.*
Avec un verbe	verbe + ***de plus en plus*** *Les Français se mobilisent **de plus en plus**.*	verbe + ***de moins en moins*** *On l'accepte **de moins en moins**.*
Avec un adjectif ou un adverbe	***de plus en plus*** + adjectif / adverbe *Il y a une défiance **de plus en plus** grande.* *Le phénomène va **de plus en plus** vite.*	***de moins en moins*** + adjectif / adverbe *C'est une mythologie **de moins en moins** adaptée.* *On comprend **de moins en moins** facilement.*

Pour insister

On peut ajouter les adverbes suivants :

- ***bien / beaucoup*** devant ***plus (de / d') … que*** ;
  *Les footballeurs professionnels gagnent **beaucoup plus** que les médecins.*
- ***tout*** devant ***autant (de / d') et aussi … que*** ;
  *Ce sport provoque **tout autant d'**émotions que d'autres sports.*
- ***bien / beaucoup*** devant ***moins (de / d') … que***.
  *Les footballeurs amateurs gagnent **bien moins** que les professionnels.*

Pour donner un ordre de grandeur

*Ce footballeur gagne **quatre cent fois plus** qu'un médecin généraliste.*
*Le transfert de Zinedine Zidane a coûté **trois fois moins** cher que celui de Neymar.*

3. Les superlatifs

▶ D3 p. 52

	+	–
Avec un nom	***le plus de*** + nom *La Chine est le pays où il y a **le plus de** traductions.*	***le moins de*** + nom *L'Angleterre est le pays où il y a **le moins de** traductions.*
Avec un verbe	verbe + ***le plus*** *Ce sont les polars qui se vendent **le plus**.*	verbe + ***le moins*** *C'est le genre qui plaît **le moins**.*
Avec un adjectif ou un adverbe	***le / la / les plus*** + adjectif / adverbe *C'est le pays **le plus** gâté par le Nobel de littérature.* *C'est le livre qui se vend **le plus** facilement.*	***le / la / les moins*** + adjectif / adverbe *Ce sont les pays **les moins** intéressés par les droits d'auteur.* *Ce sont les auteurs qui sont traduits **le moins** fréquemment.*

Attention !
- Le superlatif de *bon(ne)* est *le / la meilleur(e)*.
  *Ce sont **les meilleurs** musiciens.*
- Le superlatif de *mauvais(e)* est *le / la plus mauvais(e)* ou *le / la pire*.
  *C'est lui **le plus mauvais / le pire** musicien.*
- Le superlatif de *petit(e)* est *le / la plus petit(e)* ou *le / la moindre*.
  *La date de la réunion, je n'en ai pas **la moindre** idée.*
- Le superlatif de *bien* est *le mieux*.
  *C'est lui qui joue **le mieux**.*

4. Le renforcement du superlatif

Pour renforcer le superlatif de façon positive ou négative, on peut utiliser les structures suivantes :
- ***de*** **+ nom** ;
  C'est le livre le plus connu ***de tous****. Ce sont les pires produits* ***de l'entreprise****.*
  Attention ! *C'est le livre le plus cher* ***du monde / au monde****.*
- ***que*** **+ subjonctif** ;
  Voici un des artistes les plus chers ***que je connaisse****. C'est le plus grand peintre* ***qui soit****.*
- **le subjonctif passé** avec l'adverbe ***jamais***.
  C'est la plus belle toile ***(que j'aie) jamais vue****.*

L'indicatif

C'est le mode qui permet de décrire et d'indiquer la **réalité** selon la **chronologie**. Il regroupe les temps du présent (présent et présent continu), les temps du futur (futur proche, futur simple et futur antérieur) et les temps du passé (passé récent, passé composé, imparfait, plus-que-parfait et passé simple).

A. LES TEMPS DU PASSÉ

▸ D2 p. 34 et p. 40 / D6 p. 112

1. Le passé composé

Formation : auxiliaire *avoir* ou *être* au présent + participe passé.

La majorité des verbes se conjugue avec l'auxiliaire *avoir*.
Samuel ***a mangé*** *des céréales. Ils* ***ont joué****.* ***J'ai habité*** *en Norvège.*

Se conjuguent avec l'auxiliaire *être* :
- tous les verbes pronominaux ;
  Il ***s'est occupé*** *de son jardin. Nous* ***nous sommes promenés****.*
- les 15 verbes suivants et leurs composés : *naître, mourir, devenir, arriver, partir, entrer, sortir, rester, passer, retourner, monter, descendre, tomber, aller, venir.*
  Manon ***est née*** *en juillet. Nous* ***sommes allés*** *au lac.*

Le participe passé	
-é	tous les verbes en *-er* : *parler → parlé – aimer → aimé – jouer → joué – regarder → regardé*
-i	la majorité des verbes en *-ir* : *finir → fini – sortir → sorti – dormir → dormi – partir → parti – réunir → réuni*
	des verbes en *-re* : *rire → ri – suivre → suivi – poursuivre → poursuivi*
-u	*venir, tenir* et leurs composés : *venir → venu – revenir → revenu – devenir → devenu* *tenir → tenu – retenir → retenu – obtenir → obtenu*
	d'autres verbes : *lire → lu – voir → vu – boire → bu – devoir → dû – savoir → su – vivre → vécu – plaire → plu*
-is	*prendre → pris – apprendre → appris – comprendre → compris* *mettre → mis – s'asseoir → assis*
-t	*faire → fait – écrire → écrit – dire → dit*
Autres formes irrégulières	*découvrir → découvert – ouvrir → ouvert – offrir → offert* *avoir → eu – être → été – mourir → mort – naître → né*

Avec l'auxiliaire *être*, le participe passé s'accorde toujours avec le sujet.
*Je me suis assis**e** confortablement. Elles sont venu**es** chez moi.*
Avec l'auxiliaire *avoir*, le participe passé ne s'accorde jamais avec le sujet.
Attention ! Le participe passé s'accorde avec le **complément d'objet direct** quand ce dernier est placé avant le verbe.
*J'ai acheté ces vêtements. → Je les ai acheté**s**.*
*Ils ont pris la photo. → Ils l'ont pri**se**.*

Emplois
On utilise le passé composé pour exprimer :

- une **action ponctuelle** du passé ;
  *Je **suis arrivé** ici en 1985.*
- un fait qui a une **durée limitée** dans le passé ;
  *J'**ai écrit** mon premier roman en français.*
- une **succession d'actions** dans le passé.
  *La langue avec laquelle on **a pleuré**, on **a ri**, on **a commencé** à connaître le monde.*

2. L'imparfait

Formation : radical du présent avec *nous* + *-ais*, *-ais*, *-ait*, *-ions*, *-iez*, *-aient*.
*avoir : nous **av**ons → j'**av**ais – aller : nous **all**ons → tu **all**ais*
Attention ! *être → j'étais*

Emplois
On utilise l'imparfait pour :

- exprimer une **situation** passée (situation souvent différente de la situation présente) ;
  *Ma culture **était** très ancrée en moi. J'**avais** un peu plus de 20 ans.*
- parler d'une **habitude** dans le passé ;
  *(Avant) J'**écrivais** mes livres en persan.*
- décrire **le décor et les circonstances** d'un événement passé, **expliquer**.
  *Il **pleuvait** quand nous sommes sortis. Il **s'agissait** de textes universitaires.*

Dans un récit au passé, le passé composé et l'imparfait se mêlent.
*Il **a habité** à Londres pendant dix ans. Quand il **s'y est installé**, il ne **connaissait** personne et il **se sentait** seul. Peu à peu, il **a rencontré** des personnes qui lui **ont fait** découvrir la ville. C'**était** une période formidable pour lui.*

3. Le plus-que-parfait

Formation : auxiliaire *avoir* ou *être* à l'imparfait + participe passé.

Emploi
On utilise le plus-que-parfait pour exprimer qu'une action (action 1) s'est déroulée avant une autre action au passé (action 2).
*Je suis retourné chez moi parce que j'**avais oublié** mon parapluie.*
(suis retourné : action 2 ; avais oublié : action 1)

Avant (d'écrire) Syngué sabour, *Atiq Rahimi **n'avait jamais écrit** de roman en français.*
(d'écrire : action 2 ; n'avait jamais écrit : action 1)

Attention ! Si une action se passe juste avant une autre, on utilise le passé composé, notamment avec les conjonctions *dès que, aussitôt que, quand, lorsque, après que*.
Dès qu'il l'a vu, il lui a souri.
Les règles d'accord du participe passé du plus-que-parfait sont les mêmes que celles du passé composé > voir ci-dessus.

4. Le passé simple

Formation : le radical du passé simple est le même à toutes les personnes. Il existe quatre types de terminaisons du passé simple :

- **passé simple en *a*** pour tous les verbes du 1er groupe et pour le verbe aller : *-ai, -as, -a, -âmes, -âtes, -èrent* (*je me grisai, je me levai, je m'approchai, j'inventai, elle jeta*) ;
- **passé simple en *i*** pour les verbes du 2e groupe et pour certains verbes du 3e groupe : *-is, -is, -it, -îmes, -îtes, -irent* (*je découvris, je me mis*) ;
- **passé simple en *u*** pour certains verbes du 3e groupe : *-us, -us, -ut, -ûmes, -ûtes, -urent* (*ce fut*) ;
- **passé simple en *in*** pour les verbes *tenir* et *venir* ainsi que leurs dérivés : *-ins, -ins, -int, -înmes, -întes, -inrent* (*elle vint*).

Emploi

Le passé simple a **les mêmes valeurs que le passé composé.** On l'utilise seulement dans la **langue écrite**. Dans un récit, il a les mêmes relations avec l'imparfait que le passé composé.

Attention ! Le passé simple situe en général le récit dans un **passé plus lointain** que le passé composé, c'est pourquoi on l'emploie surtout dans la littérature.

B. LES TEMPS DU FUTUR

▸ D1 p. 16

1. Le futur simple

Formation : infinitif (sans *e* final pour les verbes du 3e groupe) + *-ai, -as, -a, -ons, -ez, -ont*.

Attention ! Certains verbes ont un radical irrégulier : *avoir → j'aurai ; être → je serai ; aller → j'irai ; venir → je viendrai ; tenir → je tiendrai ; faire → je ferai ; pouvoir → je pourrai ; vouloir → je voudrai ; devoir → je devrai ; savoir → je saurai ; falloir → il faudra ; valoir → il vaudra ; voir → je verrai ; recevoir → je recevrai…*

2. Le futur antérieur

Formation : auxiliaire *avoir* ou *être* au futur simple + participe passé.

Emplois

On utilise le futur antérieur pour :

- exprimer un fait futur (action 1) qui se déroulera avant un autre fait futur (action 2) ;
  *Vous modifierez votre consommation quand vous **aurez pris** conscience des dangers.*
  (*modifierez* : action 2 ; *aurez pris* : action 1)
- présenter un fait comme accompli et certain à un moment donné du futur.
  *Il **aura rendu** son rapport à la fin de la semaine.*

Attention ! Les règles d'accord du participe passé du futur antérieur sont les mêmes que celles du passé composé > voir p. 204.

L'impératif

Formation : forme du présent sans le pronom sujet.

Tu viens. → Viens !

Pour les verbes en *-er*, on supprime le *-s* à la 2e personne du singulier, sauf quand le verbe est suivi de *en* ou de *y*.

***Achète** deux billets ! → **Achètes-en** deux !*

***Va** à l'aéroport ! → **Vas-y** !*

Attention !
- Trois verbes ont une conjugaison irrégulière : *être → sois, soyons, soyez ; avoir → aie, ayons, ayez ; savoir → sache, sachons, sachez.*
- Le verbe *vouloir* n'a qu'une seule forme : *veuillez.*
- Place des pronoms compléments à l'impératif > voir l'impératif et les pronoms compléments p. 198.

Emplois
On utilise l'impératif pour :

– donner un **ordre**, une **consigne** ;
Taisez-vous ! Écris lisiblement !
– donner un **conseil** ;
***Ne vous énervez pas. Essaie** de te calmer.*
– exprimer un **souhait**.
***Passe** de bonnes vacances ! **Soyez** heureuse !*

L'infinitif

▸ D2 p. 34

Quand on met en relation temporelle deux événements avec les prépositions *avant de* et *après*, on utilise l'infinitif :

– **l'infinitif présent** après *avant de* ;
*Avant de **partir** à l'étranger, j'ai obtenu mon diplôme.*
– **l'infinitif passé** (*avoir* ou *être* + participe passé) après *après* ;
*J'ai pu ensuite, après **être passée** par la case Oxford, décider d'avoir une vie en France.*

Attention ! Les règles d'accord du participe passé de l'infinitif passé sont les mêmes que celles du passé composé > voir p. 204.

Le conditionnel

▸ D6 p. 106

1. Le conditionnel présent

Formation : infinitif du verbe + *-ais*, *-ais*, *-ait*, *-ions*, *-iez*, *-aient*.

Attention ! Les verbes irréguliers ont le même radical qu'au futur simple, seules les terminaisons changent : *avoir* → *j'aurais*, etc. > voir p. 205.

Emplois
On utilise le conditionnel présent pour :

– **conseiller** (avec les verbes *falloir*, *valoir mieux*, *conseiller* et *devoir*) ;
***Il vaudrait mieux** que vous consultiez le site Internet. **Il faudrait que** vous partiez. **Il faudrait** partir. Ils **devraient** étudier le français.*
– **atténuer une affirmation** ou **formuler une demande polie** ;
*Je **voudrais** partir. Je **préfèrerais** que tu ne sois pas là. **Pourrais**-tu m'aider ? **Sauriez**-vous à quelle heure commence le film ?*
– **faire une proposition ou une suggestion** avec le verbe *pouvoir* ;
*On **pourrait** changer notre manière de consommer.*
– **formuler des faits hypothétiques ou probables** ;
*Les effets de ce phénomène **pourraient** être irrémédiables.*
– **exprimer une information non confirmée.**
*D'après nos informations, les dégâts **seraient** importants et il y **aurait** de nombreux blessés.*

> Voir aussi l'expression de l'hypothèse p. 211 et le discours indirect au passé p. 212.

2. Le conditionnel passé

Formation : auxiliaire *avoir* ou *être* au conditionnel présent + participe passé.

Emplois
On utilise le conditionnel passé pour :

– **faire un reproche** (avec les verbes *devoir, pouvoir, falloir, valoir mieux*) ;
Les politiques ***auraient pu*** *mettre en place des mesures préventives. Il* ***aurait fallu*** *faire attention.*

– **exprimer un regret** (avec les verbes *devoir, pouvoir, falloir, vouloir, aimer, préférer, valoir mieux*, etc.).
Il ***aurait préféré*** *une autre politique. J'****aurais aimé*** *qu'on débatte ensemble.*

> Voir aussi l'expression de l'hypothèse p. 211 et le discours indirect au passé p. 212.

Le subjonctif

▸ D1 p. 22-23 / D5 p. 88-89 et p. 94-95 / D6 p. 106 / D8 p. 142 et p. 148

Formation du subjonctif présent

base du présent	+ terminaisons	
ils ***vienn****ent* (pour *je, tu, il(s)*, et *elle(s)*)	*-e, -es, -e, -ent*	*que je* ***vienne****, que tu* ***viennes****, qu'il / qu'elle* ***vienne****, qu'ils / qu'elles* ***viennent*** **Attention !** **Phonétique** : pour tous les verbes, ces quatre formes se prononcent toujours de la même manière.
nous ***ven****ons* (pour *nous* et *vous*)	*-ions, -iez*	*que nous* ***venions****, que vous* ***veniez***

Attention ! – Certains verbes sont irréguliers (voir les conjugaisons p. 220 à 223).
– Pour les verbes du 1er groupe et pour certains verbes du 3e groupe, les formes du subjonctif avec *je, tu, il(s)* et *elle(s)* sont identiques aux formes de l'indicatif présent.
Je travaille. Il faut que je ***travaille****.*
Ils ouvrent le courrier. Je doute qu'ils ***ouvrent*** *le courrier.*

Formation du subjonctif passé : auxiliaire *avoir* ou *être* au subjonctif présent + participe passé.
Que vous ayez fait. Que je sois venu(e).

Emplois
On utilise le subjonctif pour exprimer :

– **l'obligation, l'interdiction et la nécessité** avec *il faut que / il ne faut pas que, il est interdit que, il est important que, il est indispensable que…* ;
Il faut que tous ***s'entendent****. Il est indispensable que vous* ***ayez fait*** *des recherches.*

– **la volonté** avec *souhaiter que, vouloir que, désirer que…* ;
Je souhaite que la féminisation des noms ***devienne*** *un réflexe pour tous.*

– **un conseil** avec *il faudrait que, il est préférable que, il vaut mieux que, il vaudrait mieux que…* ;
Il est préférable que cela ***plaise*** *à tous. Il vaut mieux que vous ne* ***soyez*** *pas venus.*

– **un sentiment ou un jugement** avec *être surpris que, être content que, être déçu que, c'est bizarre que, c'est bien que, c'est intolérable que…* ;
Je suis heureux que l'égalité hommes-femmes ***ait progressé****. Il est anormal qu'on* ***dise*** *« Madame le ministre ».*

– **une opinion incertaine ou une possibilité** avec *douter que, ne pas croire que, ne pas penser que, ne pas être sûr que, il est possible que…* ;
Je doute que cela ***rende*** *la langue plus difficile. Je ne crois pas qu'on le* ***voie*** *au Québec.*

– **une alternative** avec *que…* (+ subjonctif) *ou que…* (+ subjonctif).
Qu'on ***soit*** *favorable à ce sport ou qu'on le* ***déteste****, cela ne change rien.*

Le subjonctif peut aussi être utilisé après :

– **certaines conjonctions exprimant une concession** comme *bien que* ;
Les estivants ont provoqué des dégâts bien qu'ils ***aient permis*** *de relancer l'économie.*

– **certaines conjonctions exprimant une condition** comme *à condition que, si tant est que, pourvu que* ;
C'est une coopérative à condition qu'elle ***ait*** *une gouvernance démocratique.*

- **certaines conjonctions exprimant une antériorité** comme *avant que, jusqu'à ce que* ;
  Avant que tu (ne) ***choisisses*** *le film, je vais regarder les critiques.*
- **certaines expressions de but** comme *pour que, afin que, de manière à ce que, le but est que...* ;
  Des députés se sont réunis afin que l'égalité hommes-femmes ***revienne*** *dans les débats.*
- **les propositions subordonnées relatives qui expriment certaines nuances de l'opinion.**
  Nous rêvons d'une structure qui ***permette*** *d'atteindre de grands objectifs.* (souhait)
  Il faut leur donner une autonomie qui ***rende*** *la prise de décisions plus facile.* (but)

> Voir aussi les relations logiques p. 216.

Indicatif ou subjonctif ?

▶ D5 p. 88-89

Le subjonctif est obligatoire après les cas mentionnés ci-dessus.
Dans les autres cas, quand le verbe exprime une réalité, un constat, une certitude ou qu'il rapporte des paroles, on utilise l'indicatif.
Je vois que tout ***est*** *parfait. Je suis sûre qu'il* ***va venir****. Il dit qu'il* ***a raté*** *son train.*

Attention !
- Le verbe *espérer* est toujours suivi de l'indicatif, en général le futur simple ou proche.
  J'espère qu'il viendra.
- Les verbes d'opinion *penser*, *croire* et *trouver* sont toujours suivis de l'indicatif (ou du conditionnel) à la forme affirmative et généralement suivis du subjonctif à la forme négative, car le doute est souvent implicite.
  Je ne crois pas qu'il sache comment venir ici. (= Je ne suis pas sûr(e) qu'il sache comment venir.)
- On peut toutefois trouver l'indicatif après un verbe d'opinion à la forme négative, lorsque le locuteur veut exprimer une opinion catégorique plutôt qu'un doute.
  Je ne crois pas qu'il viendra. (= *Je suis sûr(e) qu'il ne viendra pas.*)

Infinitif ou subjonctif ?

Le subjonctif ne peut pas être utilisé **si le sujet des verbes des deux propositions est le même.**
On dit : *je souhaite que tu utilises l'écriture inclusive*, mais on ne peut pas dire : ~~*je souhaite que j'utilise*~~. Dans ce cas, on utilise **l'infinitif** : *je souhaite* ***utiliser*** *l'écriture inclusive.*

Le participe présent, le participe composé, le gérondif et l'adjectif verbal

▶ D1 p. 16

Formation

Participe présent	radical de la 1re personne du pluriel du présent + *-ant* *distribuer → nous* ***distribu~~ons~~*** *→* ***distribuant***
Participe composé	participe présent du verbe *avoir* ou *être* + participe passé du verbe *changer →* ***ayant changé*** *– se tromper →* ***s'étant trompé(e)***
Gérondif	***en*** + participe présent ***en*** *allant –* ***en*** *voyageant*
Adjectif verbal	en général, même forme que le participe présent mais s'accorde avec le nom qu'il qualifie *marquer →* ***marquant*** *→* ***marquant(e)***

Attention !
- Verbes irréguliers : *avoir →* ***ayant*** *; être →* ***étant*** *; savoir →* ***sachant****.*
- Le participe présent et le gérondif sont invariables.
- **Certains adjectifs verbaux ont une forme différente du participe présent :** *fatiguant* (participe) / *fatigant* (adjectif) ; *provoquant* (participe) / *provocant* (adjectif) ; *précédant* (participe) / *précédent* (adjectif) ; *excellant* (participe) / *excellent* (adjectif) ; *différant* (participe) / *différent* (adjectif) ; *communiquant* (participe) / *communicant* (adjectif), etc.

Emplois

On utilise **le participe présent** pour :

- **caractériser un nom** (il exprime une action et remplace une proposition introduite par *qui*) ;
  *Une tenue **provoquant** des réactions. (= qui provoque)*
- **exprimer la cause.**
  ***Étant** célèbre, il peut porter des vêtements excentriques. (= comme il est célèbre)*

On utilise **le participe composé** pour exprimer **la cause au passé.**
*Le vêtement **ayant changé** de fonction, la mode de l'élégance s'est développée. (= Cette mode s'est développée parce que le vêtement avait changé de fonction.)*
***S'étant trompée**, elle s'est excusée. (= Elle s'est excusée parce qu'elle s'était trompée.)*

On utilise **le gérondif** pour exprimer :

- **la simultanéité ;**
  *Je dévale les escaliers **en enfilant** mon manteau. (= Je dévale les escaliers et je mets mon manteau en même temps.)*
- **la condition ;**
  ***En essayant**, on y arrive. (= Si on essaye, on y arrive.)*
- **la manière de faire.**
  *Antoine est arrivé **en courant**. (= Il courait quand il est arrivé.)*

Attention ! L'action exprimée par le gérondif doit obligatoirement être effectuée par la même personne que celle du verbe principal.

On utilise **l'adjectif verbal** pour **qualifier un nom.**
*La SAPE fait partie **intégrante** de la culture congolaise.*

L'expression du temps

▸ D1 p. 22-23 / D4 p. 70

1. La durée

	indique…	Exemples
pendant	la durée d'une action	*Je suis resté à l'étranger **pendant** cinq ans.*
il y a *il y a… que* *ça fait… que* *cela fait… que*	la durée entre une action terminée et le moment où on parle	*Il a créé Whaller **il y a** cinq ans.* ***Il y a** cinq ans **que** cela dure.* ***Ça fait / Cela fait** plusieurs années **que** d'autres plateformes se développent.*
depuis + nom *depuis que* + indicatif	que l'action n'est pas terminée au moment où on parle	***Depuis** sa création / **Depuis** 2000, le réseau social se développe.* *D'autres plateformes se développent **depuis** plusieurs années.* *Il travaille **depuis qu'**il a fini ses études.*
pour	le temps que va durer une action au moment où on parle	*J'ai été embauché **pour** trois ans.*
dans	la durée entre le moment où on parle et une action future	*Nous allons partir **dans** quatre mois.*
en	la durée nécessaire d'une action	*Il a fait ce trajet **en** deux heures. (= Il a fallu deux heures pour faire ce trajet.)*

Attention ! – Avec *il y a*, on utilise toujours le passé composé.
– Avec *il y a… que* et *ça / cela fait… que*, on utilise le présent ou le passé composé.
– Avec *depuis*, on utilise le présent ou le passé composé à la forme négative.
Je ne l'ai pas vu depuis cinq mois.

2. L'antériorité

	indique…	Exemples
avant que + subjonctif	un moment précis avant la réalisation d'une action	*Rentrons vite* ***avant qu'****il (ne) pleuve !*
jusqu'à ce que + subjonctif	le moment où une action prendra fin	*Nous devons rester ici* ***jusqu'à ce qu'****il revienne.*

3. La simultanéité

	indique…	Exemples
pendant que / en même temps que + indicatif	la simultanéité de deux actions dans la même durée	*Elle recherche des sous-titres en français* ***pendant que / en même temps que*** *l'épisode se télécharge.*
quand = lorsque + indicatif	la simultanéité de deux actions	***Quand*** *je voyage, je consulte toujours un guide.*
au moment où + indicatif	la simultanéité à un moment précis	***Au moment où*** *je suis sortie, j'ai réalisé que j'avais oublié mes clés.*

4. La postériorité

	indique…	Exemples
après que + indicatif	une action qui se passe après une autre	*Nous rangeons la salle* ***après que*** *les stagiaires sont partis.*
dès que + indicatif	un moment juste après une action	***Dès que*** *je rentre chez moi, je me change. (= tout de suite après mon retour)*

L'expression de la condition

▸ D6 p. 106

	indique…	Exemples
si + indicatif	une condition de réalisation	*C'est une coopérative* ***si*** *elle a une gouvernance démocratique.*
à condition que + subjonctif	une condition indispensable	*Vous pouvez conduire* ***à condition que*** *vous ayez une assurance.*
si tant est que + subjonctif	une condition nécessaire mais peu probable	*J'achèterai cette épice* ***si tant est que*** *je la trouve.*
pourvu que + subjonctif	la seule condition suffisante	*Tout se passera bien* ***pourvu que*** *vous communiquiez régulièrement.*

> Voir aussi l'expression de l'hypothèse p. 211.

L'expression de l'hypothèse

▸ D2 p. 34

Formation

Hypothèse	Conséquence
Si + verbe au **présent** *Si tu* ***viens****, …* *Si vous* ***avez*** *le temps, …*	verbe au **futur / présent / impératif** *… je* ***suis / serai*** *content.* *…* ***venez*** *avec nous !*
Si + verbe à l'**imparfait** *Si je* ***pouvais****, …*	verbe au **conditionnel présent** *… je* ***viendrais****.*
Si + verbe au **plus-que-parfait** *Si j'****avais pu*** *prendre des cours, …*	verbe au **conditionnel présent / conditionnel passé** *… je* ***ferais*** *du piano aujourd'hui.* *… j'****aurais progressé*** *au piano.*

Emplois

– Pour **donner un conseil** dans une situation éventuelle.
Si vous ***voulez*** *travailler en France, on vous* ***conseille*** *d'apprendre le français.*
Si vous ***voulez*** *arrêter de fumer,* ***allez*** *chez le médecin.*

– Pour formuler **une proposition, une suggestion** avec *si* + imparfait.
Si on ***allait*** *manger au restaurant ce soir ?*

– Pour faire **des hypothèses** et imaginer **la conséquence** :
- avec ***si*** **+ présent / futur** : la conséquence est possible dans le futur ;
Si on ***peut*** *se réunir ce soir, ce* ***sera*** *super !*
- avec ***si*** **+ imparfait / conditionnel présent** : une autre réalité présente est imaginée ;
Si je ***savais*** *comment faire, je te le* ***dirais****. (Malheureusement, je ne le sais pas.)*
Si tu ***pouvais*** *t'installer définitivement en France, le* ***ferais****-tu ?*
- avec ***si*** **+ plus-que-parfait / conditionnel présent** : une autre réalité passée est imaginée avec sa conséquence présente ;
*Si j'****avais écrit*** La Ballade du calame *en persan, le texte* ***serait*** *différent.*
Si vous ***n'aviez pas choisi*** *ce titre, le livre* ***serait*** *peut-être moins célèbre.*
- avec ***si*** **+ plus-que-parfait / conditionnel passé** : une autre réalité passée est imaginée avec sa conséquence passée.
*Si j'****avais écrit*** La Ballade du calame *en persan, j'****aurais raconté*** *davantage de souvenirs.*
Si tu ***n'étais pas venu*** *vivre en France, ta carrière* ***aurait été*** *différente.*

– La structure ***comme si*** **+ imparfait** est utilisée pour indiquer la ressemblance et la comparaison.
Il me regarde ***comme si j'étais*** *stupide !*

La voix passive

▸ D5 p. 88

Formation : auxiliaire *être* au temps voulu + participe passé du verbe.

Présent	*L'immeuble* ***est*** *détruit.*
Passé composé, plus-que-parfait	*L'immeuble* ***a été*** *détruit. L'immeuble* ***avait été*** *détruit.*
Imparfait	*L'immeuble* ***était*** *détruit.*
Futur simple, futur proche	*L'immeuble* ***sera*** *détruit. L'immeuble* ***va être*** *détruit.*
Conditionnel présent	*L'immeuble* ***serait*** *détruit.*

Attention ! – Le participe passé s'accorde avec le sujet.
La maison ***a été détruite****.*
– Seuls les verbes qui ont un COD peuvent se mettre à la forme passive. On ne peut pas dire : ~~*J'ai été demandé de venir.*~~ On dit : *On m'a demandé de venir.*

– Le temps verbal est porté par l'auxiliaire *être* : il ne faut pas confondre avec le passé composé !
Elle est sortie. (= voix active, passé composé) ≠ *Elle est invitée.* (= voix passive, présent)

La forme active et la forme passive expriment deux points de vue différents sur une action :
– à la voix active, on s'intéresse au sujet qui réalise l'action ;
Le public ***a salué*** *cette initiative.*
sujet COD
– à la voix passive, on ne s'intéresse pas au sujet mais on met en valeur l'objet de l'action.
Cette initiative ***a été saluée*** *par le public.*
sujet complément d'agent

Pour donner une information sur le sujet (l'agent de l'action), on utilise souvent la préposition *par*, parfois *de* (verbes de description avec un agent inanimé comme *être décoré de, être entouré de, être fait de, être accompagné de*, etc. ; verbes de sentiment comme *être admiré de, être aimé de, être détesté de, être respecté de*, etc.).
L'auditorium a été décoré par un célèbre architecte. La salle est décorée de plusieurs tableaux. Il est aimé de tous ses collègues.

Attention ! – Si l'auteur de l'action n'est pas connu ou si le contexte est évident, on ne précise pas le complément d'agent.
La maison a été cambriolée.
– Le complément d'agent ne peut pas être un pronom personnel sujet.
Nous avons invité un comédien. → *Un comédien a été invité* ~~*par nous*~~.
On a applaudi sa dernière pièce. → *Sa dernière pièce a été applaudie* ~~*par on*~~.

Le discours indirect

▶ D7 p. 124

On utilise le discours indirect pour rapporter les paroles ou les pensées de quelqu'un, avec un verbe introducteur : *dire, demander, expliquer, répondre, écrire, vouloir, savoir, penser, imaginer, proposer…*

1. Changements syntaxiques

Discours direct		Discours indirect
« On se connaît bien. »	→	*Elle dit* ***qu'****ils se connaissent bien.*
« ***Je*** *peux vous poser une question ? »* *«* ***Est-ce que*** *je peux vous poser une question ? »* *«* ***Puis-je*** *vous poser une question ? »*	→	*Elle demande / Elle veut savoir* ***si*** *elle peut leur poser une question.*
« Vous vouliez faire ***quoi*** *avant ? »* *«* ***Qu'est-ce que*** *vous vouliez faire avant ? »* *«* ***Que*** *vouliez-vous faire avant ? »*	→	*Elle demande* ***ce qu'****ils voulaient faire avant.*
« Dites-le tous ensemble. »	→	*Elle leur demande* ***de*** *le* ***dire*** *tous ensemble.* (*demander, dire, proposer, reprocher* + *de* + infinitif)

Attention ! Avec les mots interrogatifs *pourquoi, où, quand, comment, combien, combien de temps, quel(le)(s), avec qui, pour qui…*, il n'y a pas de changement.
« Pourquoi elles ne sont pas là ? » → *Il demande pourquoi elles ne sont pas là.*
« Quelle école il faut faire pour être chanteur ? » → *Elle demande quelle école il faut faire pour être chanteur.*

2. Le discours indirect au passé

Si **le verbe introducteur est au passé**, le temps des verbes change.
C'est ce qu'on appelle la concordance des temps.

Concordance des temps		
Discours direct		**Discours indirect**
Présent *« Il est tard. »*	→	Imparfait *Elle a dit qu'il était tard.*
Passé composé *« Tu as perdu trop de temps. »*	→	Plus-que-parfait *Elle m'a dit que j'avais perdu trop de temps.*
Futur *« Nous discuterons un autre jour. »*	→	Conditionnel présent *Elle a ajouté que nous discuterions un autre jour.*
Futur antérieur *« Ils auront sans doute aimé ta conférence. »*	→	Conditionnel présent *Elle a conclu qu'ils auraient sans doute aimé ma conférence.*

Attention ! – Avec le futur proche, le verbe *aller* est à l'imparfait.
On va sortir ce soir. → Il m'a annoncé qu'on ***allait sortir*** *ce soir.*
– Avec le passé récent, le verbe *venir* est à l'imparfait.
On vient de rentrer de voyage. → Il m'a expliqué qu'il ***venait de rentrer*** *de voyage.*
– Les autres temps ne changent pas au discours indirect passé.

3. Autres transformations

Les pronoms

Est-ce que tu peux nous expliquer ton parcours ? → Elle me demande si ***je*** *peux* ***leur*** *expliquer* ***mon*** *parcours.*

Les indicateurs de temps (lorsque les paroles sont rapportées un certain temps après et que les repères temporels entre le message initial et les paroles rapportées sont différents)

Discours direct	Discours indirect
hier	*la veille*
hier soir	*la veille au soir*
hier matin	*la veille au matin*
avant-hier	*l'avant-veille*
demain	*le lendemain*
demain matin	*le lendemain matin*
demain soir	*le lendemain soir*
après-demain	*le surlendemain*
aujourd'hui	*ce jour-là*
en ce moment	*à ce moment-là / à cette époque*
ce matin	*ce matin-là*
prochain(e)	*suivant(e)*
dernier (dernière)	*précédent(e)*
il y a trois jours	*trois jours plus tôt*
dans trois jours	*trois jours plus tard*

La phrase négative

► D8 p. 148

1. Place de la négation

Les négations ***ne … pas***, ***ne … plus***, ***ne … pas encore***, ***ne … jamais***, ***ne … rien***, ***ne … personne***, ***personne … ne***, ***rien … ne*** ont une place très précise selon le temps du verbe utilisé :

– avec un verbe conjugué à un temps simple, la négation encadre le verbe ;
Je ***ne*** *comprends* ***pas*** *cette explication.*

– avec un verbe conjugué à un temps composé, la négation encadre l'auxiliaire ;
Je ***ne*** *me suis* ***jamais*** *intéressée aux mangas.*

– avec le futur proche ou un verbe + infinitif, la négation encadre le verbe *aller* ou le verbe conjugué ;
*Ils **ne** vont **pas** rester avec nous. On **ne** peut **pas** s'occuper de ce problème.*

– lorsque la négation porte sur l'infinitif, les deux éléments de la négation se placent devant le verbe.
*J'aimerais **ne pas** faire d'erreur.*

2. Emplois

– ***Ne… que*** est la forme négative utilisée pour la restriction (= « seulement »).
*La cérémonie **ne** dure **que** deux heures. (= La cérémonie dure seulement deux heures.)*

– ***Ne… plus, ne… pas encore, ne… jamais*** sont des négations portant sur le temps.
*Je **ne** travaille **plus**. (= Avant je travaillais mais maintenant c'est fini.)*
*Je **ne** suis **jamais** allé à Madrid. (= pas une seule fois)*
*Je **ne** suis **pas encore** allé à Madrid. (= Je n'y suis pas allé au moment où je parle mais je compte bien y aller.)*
Ne… pas encore et ***ne… jamais*** sont les négations de *déjà*.
*– Tu as **déjà** visité ce pays ? – Non, jamais ! / Non, pas encore !*

– ***Rien, personne, aucun(e)*** peuvent être sujets ou compléments.
***Rien ne** ressemble à nos pratiques.* (sujet) *Je **ne** connais **rien** aux haïkus.* (complément)
***Personne n'**a les mêmes pratiques.* (sujet) *Il **ne** connaît **personne**.* (complément)
***Aucun incident n'**est survenu.* (sujet) *Je **n'**ai **aucun** problème.* (complément)

– ***Ne… ni… ni…*** est la forme utilisée lorsqu'il y a deux négations à la suite dans un contexte identique.
*Ils **ne** nous enseignent **ni** le français, **ni** l'anglais. **Ni** Jacques **ni** Liliana **ne** trouvent les profs très accessibles.*

La phrase interrogative

▶ D4 p. 70

1. Question fermée : réponse « oui » ou « non »

Français familier Question intonative	Français standard Question avec *Est-ce que*	Français soutenu Question avec inversion du sujet
Vous venez ? *Ils n'ont pas aimé le film ?* *Vos amis ont aimé le blog ?* *Le ministre a annoncé une réforme ?*	*Est-ce que vous venez ?* *Est-ce qu'ils n'ont pas aimé le film ?* *Est-ce que vos amis ont aimé le blog ?* *Est-ce que le ministre a annoncé une réforme ?*	*Venez-vous ?* ***N'**ont-ils **pas** aimé le film ?* *Vos amis ont-ils aimé le blog ?* *Le ministre a-**t**-il annoncé une réforme ?*

2. Question ouverte

	Français familier Question intonative	Français standard Question avec *Est-ce que*	Français soutenu Question avec inversion du sujet
qui, qui est-ce qui / que	*Qui est là ? C'est qui ?* *Vous avez dîné chez qui ?*	*Qui est-ce qui est là ?* *Chez qui est-ce que vous avez dîné ?*	*Qui est là ? Qui est-ce ?* *Chez qui avez-vous dîné ?*
quoi, qu'est-ce que / qui, que	*Tu manges quoi ?* *Avec quoi cet artiste peint ?*	*Qu'est-ce que tu manges ?* *Avec quoi est-ce que cet artiste peint ?*	*Que manges-tu ?* *Avec quoi cet artiste peint-il ?*
où, quand, comment, combien, pourquoi	*Vous habitez où ?* *Comment tu t'habilles ?* *Le client a payé combien ?* *Pourquoi ta sœur publie ces articles ?*	*Où est-ce que vous habitez ?* *Comment est-ce que tu t'habilles ?* *Combien est-ce que le client a payé ?* *Pourquoi est-ce que ta sœur publie ces articles ?*	*Où habitez-vous ?* *Comment t'habilles-tu ?* *Combien le client a-**t**-il payé ?* *Pourquoi ta sœur publie-**t**-elle ces articles ?*

Attention ! – Dans la question avec inversion, quand le verbe se termine par une voyelle et que le pronom sujet commence par une voyelle, on ajoute un **t pour faciliter la prononciation entre deux voyelles.**
*Pourquoi **danse-t-elle** si bien ?*
– Dans la question intonative familière, *où, quand, comment, combien* peuvent être placés au début ou à la fin de la phrase. *Pourquoi* est toujours au début de la phrase.
– Dans la question avec inversion, l'inversion du sujet se fait toujours avec l'auxiliaire.
*Combien **a-t-il** payé ?*
– Dans la question avec inversion, lorsque le sujet est un groupe nominal placé avant le verbe, il est répété par un pronom personnel à la 3e personne placé après le verbe.
Combien le client a-t-il payé ?
– Dans la question négative par inversion, la négation encadre le verbe conjugué et le pronom sujet inversé OU l'auxiliaire et le pronom sujet inversé.
***Ne** venez-vous **pas** ? **N'**ont-ils **pas** aimé le film ?*
Réponse affirmative : ***Si.***
Réponse négative : ***Non.***

Les relations logiques

1. L'expression de la cause

▸ D4 p. 76

Cause neutre		
car *parce que*	+ indicatif	*Il est angoissé **car** / **parce qu'**il a perdu son smartphone.*
en raison de *du fait de*	+ nom	***En raison de** / **Du fait des** nombreuses publicités, certaines personnes abandonnent les réseaux sociaux.*
en effet	= adverbe	***En effet**, on ne peut pas s'en débarrasser.* *= On ne peut **en effet** pas s'en débarrasser.*
Cause présentée comme connue		
comme (cause connue de l'interlocuteur) *puisque* (cause présentée comme évidente)	+ verbe à l'indicatif	***Comme** chacun poste ses photos, il est facile de devenir narcissique.* ***Puisque** le smartphone est un moyen de toujours être connecté, il existe un risque d'addiction.*
Cause présentée comme subjective		
grâce à (conséquence jugée positive) *à cause de* (conséquence jugée négative)	+ nom	***Grâce aux** réseaux sociaux, on peut garder contact.* (= conséquence positive) ***À cause des** réseaux sociaux, on est de plus en plus seuls face à l'écran.* (= conséquence négative)
Cause qui se répète		
à force de	+ infinitif ou nom	***À force de** publier de fausses informations, il a reçu un avertissement.* ***À force de** patience, nous avons trouvé les meilleurs sites.*

Attention ! – *Comme* est toujours placé au début de la phrase.
– *Car* et *parce que* ne peuvent pas être en début de phrase.
– La cause peut aussi être exprimée par un verbe à la voix passive : *être causé par, être provoqué par…*
*Son exclusion **a été provoquée par** son mauvais comportement.*
– La cause peut également être exprimée par un participe présent.
***Étant** doué en informatique, il a créé son propre site web.*

2. L'expression de la conséquence

▸ D4 p. 76

donc, par conséquent, en conséquence, alors, du coup** : annoncent une conséquence	*Je reçois des courriels,* ***donc / par conséquent / en conséquence / alors / du coup*** *je suis quelqu'un qui compte.*
c'est la raison pour laquelle, c'est pourquoi, voilà pourquoi, c'est pour cela que : donnent une explication	*Nous sommes tous un peu narcissiques.* ***C'est la raison pour laquelle / C'est pourquoi / Voilà pourquoi / C'est pour cela que*** *nous affichons seulement des photos avantageuses.*
si / tellement + adjectif / adverbe + *que* : ajoutent une nuance d'intensité *tellement de / tant de* + nom + *que* et *tellement / tant* + verbe + *que* : ajoutent une nuance de quantité	*On est* ***si / tellement*** *sollicités par les écrans* ***que*** *notre attention est diminuée.* *On zappe* ***si / tellement*** *rapidement* ***qu'****on oublie tout.* *Il y a* ***tellement d' / tant d'****écrans* ***que*** *notre attention est diminuée.* *On suit* ***tellement / tant*** *nos GPS* ***qu'****on ne sait plus par où on est passé.*

* Expressions orales ou familières.

Attention ! – *Donc* ne doit pas être utilisé en début de phrase mais dans la deuxième partie de la phrase ou après le verbe conjugué : *Il était tard,* ***donc*** *il est parti / il est* ***donc*** *parti.*
– La conséquence peut aussi être exprimée par un verbe : *entraîner, causer provoquer, déclencher,* etc. + nom : *L'inondation* ***a provoqué*** *la panique.*

3. L'expression du but

▸ D5 p. 89

pour	+ nom ou infinitif	*Ils militent* ***pour*** *la féminisation de la langue et* ***pour / afin de / dans le but de*** *défendre l'égalité hommes-femmes.*
afin de *dans le but de*	+ infinitif	
pour que *afin que*	+ subjonctif	*Il faut commencer à l'école* ***pour que*** *les mentalités puissent vraiment évoluer.*

Attention ! Le but peut aussi être exprimé par un verbe : *permettre de, viser à, chercher à* + infinitif.
Il s'agit d'une réforme qui ***vise à*** *sensibiliser la population.*

4. L'expression de l'opposition et de la concession

▸ D1 p. 22

Opposition	*mais, par contre*, en revanche, au contraire*	*Les baby-boomers trouvent la mode vintage étrange ;* ***mais / par contre / en revanche / au contraire****, pour la génération Y, c'est une manière d'appréhender le monde.*
	contrairement à + nom / pronom	***Contrairement à*** *la génération Y, les baby-boomers ne sont pas attirés par les objets vintage.*
	alors que / tandis que + indicatif	*Les cassettes ont pratiquement disparu* ***alors que / tandis que*** *les disques vinyle continuent à se vendre.*
Concession	*mais, pourtant, cependant, néanmoins, toutefois (… quand même)*	*Le tourisme de masse est mauvais pour l'environnement,* ***mais / pourtant / cependant / néanmoins / toutefois****, il est (****quand même****) important pour l'économie.*
	malgré + nom / pronom	***Malgré*** *le développement de la technologie, certains objets plus anciens restent populaires.*
	même si + indicatif	*Leur quotidien est peuplé de références aux années 50 et 60* ***même si*** *c'est une époque qu'ils n'ont pas connue.*
	bien que + subjonctif	*Le tourisme est essentiel* ***bien qu'****il nuise à l'environnement.*

* Plutôt à l'oral.

Attention ! On peut renforcer la concession avec *quand même* après le verbe.
Il n'a aucune chance d'être élu ***pourtant*** *il se présente* ***quand même****.*

Tableaux des sons 100

Les voyelles et semi-voyelles

Voyelles orales	
[i]	six
[e]	thé
[ɛ]	elle
[a]	Paris
[y]	lune
[ø]	deux
[ə]	le
[œ]	heure
/OE/*	heureuse
[u]	vous
[o]	stylo
[ɔ]	sport
/O/**	téléphoner

Voyelles nasales	
[ɛ̃]	cinq
[ɑ̃]	cent
[ɔ̃]	onze

Semi-voyelles	
[j]	fille
[w]	moi
[ɥ]	lui

* Archiphonème recouvrant trois prononciations possibles selon les locuteurs : [ø], [ə] ou [œ].

** Archiphonème recouvrant deux prononciations possibles selon les locuteurs : [o] ou [ɔ].

Les consonnes

Consonne sourdes (les cordes vocales ne vibrent pas)		Consonnes sonores (les cordes vocales vibrent)	
[p]	papa	[b]	bon
[t]	thé	[d]	dé
[k]	café	[g]	gare
[f]	faim	[v]	valise
[s]	six	[z]	maison
[ʃ]	chat	[ʒ]	je

Consonnes nasales (l'air passe par le nez)	
[m]	mur
[n]	nez
[ɲ]	ligne
[ŋ]	parking

Consonnes vibrantes (la pointe de la langue se colle en haut ou en bas)	
[l]	lit
[ʀ]	rue

Schéma articulatoire des voyelles

Pour la prononciation des voyelles du français, on distingue quatre critères d'articulation :
- **l'ouverture de la bouche :** plus ou moins fermée et plus ou moins ouverte ;
- **l'arrondissement des lèvres ou la position étirée** (bouche arrondie ou souriante) ;
- **la position de la langue** à l'intérieur de la bouche : langue en avant ou en arrière ;
- **le passage de l'air par la bouche** (voyelles orales) ou le passage de l'air par la bouche et **par le nez** (voyelles nasales).

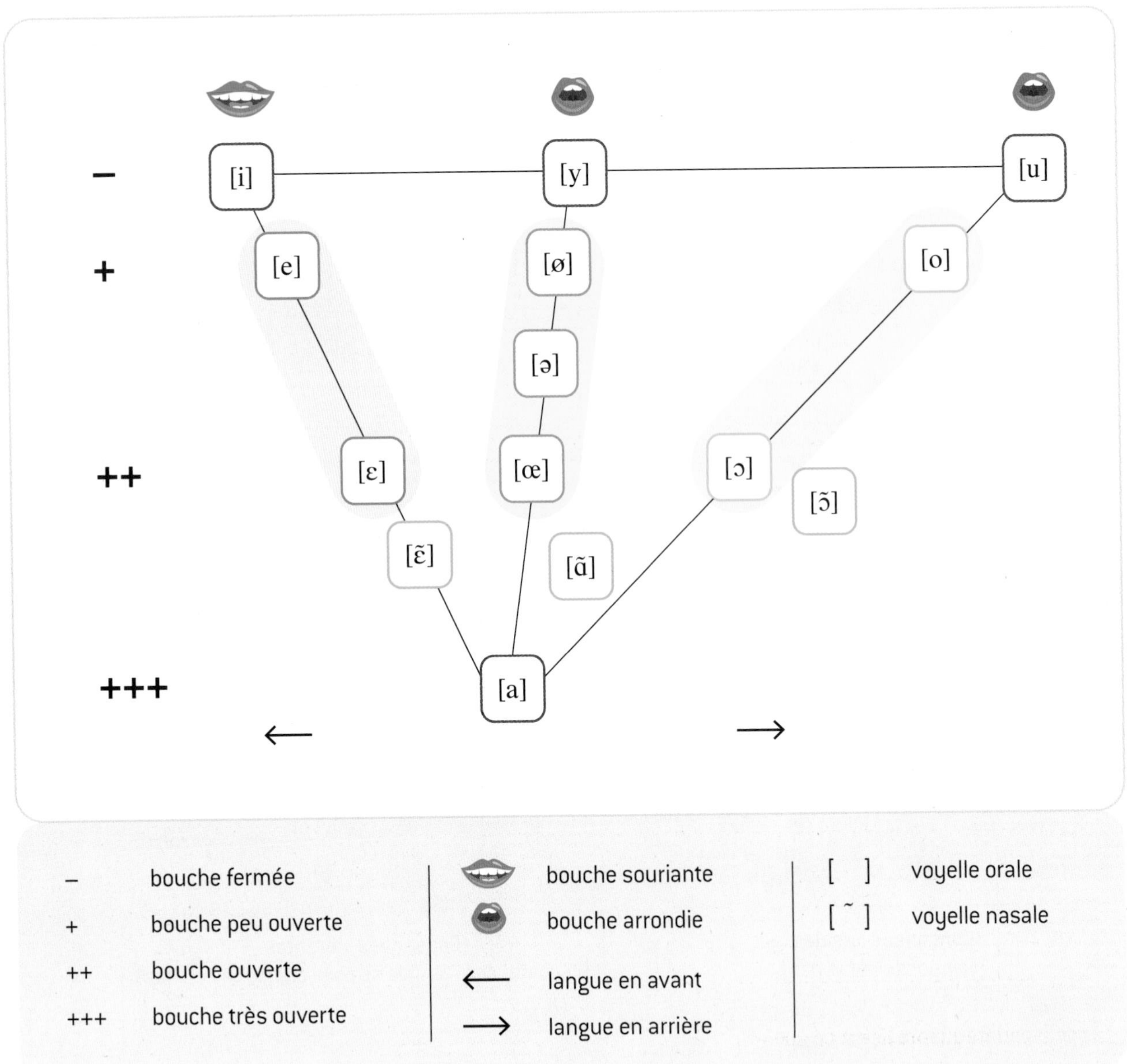

Phonie-graphie des voyelles

[i]	i – î – ï – y	Sylvie habite sur une île.
[y]	u – û – eu*	Tu as eu du succès bien sûr !
[u]	ou – oo* – où*	Où voulez-vous faire du foot ?
[a]	a – à – â – e* – oi	Ma femme et moi allons souvent au théâtre et à l'opéra.
[e]	é – er – ez – ai*	J'ai passé l'été dernier chez moi.
[ɛ]	è – ê – ai – ei – e	J'aime voir la neige en hiver de ma fenêtre.
[ø]	eu – œu	Deux vœux sérieux.
[ə]	e – on* – ai* – u*	Ce monsieur en chemise faisait le buzz.
[œ]	eu – œu – œ	L'œil de ma jeune sœur pleure.
/OE/	eu**	Heureusement ou malheureusement ?
[o]	o – ô – au – eau	C'est un drôle de chapeau jaune.
[ɔ]	o – au* – u*	Paul fait le maximum de sport mais n'aime pas le golf.
/O/	o**	Une jolie photographie de la francophonie.
[ɛ̃]	in – im – ain – aim* – yn – ym – un – ein – en* – (i)en – (y)en – (é)en	Mon copain Benjamin est brun et sympa. Il peint aussi bien que mon cousin lycéen.
[ɑ̃]	an – am – en – em	Ensemble dans la chambre.
[ɔ̃]	on – om	Nous comptons sur son nom.

* Graphie peu fréquente liée à ce son.

** Lettres *eu* et *o* placées à la fin d'une syllabe et au milieu d'un mot : deux ou trois prononciations possibles selon les locuteurs (voir le tableau des voyelles p. 217).

CONJUGAISONS

	Présent	Passé composé	Imparfait	Futur
Être	je suis tu es il/elle/on est nous sommes vous êtes ils/elles sont	j'ai été tu as été il/elle/on a été nous avons été vous avez été ils/elles ont été	j'étais tu étais il/elle/on était nous étions vous étiez ils/elles étaient	je serai tu seras il/elle/on sera nous serons vous serez ils/elles seront
Avoir	j'ai tu as il/elle/on a nous avons vous avez ils/elles ont	j'ai eu tu as eu il/elle/on a eu nous avons eu vous avez eu ils/elles ont eu	j'avais tu avais il/elle/on avait nous avions vous aviez ils/elles avaient	j'aurai tu auras il/elle/on aura nous aurons vous aurez ils/elles auront
Aller	je vais tu vas il/elle/on va nous allons vous allez ils/elles vont	je suis allé(e) tu es allé(e) il/elle/on est allé(e) nous sommes allé(e)s vous êtes allé(e)s ils/elles sont allé(e)s	j'allais tu allais il/elle/on allait nous allions vous alliez ils/elles allaient	j'irai tu iras il/elle/on ira nous irons vous irez ils/elles iront
Pouvoir	je peux tu peux il/elle/on peut nous pouvons vous pouvez ils/elles peuvent	j'ai pu tu as pu il/elle/on a pu nous avons pu vous avez pu ils/elles ont pu	je pouvais tu pouvais il/elle/on pouvait nous pouvions vous pouviez ils/elles pouvaient	je pourrai tu pourras il/elle/on pourra nous pourrons vous pourrez ils/elles pourront
Devoir	je dois tu dois il/elle/on doit nous devons vous devez ils/elles doivent	j'ai dû tu as dû il/elle/on a dû nous avons dû vous avez dû ils/elles ont dû	je devais tu devais il/elle/on devait nous devions vous deviez ils/elles devaient	je devrai tu devras il/elle/on devra nous devrons vous devrez ils/elles devront
Vouloir	je veux tu veux il/elle/on veut nous voulons vous voulez ils/elles veulent	j'ai voulu tu as voulu il/elle/on a voulu nous avons voulu vous avez voulu ils/elles ont voulu	je voulais tu voulais il/elle/on voulait nous voulions vous vouliez ils/elles voulaient	je voudrai tu voudras il/elle/on voudra nous voudrons vous voudrez ils/elles voudront
Faire	je fais tu fais il/elle/on fait nous faisons vous faites ils/elles font	j'ai fait tu as fait il/elle/on a fait nous avons fait vous avez fait ils/elles ont fait	je faisais tu faisais il/elle/on faisait nous faisions vous faisiez ils/elles faisaient	je ferai tu feras il/elle/on fera nous ferons vous ferez ils/elles feront
Prendre	je prends tu prends il/elle/on prend nous prenons vous prenez ils/elles prennent	j'ai pris tu as pris il/elle/on a pris nous avons pris vous avez pris ils/elles ont pris	je prenais tu prenais il/elle/on prenait nous prenions vous preniez ils/elles prenaient	je prendrai tu prendras il/elle/on prendra nous prendrons vous prendrez ils/elles prendront

Impératif	Plus-que-parfait	Subjonctif présent	Conditionnel présent
	j'avais été	que je sois	je serais
sois	tu avais été	que tu sois	tu serais
	il/elle/on avait été	qu'il/elle/on soit	il/elle/on serait
soyons	nous avions été	que nous soyons	nous serions
soyez	vous aviez été	que vous soyez	vous seriez
	ils/elles avaient été	qu'ils/elles soient	ils/elles seraient
	j'avais eu	que j'aie	j'aurais
aie	tu avais eu	que tu aies	tu aurais
	il/elle/on avait eu	qu'il/elle/on ait	il/elle/on aurait
ayons	nous avions eu	que nous ayons	nous aurions
ayez	vous aviez eu	que vous ayez	vous auriez
	ils/elles avaient eu	qu'ils/elles aient	ils/elles auraient
	j'étais allé(e)	que j'aille	j'irais
va	tu étais allé(e)	que tu ailles	tu irais
	il/elle/on était allé(e)	qu'il/elle/on aille	il/elle/on irait
allons	nous étions allé(e)s	que nous allions	nous irions
allez	vous étiez allé(e)s	que vous alliez	vous iriez
	ils/elles étaient allé(e)s	qu'ils/elles aillent	ils/elles iraient
	j'avais pu	que je puisse	je pourrais
	tu avais pu	que tu puisses	tu pourrais
	il/elle/on avait pu	qu'il/elle/on puisse	il/elle/on pourrait
	nous avions pu	que nous puissions	nous pourrions
	vous aviez pu	que vous puissiez	vous pourriez
	ils/elles avaient pu	qu'ils/elles puissent	ils/elles pourraient
	j'avais dû	que je doive	je devrais
dois	tu avais dû	que tu doives	tu devrais
	il/elle/on avait dû	qu'il/elle/on doive	il/elle/on devrait
devons	nous avions dû	que nous devions	nous devrions
devez	vous aviez dû	que vous deviez	vous devriez
	ils/elles avaient dû	qu'ils/elles doivent	ils/elles devraient
	j'avais voulu	que je veuille	je voudrais
	tu avais voulu	que tu veuilles	tu voudrais
	il/elle/on avait voulu	qu'il/elle/on veuille	il/elle/on voudrait
	nous avions voulu	que nous voulions	nous voudrions
veuillez	vous aviez voulu	que vous vouliez	vous voudriez
	ils/elles avaient voulu	qu'ils/elles veuillent	ils/elles voudraient
	j'avais fait	que je fasse	je ferais
fais	tu avais fait	que tu fasses	tu ferais
	il/elle/on avait fait	qu'il/elle/on fasse	il/elle/on ferait
faisons	nous avions fait	que nous fassions	nous ferions
faites	vous aviez fait	que vous fassiez	vous feriez
	ils/elles avaient fait	qu'ils/elles fassent	ils/elles feraient
	j'avais pris	que je prenne	je prendrais
prends	tu avais pris	que tu prennes	tu prendrais
	il/elle/on avait pris	qu'il/elle/on prenne	il/elle/on prendrait
prenons	nous avions pris	que nous prenions	nous prendrions
prenez	vous aviez pris	que vous preniez	vous prendriez
	ils/elles avaient pris	qu'ils/elles prennent	ils/elles prendraient

CONJUGAISONS

	Présent	Passé composé	Imparfait	Futur
Venir	je viens tu viens il/elle/on vient nous venons vous venez ils/elles viennent	je suis venu(e) tu es venu(e) il/elle/on est venu(e) nous sommes venu(e)s vous êtes venu(e)s ils/elles sont venu(e)s	je venais tu venais il/elle/on venait nous venions vous veniez ils/elles venaient	je viendrai tu viendras il/elle/on viendra nous viendrons vous viendrez ils/elles viendront
Parler	je parle tu parles il/elle/on parle nous parlons vous parlez ils/elles parlent	j'ai parlé tu as parlé il/elle/on a parlé nous avons parlé vous avez parlé ils/elles ont parlé	je parlais tu parlais il/elle/on parlait nous parlions vous parliez ils/elles parlaient	je parlerai tu parleras il/elle/on parlera nous parlerons vous parlerez ils/elles parleront
Voir	je vois tu vois il/elle/on voit nous voyons vous voyez ils/elles voient	j'ai vu tu as vu il/elle/on a vu nous avons vu vous avez vu ils/elles ont vu	je voyais tu voyais il/elle/on voyait nous voyions vous voyiez ils/elles voyaient	je verrai tu verras il/elle/on verra nous verrons vous verrez ils/elles verront
Choisir	je choisis tu choisis il/elle/on choisit nous choisissons vous choisissez ils/elles choisissent	j'ai choisi tu as choisi il/elle/on a choisi nous avons choisi vous avez choisi ils/elles ont choisi	je choisissais tu choisissais il/elle/on choisissait nous choisissions vous choisissiez ils/elles choisissaient	je choisirai tu choisiras il/elle/on choisira nous choisirons vous choisirez ils/elles choisiront
Écrire	j'écris tu écris il/elle/on écrit nous écrivons vous écrivez ils/elles écrivent	j'ai écrit tu as écrit il/elle/on a écrit nous avons écrit vous avez écrit ils/elles ont écrit	j'écrivais tu écrivais il/elle/on écrivait nous écrivions vous écriviez ils/elles écrivaient	j'écrirai tu écriras il/elle/on écrira nous écrirons vous écrirez ils/elles écriront
Sortir	je sors tu sors il/elle/on sort nous sortons vous sortez ils/elles sortent	je suis sorti(e) tu es sorti(e) il/elle/on est sorti(e) nous sommes sorti(e)s vous êtes sorti(e)s ils/elles sont sorti(e)s	je sortais tu sortais il/elle/on sortait nous sortions vous sortiez ils/elles sortaient	je sortirai tu sortiras il/elle/on sortira nous sortirons vous sortirez ils/elles sortiront
Réfléchir	je réfléchis tu réfléchis il/elle/on réfléchit nous réfléchissons vous réfléchissez ils/elles réfléchissent	j'ai réfléchi tu as réfléchi il/elle/on a réfléchi nous avons réfléchi vous avez réfléchi ils/elles ont réfléchi	je réfléchissais tu réfléchissais il/elle/on réfléchissait nous réfléchissions vous réfléchissiez ils/elles réfléchissaient	je réfléchirai tu réfléchiras il/elle/on réfléchira nous réfléchirons vous réfléchirez ils/elles réfléchiront
Connaître	je connais tu connais il/elle/on connaît nous connaissons vous connaissez ils/elles connaissent	j'ai connu tu as connu il/elle/on a connu nous avons connu vous avez connu ils/elles ont connu	je connaissais tu connaissais il/elle/on connaissait nous connaissions vous connaissiez ils/elles connaissaient	je connaîtrai tu connaîtras il/elle/on connaîtra nous connaîtrons vous connaîtrez ils/elles connaîtront

Impératif	Plus-que-parfait	Subjonctif présent	Conditionnel présent
	j'étais venu(e)	que je vienne	je viendrais
viens	tu étais venu(e)	que tu viennes	tu viendrais
	il/elle/on était venu(e)	qu'il/elle/on vienne	il/elle/on viendrait
venons	nous étions venu(e)s	que nous venions	nous viendrions
venez	vous étiez venu(e)s	que vous veniez	vous viendriez
	ils/elles étaient venu(e)s	qu'ils/elles viennent	ils/elles viendraient
	j'avais parlé	que je parle	je parlerais
parle	tu avais parlé	que tu parles	tu parlerais
	il/elle/on avait parlé	qu'il/elle/on parle	il/elle/on parlerait
parlons	nous avions parlé	que nous parlions	nous parlerions
parlez	vous aviez parlé	que vous parliez	vous parleriez
	ils/elles avaient parlé	qu'ils/elles parlent	ils/elles parleraient
	j'avais vu	que je voie	je verrais
vois	tu avais vu	que tu voies	tu verrais
	il/elle/on avait vu	qu'il/elle/on voie	il/elle/on verrait
voyons	nous avions vu	que nous voyions	nous verrions
voyez	vous aviez vu	que vous voyiez	vous verriez
	ils/elles avaient vu	qu'ils/elles voient	ils/elles verraient
	j'avais choisi	que je choisisse	je choisirais
choisis	tu avais choisi	que tu choisisses	tu choisirais
	il/elle/on avait choisi	qu'il/elle/on choisisse	il/elle/on choisirait
choisissons	nous avions choisi	que nous choisissions	nous choisirions
choisissez	vous aviez choisi	que vous choisissiez	vous choisiriez
	ils/elles avaient choisi	qu'ils/elles choisissent	ils/elles choisiraient
	j'avais écrit	que j'écrive	j'écrirais
écris	tu avais écrit	que tu écrives	tu écrirais
	il/elle/on avait écrit	qu'il/elle/on écrive	il/elle/on écrirait
écrivons	nous avions écrit	que nous écrivions	nous écririons
écrivez	vous aviez écrit	que vous écriviez	vous écririez
	ils/elles avaient écrit	qu'ils/elles écrivent	ils/elles écriraient
	j'étais sorti(e)	que je sorte	je sortirais
sors	tu étais sorti(e)	que tu sortes	tu sortirais
	il/elle/on était sorti(e)	qu'il/elle/on sorte	il/elle/on sortirait
sortons	nous étions sorti(e)s	que nous sortions	nous sortirions
sortez	vous étiez sorti(e)s	que vous sortiez	vous sortiriez
	ils/elles étaient sorti(e)s	qu'ils/elles sortent	ils/elles sortiraient
	j'avais réfléchi	que je réfléchisse	je réfléchirais
réfléchis	tu avais réfléchi	que tu réfléchisses	tu réfléchirais
	il/elle/on avait réfléchi	qu'il/elle/on réfléchisse	il/elle/on réfléchirait
réfléchissons	nous avions réfléchi	que nous réfléchissions	nous réfléchirions
réfléchissez	vous aviez réfléchi	que vous réfléchissiez	vous réfléchiriez
	ils/elles avaient réfléchi	qu'ils/elles réfléchissent	ils/elles réfléchiraient
	j'avais connu	que je connaisse	je connaîtrais
connais	tu avais connu	que tu connaisses	tu connaîtrais
	il/elle/on avait connu	qu'il/elle/on connaisse	il/elle/on connaîtrait
connaissons	nous avions connu	que nous connaissions	nous connaîtrions
connaissez	vous aviez connu	que vous connaissiez	vous connaîtriez
	ils/elles avaient connu	qu'ils/elles connaissent	ils/elles connaîtraient

Remerciements

Nathalie Hirschsprung remercie Tony Tricot pour avoir accepté de partager cette belle aventure en quatre opus,
Martine Stirman pour tout ce qu'elle lui a appris,
Adrien Berthier pour son soutien inconditionnel.

Tony Tricot remercie infiniment Nathalie Hirschsprung pour sa confiance, son professionnalisme et pour tout ce qu'elle lui a appris,
Cécile Deville pour son soutien inconditionnel,
Célestin et Léonie pour leur patience et leur compréhension.

Crédits

PHOTOS DE COUVERTURE : Paris, parc de la Villette (haut) © Nicolas Piroux ; Canada © Getty Images.

PHOTOS INTÉRIEURES
Agefotostock : p. 48 © Javier Larrea.
Bridgeman Images : p. 32 photo 1 (allumeur de réverbères) © Taillandier ; photo 2 (composteuse) © Punch / Gerald Bloncourt – p. 136 antiquité et moyen âge © Bibliothèque Municipale, Castres, France ; renaissance et époque moderne (gravure couleur) © PVDE ; XIXᵉ siècle (couleur) © Frances Benjamin Johnston / Granger ; XXᵉ siècle (noir et blanc) © CCI, (couleur) © PVDE.
Christophel : p. 51 (*La Fille de Brest*) © Haut et Court / Jean Claude Lother.
Gamma-Rapho : p. 90 (meeting politique) © Patrick Aventurier.
Getty Images : p. 30 et p. 160 (Atiq Rahimi) © Andrew H. Walker / AFP – p. 36 (Burundi) © Cultura exclusive / Walter Zerla – p. 55 (café) © Thomas Craig – p. 69 (photos de famille) © Yevgen Timashov – p. 161 (Eduardo Manet) © Ulf Andersen.
Photononstop : p. 14 photo 2 (agriculture biologique) © Stéphane Ouzounoff.
Sipa : p. 121 (Sandra Reinflet) © Baltel – p. 138 (J.-M. Blanquer) © Jacques Witt – p. 147 (Sciences Po) © Chamussy.
Autres photos : © Shutterstock.

DOCUMENTS ÉCRITS ET VISUELS
Dossier 1 p. 11 © Kantar TNS – Food 360 2016 ; p. 12 © *Vivre au Congo* ; p. 12 et p. 17 (SAPE) © Héctor Mediavilla ; p. 14 © Éditions Flammarion 2018 ; p. 18 © Avec l'aimable autorisation du quotidien suisse *Le Temps*, édité à Lausanne ; p. 21 © Éditions 10/18 – **Dossier 2** p. 30 (couverture) © Éditions L'iconoclaste ; p. 30 © Propos recueillis par Nathalie Jungerman pour FloriLettres, www.fondationlaposte.org ; p. 32 © lefigaro.fr, Quentin Périnel, 03/12/16 ; p. 36 © Audiolib 2016 & © Éditions Grasset & Fasquelle 2016 ; p. 37 (couverture) © Éditions Folio classique, © Éditions Gallimard ; p. 38 (jaquette DVD) © Charlotte Schousboe, p. 38 (texte) © Les Clionautes / La Cliothèque, https://clio-cr.clionautes.org – **Dossier 3** p. 46 © Fondation d'entreprise Cultura ; p. 48 © Justine Hugues, lepetitjournal.com, journal des Français et francophones de l'étranger, créé en 2001 et comptant actuellement 67 éditions locales sur les 5 continents ; p. 51 © lexpress.fr 2016 ; p. 54 © *Libération* ; p. 56 © Mashable avec France 24, Louise Wessbecher, 30/05/18 – **Dossier 4** p. 65 © éditions Flblb ; p. 66 © Ousseynou Thiam, ciao-mag.com ; p. 69 © *Le Monde*, Pascale Krémer, 2 mars 2018 ; p. 72 © Sawi ; p. 72 (photos) © Chompoo Barritone ; p. 74 (affiche) © UGICT / CGT Ingénieurs Cadres Techniciens – ugict.cgt.fr, p. 74 (couverture et texte) © Larousse 2017 – **Dossier 5** p. 83 (dessin, haut) © 1jour1actu.com ; Azam, 20/05/12, Milan Presse ; p. 84-85 © on-peut-faire-mieux.com, reproduits avec l'autorisation de la CPAM du Bas-Rhin ; p. 87 © *La Liberté*, quotidien romand édité à Fribourg (Suisse). Article rédigé par la « Page Jeunes » (laliberte.ch/jeunes), 16/01/18 / Photos : Kessey Dieu ; p. 90 © *La* Croix, 23/05/16 ; p. 91 (couverture) © Éditions Flammarion 2017 ; p. 93 © *Le Figaro*, 15/07/18 – **Dossier 6** p. 101 © www.pacte-climat.eu ; p. 102 © notre-planete.info / Frédéric Lucas ; p. 104 © France Culture ; p. 109 © mairie de Paris / Nuit de la Solidarité ; p. 110 (couverture) © Éditions Folio, © Éditions Gallimard ; p. 110 (textes) © Éditions Grasset 2000 ; p. 115 © wearereadynow.net – **Dossier 7** p. 118 (affiche 1) © Institut français de Khartoum, (affiche 2) Institut français de Pékin ; p. 119 © Éditions Dargaud 2018 ; p. 120 © *Harvard Business Review France*, hors-série « 50 idées made in USA », 2018 ; p. 123 © lesechos.fr, 15/11/18 ; p. 127 © (couverture et texte) Éditions Albin Michel 2010 ; p. 129 © Alexandre, Technoprog, technoprog.org/alexandre – **Dossier 8** p. 137 © canalvie.com ; p. 139 © *Libération*, Thibaut Sardier, 21/06/18 ; p. 140 © lefigaro.fr, Claire Pillot-Loiseau, 24/10/18 ; p. 144-145 © Éditions Anamosa 2018 ; p. 147 © rue89.nouvelobs.com, Hélène Crié-Wiesner, 01/05/14 ; p. 150 (1) © edupronet.com, (2) © Éditions L'Harmattan ; p. 151 © lexpress.fr, 05/09/11.

DOCUMENTS AUDIO
Dossier 1 p. 12 © podcast Chiffon ; p. 14 © RTL ; p. 19 © RTL – **Dossier 2** p. 31 © Agence pour l'enseignement français à l'étranger ; p. 36 © Audiolib 2016 & © Éditions Grasset & Fasquelle 2016 – **Dossier 3** p. 49 © Radio France / France Inter ; p. 50 © RFI ; p. 55 © Radio France / France Culture – **Dossier 4** p. 67 © Radio Nova ; p. 68 © Radio Canada ; p. 73 © Radio France / France Inter / Fabienne Sintes ; p. 78 © Radio France / France Culture – **Dossier 5** p. 84 © RTL ; p. 86 © Radio Canada ; p. 91 © TV5MONDE – **Dossier 6** p. 103 © Radio France / France Culture ; p. 105 © Europe 1 ; p. 108 © France 24 – **Dossier 7** p. 122 © jobradio.fr ; p. 126 © BFM Business – **Dossier 8** p. 141 © RFI ; p. 144 © Radio France / France Culture / Hervé Gardette.

DOCUMENTS VIDÉO
Vidéo n° 1 © France Télévisions / France 3 Grand Est – **Vidéo Stratégies Dossier 1** © La région Île-de-France / Manifestory – **Vidéo n° 2** © Vivement Lundi ! / Mosaïque Films / TV Rennes 35 / Araneo / Réalisation : Laurent Boileau – **Vidéo n° 3** © France 24 – **Vidéo n° 4** © Arte Yourope / Into the Tribe © Camila Garcia – **Vidéo n° 5** © France Télévisions / France 2 – **Vidéo n° 6** © Natoo – **Vidéo n° 7** © Production Géry – Jeviensbosserchezvous – JVBCV – **Vidéo n° 8** © France Télévisions – France 3 Paris Île-de-France.

Achevé d'imprimer en janvier 2023 en Italie par L.E.G.O. S.p.A. Lavis (TN) - Dépôt légal : mars 2019 - Édition 07 - 47/5527/1